大秦

盛衰四十年

——破译大秦帝国密码

秦风◎著

中国广播电视出版社
CHINA RADIO & TELEVISION PUBLISHING HOUSE

图书在版编目（CIP）数据

大秦盛衰四十年：破译大秦帝国密码/秦风著.—北京：
中国广播电视出版社，2007.4
ISBN 978-7-5043-5264-4

Ⅰ.大… Ⅱ.秦… Ⅲ.中国—古代史—秦代 Ⅳ.K233

中国版本图书馆CIP数据核字（2007）第037329号

大秦盛衰四十年——破译大秦帝国密码

作　者：	秦 风
责任编辑：	任逸超
特约编辑：	杨立娟　王本刚
封面设计：	PLATO+ 创意机构
策　划：	北京环球阳光
监　印：	赵 宁
出版发行：	中国广播电视出版社
电　话：	86093580　86093583
社　址：	北京市西城区真武庙二条9号（邮政编码 100045）
经　销：	全国各地新华书店
印　刷：	北京阳光彩色印刷有限公司
开　本：	787毫米×1092毫米　1/16
字　数：	250(千)字
印　张：	15.5
版　次：	2007年4月第1版　2007年4月第1次印刷
印　数：	10 000 册
书　号：	ISBN 978-7-5043-5264-4
定　价：	28.00 元

目 录

CONENTS

引 子

秦王嬴政元年（前246），原本一片静寂的骊山脚下突然热闹起来。一群身穿官衣的人领着几个方士、拿着些千奇百怪的家伙绕着骊山走来走去；大队的士兵将这里围得水泄不通，使得围观的人只能远远地眺望。耳尖的听到里面的人嘴里念叨着"咒语"：什么"王曰"、"卦云"等等不知所言的"之乎者也"，唯一能听懂的两个字就是"风水"。对此人们猜测纷纭：方士！风水！是不是有什么大人物看上了这里，想把这里变成他的长眠之地了？这里的风水确实不错：南依骊山，层峦叠嶂，山林葱郁；北临渭水，逶迤曲转，银蛇横卧，而且离秦都咸阳（今陕西西安）也不算太远，后世子孙的凭吊也方便得很。只是哪个尊贵的人物能享受得起这块宝地？疑问又一次引起了人们的争论。

"要我看，这恐怕是大王（嬴政）给自己修的坟哩！"一位老者捻着花白的胡须说道。

"不可能！当今大王刚14岁，去年才登基，哪能这么着急呢？"有人反驳道。

"那可不好说。"老者对自己的猜测明显信心不足，抛出了这句有气无力的反驳后也就不再言语了。

"是不是给去年五月刚刚升天的老大王（秦庄襄王子楚）修的啊？"又有人提出了一种猜测。

"别胡说了，老大王死了都快一年了，哪有才下葬的？他早就葬在芷阳了。再说修坟可不是一天两天的事，老大王的身子又不是铁打的，哪等得了那么长时间？"

"我倒是认为，"又一个白胡子老者压低了声音说，"这坟，是给当朝相国吕相爷（吕不韦）修的。"

1

"何以见得？"这句话引起了周围人的好奇心，纷纷挤到老者身边要听个周详。

"如今朝上谁说得算？秦王吗？一个14岁的小孩子，毛都没长全，哪有说话的份？自从老大王登基后，国家大权都落在了吕相爷的手里。可以说，现在是吕相爷的天下。吕相爷岁数也不小了，恐怕该为自己百年之后做些打算了。"

"此言有理，"许久未发一言的花白胡子老者赞同道，"我听说，当今大王其实是吕相爷的骨血，老大王不过是白捡了一个儿子。有人说，老大王其实是被吕相爷和太后给气死的。"

"真的假的？这不可能吧？"

"你们没见过大王吧？去年他登基大典、满城巡游时我见过一次。他长的一点也不像老大王。老大王长的虽不算好看，但也没有马鞍形的鼻子、鸡胸脯吧。大王长的倒跟旁边的吕相爷有些相似呢。而且吕相爷看大王的那个眼神，嘿，倒还真有几分看儿子的感觉！大王管吕相爷叫仲父，恐怕也不是白叫的吧！"

"快别说了，这话传出去可是掉脑袋的事！你什么都没说，我们也什么都没听见。快散了，那帮兵老爷过来了。"

日子在骊山脚下居民的猜测中平静地过去。那些当官的走后，骊山脚下又押来了许多囚犯、奴隶，一个个光着膀子，在骊山北麓挥锹舞镐，不管冬夏，都干得热火朝天。一车车的木料从陆上、渭河水不断地向这里运来。等到秦王嬴政二十六年（前221），这里已经初步奠定了陵寝工程的规模和基本格局。

这26年对中华大地来说可谓是天翻地覆：秦王政九年（前238）九月，嬴政的母亲子楚夫人与嫪毐通奸并生下二子的丑闻东窗事发，嬴政怒不可遏，车裂嫪毐、放逐母后，并迁怒于一手导演了此事的吕不韦。后在群臣的解劝之下，才强压怒火，暂且作罢，只是罢免了吕不韦的相国之位。等到了第二年十月，年已27岁的嬴政颁下问罪诏书。吕不韦畏罪，服毒自尽，被葬于河南北邙山。

吕不韦死后，嬴政开始了一统中国的脚步：秦王嬴政十七年（前230），秦军攻破韩都新郑（今河南新郑），韩王举国投降；十九年，大将王翦破赵；次年，燕太子丹派荆轲刺秦失败，嬴政震怒，以此为借口大举进攻燕国，二十一年，燕都蓟城（今北京）落入秦手；二十二年，秦军掘开黄河大堤，河水倒灌魏都大梁（今河南开封），魏王束手就擒，当场处死；二十四年，王翦率倾国之兵，横扫楚国，楚王被迫投降；二十五年，秦军北进，将燕与赵的北逃政权彻底绞杀；二十六年，孤立无援的齐国在重重包围下作了拼死一搏，但终挡不住秦军的铁骑，为战国时代做了最后的谢幕。

中国，有史以来第一次统一在封建政权之下！

统一了全国的秦王嬴政称帝，建秦朝，号曰始皇。没有了战争困扰的他开始了大修陵寝的举动，26年未得平静的骊山脚下，更热闹起来。

统一的当年，丞相李斯便督率刑徒和奴隶，倾国力修造陵寝。从此时到秦始皇三十五年（前212），10年之间便基本上完成了陵园的主体工程。这10年也是骊山脚下最火热的10年，最多的时候，竟有72万刑徒和奴隶在这里挥汗如雨！经由陆路和渭水运来的也不只是砖瓦木料了，更有无可计数、让人眼红手热的奇珍异宝。也有些胆大的人混进了运宝的队伍，想浑水摸鱼发笔横财，但唯一的下场是被扔进了埋葬死去劳工的万人坑里，先始皇帝一步做了骊山陵的主人，只不过在主陵的西侧罢了。

骊山脚下热火朝天，秦始皇也没闲着。他四次巡海，派徐福两渡扶桑，人们都说他是为了寻求不死之药，以求永坐江山！然而不死药没找到，徐福一去不归，始皇帝也驾崩于巡海的归途中。

秦二世元年（前209）九月，骊山陵迎来了它的主人，而陵寝至此却还未完工。从长兄扶苏手中夺得帝位的秦二世胡亥，并没忘了他死去的老爹，而是继续完成骊山陵的收尾工作。直到次年冬季，陈涉的义军逼近咸阳，骊山陵的修建工程才草草收尾。即便如此，这座巍峨的陵寝，也足以藐视埃及金字塔了！

陵修完了，人也住进去了，但陵寝和它的主人的秘密一直困扰到了今天。史书上的只言片语将皇陵越描越神秘，考古学揭开了一个个谜团，却发现还有更多的谜团等着人们去破解……

第1章

被埋葬的童年秘密

秦始皇嬴政13岁即登上王位。这个年龄正是一个孩子淘气玩耍的时候，无忧无虑正是给予这个年龄的最好注解；更何况嬴政身为一国之君，没有衣食之忧，国家大事也都由吕不韦操心。然而，为何一个本该天真烂漫的孩子却在登基之时便萌生了为身后事做准备的消极想法？那提前好多年就修建的陵寝下究竟埋葬了嬴政性格上的哪些秘密？

五十金奠定帝国根基

　　建立起大秦帝国的秦始皇已经在骊山陵中沉睡2000多年了。2000多年的时光让中国从落后的铁器时代发展到了如今的信息时代，从皇帝至尊的封建集权时代发展到了今天人民当家作主的社会主义民主时代，其间的风云变幻、沧海桑田已不是几句话就能说清楚的事。然而，2000多年来，人们一直受着骊山陵主人的困扰，直到今天，迷雾还未消散。有时造化就是这样地捉弄人，为了探求大秦帝国崛起与灭亡的秘密，人们不得不追溯到秦始皇出生之前的久远时光。

　　秦始皇的家族秦人是华夏族的一支，传说周武王因秦的祖先善养马，因此将他们封在秦地。秦襄公八年（前770），秦襄公因为护送周平王东迁有功，所以被封为诸侯，此时秦才成为被人承认的诸侯国。从秦宣公九年（前677）起，秦国在雍(今陕西栎阳)建都近300年。

　　最初秦的领地位于今天陕西省，在当时属于中国的边缘部分，一直到战国初期秦一直是一个比较弱的国家。也许正因为它地处偏僻，因此它一直没有受到其他国家的重视。在春秋时代它是一个比较不显眼的国家，就科学技术、文化等等而言，秦在战国初期也比较落后。

商鞅像

秦孝公元年（前361），刚刚继位的秦孝公不满这种窝囊的现状，他一心想让秦国的旗帜遍插神州大地。然而此时的秦国，因为连年的征战，再加上国内动荡不安，国力日衰，原属秦国的大片土地也被周围诸侯国夺走。

认识到亡国之祸已迫在眉睫的秦孝公深感忧虑，他决心重振秦国雄风。一面对周边苟延残喘的小国发动战争、兼并土地，以转嫁国内矛盾；一面对百姓施行仁政，同时广招天下贤才。一个不世出的奇才——商鞅就借着这股东风走上了历史的舞台。

商鞅本是卫国人，复姓公孙，名鞅，出生在一个没落的贵族家庭。后因在秦国有功，被封为商君，所以后世一般称他为商鞅。

商鞅生活的时代，正是我国由奴隶制社会向封建制社会急剧转变的战国中期，各国之间的兼并战争连年不断、狼烟四起。新兴的地主阶级已经登上政治舞台，各种矛盾错综复杂。代表各个政治势力的思想、学术流派都不甘寂寞，纷纷著书立说，四方游说，百家争鸣。商鞅就是在这种大动荡、大变革的历史潮流中脱颖而出的。

卫国虽然是个小国，经济却很发达。社会经济的发达，必然使政治发生变革，代表地主阶级利益的思想家、政治家也就随之产生了。著名的思想家、政治家李悝、吴起都出自卫国。由于家庭环境和社会环境的影响，商鞅从小时候便萌生了干一番大事业的念头，尤其注重李悝、吴起等人主张的循名责实、以功论赏、以罪行罚的"刑名之学"，并在他的老师尸佼的指导下，系统地学习了被称之为"法家"的学说，为他后来变法革新奠定了坚实的基础。

然而卫国太小，留不下商鞅这尊菩萨，他便效仿李悝、吴起，到魏国去谋求生路。但魏惠王此时刚刚打败赵、韩联军，正是志得意满之时，根本不把年轻的商鞅放在眼里。

这时的秦国正好在招贤纳士，商鞅听说后，立刻收拾好行李，赶奔秦都雍城。

秦孝公二年(前360)，商鞅来到了秦国国都雍城。经过一番周折，商鞅三次面见秦孝公，终于将自己的政治抱负推销给了秦王。三天三夜的长谈之后，秦孝公立即任命商鞅为左庶长(爵名)，推行变法，并郑重宣布："寡人得鞅，

如鱼得水。今后一切事务都要听左庶长之命。谁敢违抗，与违抗寡人旨意同罪！"

升任左庶长没多久，商鞅就将第一部新法制定了出来，呈报给孝公。孝公二话不说，立即批准实行。商鞅担心下面的人不信任他，就先命人在都城的南门竖了一根三丈高的木头，并在城墙上贴了张告示，说："能把这根木头搬到北门去的人，赏金50两。"

不一会，南门口围了一大堆人。大家议论纷纷，有的说："这根木头谁都拿得动，哪儿用得着50两赏金？"更有人直截了当："这大概是左庶长拿我们开涮呢吧！"

商鞅50金城门立木

众人都对这张告示嗤之以鼻，就是没有一个相信告示中的话去扛木头的。

正在议论纷纷的时候，有一个敢吃螃蟹的跑了出来，说："我来试试。"他把木头扛起来，一直扛到了北门。商鞅也没有食言，立刻赏给扛木头的人50两黄澄澄的金子。

这件事立即传了开去，一下子轰动了秦国。老百姓说："左庶长果然言必信，行必果啊！"商鞅知道，他的命令已经起了作用，就把他起草的新法令公布了出去。

没过几天，秦国全国各地到处都张贴出颁布新法的布告。

这次变法的基本内容，一是在全国建立县制。县和奴隶主贵族的封邑不一样，它有一套完全直属于国君的政治组织和包括军备、军役在内的征赋制度。在全国普遍建立县制就等于解除了奴隶主贵族的私人武装，加强了中央政府的集权统治和军事力量。商鞅将许多乡、邑、村合并为县。全国共设立41个县，每县设令、丞等官职来掌管全县的政事，官吏的俸禄由国家按等级供给，这就使官吏们必须听命于中央政府。

二是拓开"阡陌"和"封疆"。在奴隶制社会，土地是按照爵位一层层分封下来的，凡是分封到土地的人都有自己的封疆，而在封疆与封疆之间常常有空□的荒地，这便是疆场。在封疆之内，土地按照井字形或田字形分割，其作用是便于计算地租，而那些纵横交错的地界叫作"阡陌"。商鞅规定：封疆、

废井田，开阡陌

阡陌由当地农民开垦，并承认开垦者的土地所有权，然后按农民实际耕种的田地面积来规定赋税，土地可以自由买卖。

　　商鞅的这些变法措施一颁布，立刻震动了全国，引起非常强烈的反响。农民眉开眼笑，立即着手开垦荒地，国家的耕地面积迅速扩大；而奴隶主贵族则百般抵制和抗拒，有的贵族甚至不惜动用武力。

　　对此，商鞅早有准备。他下令全国，凡是抗拒变法的，不分高低贵贱，一律拘捕，几天之内便抓了3000多人。他下令取消这些人的户籍，统统发配到边境去当兵。商鞅通过这个手段搞了一次大规模的移民行动，既大大挫折了那些反对新法的保守势力，同时又改变了边疆地广人稀的状况，这对于开发边疆、保卫边疆产生了深远影响。通过这次行动，商鞅再一次向人们表明了他推行新法的决心和勇气，同时也进一步树立了他个人的威望。

　　受老师鼓动，太子惠文君对新法提出种种非议。商鞅对此十分气愤："新法之所以施行得不顺利，就是因为上边有人作梗！作为王位继承人，太子不可以加刑，可是听之任之，则又非法。"

　　商鞅去见孝公，面奏此事。孝公也感到这件事很棘手，考虑再三，决定对太子的两位老师公子虔和公孙贾施以劓刑（割鼻）和刖刑（砍足）。这件事在全国引起了极大震动，人们面面相觑，私下议论说："太子违令，尚且不免处罚他的老师，像我们这些无权无势的人就更不用说了。"从此，全国人心大

定，新法很快推行了下去。

新法的顺利推行，使秦国几年之间就发生了很大变化。秦国政治上得到巩固，经济也飞速发展，军事上也有了很大增强。当时，秦国城乡盗贼绝迹，路不拾遗，夜不闭户。过去许多荒山野岭、沼泽泥塘，都被人们开垦成了良田。在商鞅推行改革的头几年里，恰逢秦国风调雨顺，连续获得大丰收。农业的丰产丰收，又促进了畜牧业的发展。800里秦川，到处是五谷丰登、六畜兴旺、家给人足的景象。秦国百姓尝到了改革的甜头，对新法交口称赞，就连那些比较顽固的保守派，在事实面前也转变了态度。

商鞅的改革给秦国带来了如此好处，令秦孝公十分高兴，对商鞅愈加倚重，提升他为大良造(官、爵名。战国时代之初秦国最高官职)、封商君。至此，商鞅手握军政、司法大权，成了秦国一人之下、万人之上的显赫人物。

但商鞅并不满足，又打铁趁热地连续推出三项重大改革措施。

首先是力主迁都。他通过严谨调查，发现咸阳地处秦国腹地，人杰地灵，是建都的风水宝地。秦孝公十年(前352)春，商鞅提交了一份详尽的迁都建都

商鞅方升 此升左壁刻有铭文"十八年，齐率卿大夫众来聘，冬十二月乙酉，大良造鞅，爰积十六尊(寸)五分尊(寸)壹为升"

计划。

阅过奏章、审查了他的建都迁都计划之后，孝公频频点头，当即批准，并委托商鞅全权亲自督办，抓紧实施。

商鞅贴榜招贤，召集了全国的能工巧匠，调用了30多万民工，大兴土木，用了近五年时间，建成了一座规模宏大、布局合理、结构精巧、气势非凡的大都城。

国都建成后，商鞅亲自组织并指挥了大规模的动迁行动。这次动迁的人

数多达70多万。但从建都开始到动迁完成，仅用了三个月多一点时间，这自然得益于商鞅的能力和第一部新法的威力。

第二项措施是制定颁布了秦国的新的法律法令，史称秦律。在这些法律法令中，最有代表性的是《垦草令》(又名《垦荒令》)、《开塞令》、《农战令》、《算地令》、《刑约》、《赏刑》、《禁使》等。

第三项改革措施是烧诗书，禁游学，加强对百姓的思想与文化的控制。商鞅为了减少人民反抗，鼓吹弱民、愚民，下令将凡是不利于封建统治的所谓异端邪说的书籍统统付之一炬，并禁止人们聚会，禁止私学，企图利用这一手段使百姓成为百依百顺的驯服工具。

商鞅的愚民政策是其在春秋战国时期特定的历史背景下所提出的政治主张。这种政策是新兴地主阶级必须建立统一封建专制主义中央集权的需要，和商鞅变法这一历史事件一样，它不仅对于此后的秦国，而且对于中国整个封建社会特别是秦汉时期的政治思想文化都产生过巨大而又深远的影响。

商鞅的两次重大改革进行得颇为顺利。这不仅是因为商鞅拥有过人的才干，更因为得到了秦孝公坚定不移的支持。

商鞅的改革措施符合当时的实际情况，又得到了不打折扣的顺畅的实行，因此给秦国带来的改变是非常迅速而且明显的。经过治理，秦国彻底摆脱了危机，重新回到了最强势的强国行列。

就在商鞅志得意满之际，变故发生了——志在重振大秦雄风的秦孝公终于没能经受得住祖先的召唤，在一场重病后撒手西去了。

秦惠文王元年(前338)，太子惠文君即位，是为秦惠文王。商鞅与惠文王在当年推行变法之时结下仇怨，自知久在朝中于己不利，便假托老迈多病，回封地养老去了。哪知当初受过商鞅残酷打击的守旧派不肯就此放过仇人。他们纷纷跳出来，撩拨惠文王对商鞅的恨意，又诬陷商鞅企图逆反，终于使惠文王决心处死商鞅。商鞅预先得知消息，想要逃走，结果没有惠文王腿快，被处以车裂之刑。他的家人也被悉数处死。一位功在当世、利及千秋的改革家，就这样退出了历史舞台。

商鞅在秦国施行的改革获得了巨大的成功，以法律形式废除了奴隶主在政治、经济上的特权，促进了经济的发展，加强了新兴地主阶级的中央集权

制度，使原来处于落后地位的秦国一跃成为战国时最先进的强国，为统一六国打下了基础。商鞅主张的法家思想也成为秦国占统治地位的思想。

商鞅变法为秦国成为战国七雄之首奠定了坚实的基础。虽然商鞅死于非命，但从那50金开始，他的变法便已经深入民心，使得他的改革措施得以延续不变。

商鞅之后的秦国尚不具备独立对抗其余诸侯的实力。见秦国通过变法走上了富强之路后，其他诸侯也相继开始了变法的过程，虽然没有秦国快，但也落后不了多少，这样一来，秦国统一天下困难重重。然而"天下大势，分久必合，合久必分"，秦国在等待，等待着一位铁血君王的诞生，祖先的渴望，历史的重任，将在他，秦始皇嬴政的手中成为现实！

投机阴谋的牺牲品

商鞅变法之后的秦国并没有等待多长时间，仅仅距商鞅死后80年，秦始皇便降生了。而一段历史谜团，也随着秦始皇的降生而开始困扰着后世。

对于秦始皇来说，他的生命中有两个人是最重要的：一个是他的母亲子楚夫人赵姬，另一个便是吕不韦了。秦始皇的大多数秘密，就系在这两个人的身上。

秦昭王四十年(前267)，秦国太子死在了魏国，秦昭王开始为王位的后继之人犯愁。昭王儿子不少，但真正成器的不多。头疼了两年之后，昭王决定依照传统，让次子安国君公子柱顶了长子的位置。按照惯例，当了太子的安国君也要立储。安国君有20多个儿子，但由于安国君的宠妃华阳夫人是继已亡的原配夫人之位成的正夫人，虽然她自己没有子嗣，却也决不允许其他女人借助被立储的孩子的势力爬到自己头上。尽管安国君感到这样拖下去终究不是个办法，但耳根子软的他在宠妃面前也感到无可奈何，只得暂时将此事搁下了。

在安国君的20多个儿子里，有一个叫异人的，排行不上不下，又由于是安国君的侧妃夏姬所生，根本得不到宠爱，被送在赵国做人质。而秦国压根没把这个人质放在心上，屡次攻打赵国，使得赵国人对异人很冷淡，根本不加礼遇。走投无路的异人也只能过着凄凉的

乱世英雄吕不韦

生活。

战国时期的赵都邯郸是一个商业发达的城市,有点实力的商人都来这里淘金,韩国阳翟(今河南禹州市)大贾(大商人)吕不韦就是其中的佼佼者。

一个偶然的机缘,正在邯郸做生意的吕不韦见到了异人。当时的异人早没有了身为王室成员的高贵,破车瘦马是他的出行工具,粗茶淡饭是他的日常三餐,风雨无阻是他的居住条件。走在大街上,失魂落魄的异人很难被人同秦国王子联系起来。而商人吕不韦却凭借着他那过人的投机眼光发现了这块璞玉。

由于当时的秦国实力极度膨胀,在七雄之中明显占据上风。已经是腰缠万贯的吕不韦早就想插手秦国的事务,在政治上捞一把。如今,机会自己送上了门。面对异人,他意识到自己终于找到了一个政治上的切入点和突破口,禁不住脱口而出:"奇货可居!"

吕不韦生意也不做了,跑回家里征求父亲的意见:"我们祖辈种田,今日经商,父亲可知道种田能有几分利益?"

吕父答道:"能有十倍的利润就不错了。"

吕不韦又问:"那贩卖丝绸珠玉,又能获多少利呢?"

"可以获得百倍的利润。"

"那如果可以扶立一人为王,掌握山河,又能获取几分利?"

吕父一听此话,半天没言语,过了好久,才说:"如此之利,则不是能金钱来衡量的了。"

一丝浅笑浮上了吕不韦的嘴角:"辛辛苦苦地去种田经商,在这个乱世之中连温饱都难以达到;而如果能够扶起一位君王,帮他建立起自己的政权,那功绩可以泽被后世。我决定走出这一步了!"

于是,吕不韦回到邯郸,开始了与异人的频繁接触。身处异乡的落难王孙异人,此时正巴不得有人来拉他一把,好早点从这不人不鬼的日子里逃脱出去。

一日酒席上,吕不韦对异人说:"愚兄早已为公子打听清楚,秦王现今年事已高,又有疾病缠身,依愚兄所见,恐怕没有多少日子了。公子如不抓紧时间想办法回国,错过良机,只怕回去的日子遥不可及了!"

异人知吕不韦的办事精明远非普通商人可以比拟,也有意要他相助,说:

"如今我在此地当人质，和一个囚犯有什么两样？况且与秦国也无法联系了，这种情况下我又能有什么办法？"

吕不韦说："我早就打听清楚了，令尊安国君的原配夫人已亡，眼下华阳夫人正受宠信，可华阳夫人偏巧没给令尊生出儿子。公子在秦国的兄弟虽说不少，据我所知，他们之中没有一个被令尊喜欢的。为什么公子还不抓住这个机会回国？如能回去，设法见到华阳夫人，就对她表白说愿意终生服侍她，赢得夫人欢心，接纳为嗣子，日后就算是被立为储君，也不是什么奢望了。"

异人边听边频频点头，流着眼泪说："我现在身处绝境，哪敢萌生这种不合现实的想法？听吕兄这么一说，真令我豁然开朗。如能借助吕兄之力得以回国，定当没齿不忘。"

吕不韦道："说实话，我其实也没什么才干，不过我对你十分钦佩，希望能够为你、为秦国尽些微薄之力。这些年我通过经商也积攒了些钱财，愿意倾家中所有为公子到秦国游说此事，说动安国君和华阳夫人，救公子回国，进而谋求储君之位，如此一来，公子登基也不是妄想了。不知公子意下如何？"

异人大喜，离席一躬到地："如果事情真能像吕兄所说的那样进行下去，登基之后，我愿意与吕兄共享天下。"

走完了政治投机第一步的吕不韦并没有像他所说的那样即刻对秦王室采取贿赂行动，而是先精心布好了一个局，让异人从此死心塌地的对待自己。这个局能否成功，关键在一个人的身上，她就是吕不韦的宠妾——赵姬。

赵姬年轻貌美，舞姿超群，深得吕不韦喜爱，而赵姬也对吕不韦情深意重。但心怀大志的吕不韦并没有把心系在温柔乡里，结识了异人以后，这个宠妾便成为了他走上政治舞台的一个阶梯。

一天，吕不韦在家中设宴相请异人。酒到半酣，令赵姬盛妆出来劝酒。异人见赵姬云鬟轻挑，蛾眉淡扫，玉步轻移，香风袭人，禁不住目眩心迷，神情恍惚，只顾偷眼相窥。赵姬在吕不韦先前的嘱咐下也故意秋波婉转，与他对视后娇羞不语。赵姬敬酒进前，异人接酒，左顾右盼，目不舍离。此时的吕不韦假装不胜酒力，在席间打起了瞌睡。异人自以为得到了机会，便接着酒劲去拉赵姬的袖子。赵姬若嗔若喜，半就半推。没料到啪的一声脆响，接着便听见吕不韦厉声呵斥："你竟敢调戏我的姬妾？"异人慌忙回头看，见吕不韦已怒气冲冲地站在座前，顿时吓得魂飞天外，只好跪地求饶。

吕不韦冷笑道："我与你交往了这么些日子，你怎么可以这样侮辱于我？就算是你喜欢我的姬妾，完全可以直言相告，何必鬼鬼祟祟的？"

异人听了，顿时转惊为喜，向吕不韦叩头哀求："我在这人生地不熟的地方做人质，客馆里没有人可以帮我解除寂寞。希望能够让赵姬陪我回去同住。如果吕兄将她相赐予我，以后要是贵为人上，必将重重报答你。"

见鱼已上钩，吕不韦便使了个欲擒故纵之计，沉默不语，逼得异人再次苦苦哀求。

吕不韦这才假装生气："既然你喜欢，就送给你，谈什么报答呢。"

吕不韦将仍在地上跪着的异人扶起来，让赵姬坐在异人的座侧，一直饮到深夜，才让赵姬陪伴异人上车，同返客馆。

关于赵姬的身世，在历史上也是一个谜团。本来司马迁在《史记·吕不韦列传》的前文中已经将赵姬的身世交代清楚了："吕不韦取（通娶）邯郸诸姬绝好善舞者与居。"这说明赵姬是一个青楼女子，以舞姿优美而在邯郸城内闻名，最终被吕不韦娶回在赵国的家中，当了外室。而在下一段中司马迁又写道："子楚夫人（即赵姬）赵豪家女也。"又说赵姬是豪富家的千金。这天壤之别、云泥之异真让人不敢相信那一种说法才是历史事实了。在其他史籍中我们又找不到佐证，只能根据当时的时代背景进行推测了。

有为数不少的人认为，赵姬确实是出身豪门，一是根据《史记·吕不韦列传》中司马迁用肯定的语气说"子楚夫人赵豪家女也"来推测；二是认为"邯郸诸姬绝好善舞者"并不是只有在青楼才能出现，富贵之家一样会出现。

第三，中国古代十分讲究门当户对，如果赵姬出身低下，后来成为了秦国国君的异人不可能将她封为王后，因为这不符合当时秦国的礼制。

第四，当吕不韦带着异人回秦国后，赵姬和嬴政被落荒而逃的

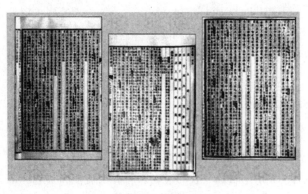

《史记》书影

异人遗弃在了赵都邯郸。由于异人是以人质的身份逃跑的,赵国人在秦军不断的骚扰下,自然会迁怒于赵姬与嬴政。若赵姬没有什么地位,那一个弱女子和一个孩童怎么在这虎狼之地生存下去?《史记》对此解释道:"赵欲杀子楚妻子,子楚夫人赵豪家女也,得匿,以故母子竟得活。"只有这样解释,母子二人才有在赵国生存下去的可能性。

而认为赵姬出身低微的则提出了更为充分的理由。

在我国,重农抑商的政策几乎贯穿了整个古代社会,战国时期是封建制度刚刚确立的时代,统治者将最主要的精力都投入到了农业的发展上。虽说商业较奴隶社会有所进步,但商人的地位依旧极度低下,就算他腰缠万贯,富甲一方,仍旧不能赢得人们的尊敬。而本已豪富的家庭,则更希望能够攀上政治的门槛,借以提高自身的社会地位。如果赵姬是"豪家女",做父母的怎么会将女儿嫁给一个商人呢?金钱在这里没什么用途,自己已经是豪富的身家了,只有将女儿嫁给一个在政治上有地位的人才是正途。况且在七国争雄的年代,王公贵族如过江之鲫,大街上随便拉个看起来落魄的人都有可能有着贵族的血统。在这种情况下,赵姬父母把女儿嫁入王室并不是什么难事,何必嫁给一个商人当外室呢?他们不是先知,无法预料到日后的吕不韦会成为官场上的宠儿,而"豪室女"赵姬对于自己嫁给谁是没有说话的权利的,只能听从父母的安排。因此,嫁给吕不韦的赵姬不可能出身于豪门。而只有她是青楼女子,被吕不韦赎身,才有嫁给他的可能。

而且,吕不韦将赵姬"送给"异人,就像是送一件商品一样,这不仅说明了当时女性地位的低下,更说明了赵姬的身份并不是"豪室女"那样尊贵。否则,吕不韦即使有再大的野心,也不能轻易地将赵姬倒手,总需要得到赵姬家人的认同。以他商人的身份,是没有权利对赵姬成为谁的女人擅作主张的,而史料中对此只字不提。这样只有赵姬出身低下才能解释得通。

另外,赵姬的名字也很有讲究,这不是她的本名。"赵",是说明她是赵国人;"姬"在汉代以前专指妾。也就是说,"赵姬"的意思是赵国的小妾,而她的本名,根本无人知晓。若她是豪室女,则无论当时的女子地位如何低下,也总会有一个闺名为人所知,而各种史料都以赵姬称她,这对于千古一帝的母亲来说是不公平的。也许司马迁们也不想这么做,但他们实在找不到赵姬的真实姓名,也只好姑且称之了。这便从一个侧面驳倒了赵姬"豪室女"之

17

传说是司马迁
手书的木简

说。

两种观点是公说公有理，婆说婆有理，但相较而言，后者的说服力更强一些。而前者所列的理由则很容易被驳倒。

第一点和第二点属于过分迷信《史记》所载的内容，如果跳出《史记》的框架就很好解释了。

异人认识赵姬时年纪并不大，还没来得及娶妻生子就被送到了赵国开始了人质的痛苦生涯，在这种处境下的他，已经没有权利再去挑三拣四了，更何况赵姬还生了个儿子！另外，赵姬正式成为异人的夫人其实是在异人继位登基之后，这时的异人可以不必在意来自上面的压力了。更何况赵姬的身边还有一个大权在握的吕不韦，异人就算是不想立赵姬为夫人，也得先掂量一下自己的分量有没有吕不韦重。

至于第四点，则是一个关键的问题，这其中牵扯到很多历史谜团，后面我们将一步步的解开。

赵姬究竟出身如何，我们已经有了一个大概的认识。但无论后人怎么讨论她，也不能否认赵姬其实是政治阴谋下的牺牲品。作为一枚棋子，赵姬被吕不韦拱手相让与异人。这是赵姬个人的悲剧，也是一个时代的悲剧，更是困扰了后人千年的历史谜团的开端。

横贯千年的寻父路

从感情上来说，赵姬更钟情于吕不韦。异人虽说贵为秦室宗脉，但在朝中并不得待见，在赵国做人质，更是朝不保夕。秦国凭借自身的实力到处放火，根本不把这个出身于王室的人质放在心上，说不定什么时候把赵国惹火了，就会拿异人来祭刀；作为异人的夫人，赵姬难免也会成为刀下之鬼。此时的吕不韦虽然没有政治上的优势，但他有钱。俗话说，钱能通神，再乱的天下也能活得自在。对于出身低微的赵姬来说，吕不韦才是最稳当的靠山。但她没有反对的权利，只能跟着异人去走那条吉凶难测的路了。

赵姬改嫁与异人之后，过了一年，生下一个男孩。由于他生于正月元旦之时，故取名为"政"。先是以出生地为姓，名叫赵政，后随赵姬回到秦国，成为国君，改名为嬴政，即为后人称为"千古一帝"的秦始皇。

在史书中，嬴政刚出生就与众不同：额头方阔，双眉浓黑，一双细长的眼睛闪动着特殊的光芒，仔细一看，他的每只眼睛里竟然有两个瞳孔！这在古代中国来说，是至尊之相，前有五帝之一舜帝，后有西楚霸王项羽，无不是在中国历史上赫赫有名之人。然而，这种可信度究竟有多高？在今天是一个值得商榷的问题。

众所周知，由于我国封建社会的君权思想在人民的意识中占据了主导地位，使得至高无上的帝王或身份尊贵的人物总是带有神秘的色彩：不是出生的时候天降祥云，就是母亲在分娩之时梦到日月或神明入怀，要不就干脆说是天生异相，总之非要给这个人物的出生罩上一层被神化了的面纱，以此来说明此人的与众不同，从他一出生便已注定了。那些神乎其神的传说，自然经不起人们的推敲，而所谓的双瞳，现代医学认为，这种情况属于瞳孔发生了粘连畸变，从O形变成∞形，实际上是一种病态的表现，跟"至尊"根本

19

靠不上边。当然，嬴政是否真的具有双瞳，今天已无从知晓，就算是将秦始皇的遗体从陵寝中唤起，眼睛那么脆弱的东西也不可能保留至今，恐怕只能作为一个永远的谜了。

婴儿时期的嬴政相貌究竟如何，已经是足令后人猜测很长时间的了。其实，嬴政的长相究竟如何，对于历史来说并不重要，而另一个关于嬴政的身世之谜，对于中国历史来说，却是一个至关重要的问题。秦始皇的父亲到底是谁？人们已经为他寻找了 2000 多年。

按照《史记·吕不韦列传》上所说，赵姬在嫁与异人时"自匿有身"，也就是说她是怀着吕不韦的孩子嫁给异人的，秦始皇嬴政其实是吕不韦的骨血。这种颇具浪漫色彩的观点为后世留下了许多传奇，以此为基础而产生的文学作品层出不穷，今天的影视作品更是大加渲染，令人几乎要将秦始皇嬴政改为姓吕了。

司马迁一句"自匿有身"引发了后世对秦始皇生父究竟是谁的猜测，迄今为止，依旧迷雾重重，争论不休。

有人肯定了吕不韦和秦始皇有父子关系的说法，他们认为，这样可以说明秦始皇不是秦王室的嫡传，反对秦始皇的人就找到了很好的造反理由。这还是吕不韦采取的一种战胜后来势力极度膨胀的长信侯嫪毐的政治斗争的策略，企图以父子亲情，取得秦始皇的支持，增强自己的斗争力量。另外，吕不韦是想要借此报秦灭六国之恨。出身于卫国的吕不韦不动一兵一卒，运用计谋，将自己的儿子推上秦国的王位，夺其江山，因此，灭国之愤就可消除。

这种观点看起来说得通，但从当时的环境角度考虑，这种认识存在着很大的疑点：从异人方面看，即使有吕不韦的阴谋，但其实现的可能性也很渺茫。因为秦昭王在位时，未必一定会将王位传于异人，更不能设想到异人未来的儿子身上。《史记》中的矛盾之处又给了反对者以口实。司马迁在赵姬"自匿有身"之后加了一句话："致大期时，生子政"。在古汉语中，"期"是"周年"的意思，就是说，赵姬嫁与异人一年之后，方生下嬴政。这就不得不令人对赵姬"匿孕而嫁"有所怀疑。"十月怀胎，一朝分娩"，这是尽人皆知的常识，难道因为嬴政是中国有史以来第一个真正意义上的帝王，就有权利在娘胎中多住上两个月吗？这恐怕说不通！当然，怀孕足月而迟迟不生的情况也是有发生的可能的，但在嬴政身上却这么巧合，赵姬在嫁与异人一年之后才生下他，这多出的至少两个月的时间足以让异人相信孩子是他的了！这种巧合不能不让人怀疑赵姬"匿孕而嫁"、"大期生子"的真实性。

司马迁著《史记》

另外，按《史记》说，赵姬怀孕而嫁之事只有吕不韦和赵姬本人知道，连与赵姬日夜厮守的异人都瞒过了，那么，司马老爷子是怎么知道这件绝密之事的呢？吕不韦不可能说，否则他的计划就会全盘落空；赵姬不能说，要不她无法让异人册立自己为正室；秦始皇就更不可能说了。除此三人外，谁还能知道嬴政是吕不韦的儿子呢？

再者，秦王嬴政十年（前254），吕不韦被免去相国之职后，嬴政颁下问罪诏书，其中有一句："君何亲于秦？号称仲父！"如果嬴政是吕不韦的儿子，那么这句话就是废话：亲爹跟儿子之间的亲情还用问吗？别说是仲父，就是叫太上皇也是应该的！就算是秦始皇不敢把这件事抖露出去，那他大可以换一个罪名，欲加之罪，何患无辞？而这么直白地骂自己的亲爹，根本不是一个儿子能做出来的事。更何况嬴政并不是六亲不认的人：赵姬淫乱后宫、与嫪毐生下二子的丑闻东窗事发后，嬴政也没对他妈怎么样，只是将她从大郑宫迁出，迁到最小的棫阳宫居住罢了，没过几天又给接了回来；对于吕不韦自然也犯不上如此大动肝火，最多是罢免相职，而用不到逼他自尽了。当然还有一种可能性，那就是嬴政并不知道自己真正的身世，所以才会对吕不韦痛下杀手。但这一点也经不起推敲。如果嬴政真的是赵姬与吕不韦的儿子，在这种关键时刻，赵姬能不站出来给吕不韦说两句好话吗？

还有，吕不韦是嬴政生父的说法是在《史记》成书之后才出现的，由于《史记》的权威性很高，所以后世编写史书如《资治通鉴》也都沿袭了这一说法，而更有说服力的、取材于当时的策士著作和史臣记载汇集成书的《战国

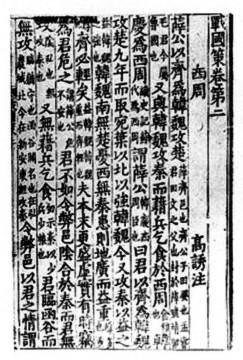

《战国策》书影

策》却对此只字不提。是避秦始皇之讳吗？《战国策》并不完全是秦人写的，更有其他对秦国有着深仇大恨的六国作者。如果他们知道嬴政并不是秦国王室的血脉，肯定会大加笔诛口伐，就算在军事上打不过秦国，把它搞臭也是好的。如果说与嬴政生活在同一时代的他们都不知道这件事，那后世的司马迁们就更无从得知了。

反对者的话从逻辑上很难被驳倒，因此可以认定赵姬"匿孕而嫁"一说并不是历史事实，而是出自后人的杜撰。长久以来，人们一直把司马迁看作严谨的史学家，而由他编撰的《史记》也一直被后世奉为史书的圣经。但人们忽略了一点，司马迁编撰《史记》并不是个人行为，而是出自朝廷的授意！

西汉元封三年（前108），司马迁继承其父司马谈之职，任太史令。太初元年，司马迁开始撰写《史记》，直到太始四年(前93)方基本完成全部的写作计划。

成书之后的《史记》被呈到了汉武帝刘彻的案上。武帝虽然对司马迁在书中对自己的批评并不介意，但他不能对本朝建立的缘由与经过视而不见。在他的示意下，后人对《史记》进行了篡改。将秦始皇说成是吕不韦的儿子，正是为刘邦攻入咸阳、灭掉秦国找到借口：秦始皇并不是秦国的后代，没有资格坐领天下，汉代秦符合道义！同时，这也为汉取代秦寻求历史依据，他们的逻辑是，秦王内宫如此污秽，如何治理好一个国家，因此秦亡甚速是很自然的。这样一来，嬴政就被后人改姓为吕了。

嬴政的出生给异人带来了喜悦，这个被送到敌对国家当人质的落魄王孙，终于在地狱般的生活里见到了一丝光明。且不说这个孩子的降生能给现在的他带来什么转机，单是初为人父的快乐就能让他暂时从思乡的痛苦中解脱出来了，更何况还有为他归国而忙前忙后的吕不韦做靠山。

对于吕不韦来说，赵姬生的这个孩子更像是一条锁链，他将异人牢牢的拴在了自己的身上，日后异人若真能继位登基，还会因此而依靠自己，那他的政治投机也就算达到目的了。

刚刚来到人世的小嬴政还不知道那些与他息息相关的大人们正在勾心斗角、相互利用，还不知道这个充满了阴谋的生存环境会给他的将来带来怎样的影响。但用不了多长时间，他就会明白了。

第1章

被埋葬的童年秘密

噩梦般的童年

吕不韦并不是只说不做的嘴把式。早在二人酒宴上一拍即合之后，吕不韦便先行一步，西去秦都咸阳，开始了为异人、同时更为自己的政治投机行动。

"如欲取之，必先与之"，孔老二的话在吕不韦的心底还是很有分量的。他也知道自己只不过是一个无权无势的商人，说出的话还没人家打个喷嚏管用，所以只能另辟蹊径。但也好在他是个商人，别的没有，钱还是很多的。

途中，吕不韦把银子当水一样用，凡是见到奇玩珍宝，也不管价格高低，全部买下，带入关中。

秦国墓葬里的精美金虎

由于吕不韦在秦国没有政治上的地位，无法直接见到受宠的华阳夫人，他便先从华阳夫人身边的人入手。经过一番曲折，吕不韦见到了华阳夫人的姐姐，赠送了大量金银珠宝之后，终于使得夫人姐姐答应替吕不韦传话。大意就是"夫人没有亲生儿子，应该抓紧时间过继一个，要是等到年老色衰、不再受宠时还没有自己的人被立为嗣子，那后悔也来不及了。现在异人在赵国当人质，不分日夜地痛哭流涕，只是思念着太子和夫人。如果能乘此机会，立异人为嗣子，把他救回秦国，那么异人一定会感恩戴德，没齿难忘，夫人的后半生也有所依托。这一举两得的办法，恐怕没有更好的可以代替了"。

这些话情理交融，不由得华阳夫人不动心；再加上那些价值连城的珠宝首饰，姐姐的"谆谆教导"，而且还不用自己费多大力气便可以坐享其成，何乐而不为？当夜，华阳夫人就在太子安国君的耳边吹起了枕边风。起初安国君想立自己的长子为嗣，但架不住华阳夫人的一哭二闹三上吊，终于答应立异人，第二天便正式向父王秦昭王汇报了此事。秦昭王也没什么意见，异人作为安国公之后的王位继承人的事，也就这样定了下来。

回到赵国后，吕不韦将此事告诉了异人。异人欣喜异常，恨不得插翅飞回秦国。但由于此时的秦赵两国还没达到势如水火的地步，依照外交惯例，做人质的异人没有理由回到秦国。异人只好顶着秦国嗣子的头衔，带着赵姬和嬴政，一起继续在赵国过着孤苦伶仃的日子。

秦昭王四十九年（前258）正月，秦赵两国达成了休战协议，但作为协议的一部分，异人还是要继续在赵国当人质。虽然日子好过了一些，但回国的渴望却日益热烈。

黎明前的天空总是最黑的。异人还没享受几天平静的日子，一场大祸就降临到了他的头上。

当年九月，秦国撕破和约，派五大夫王陵率兵攻赵。次年正月，20万秦军兵临邯郸城下，对邯郸城展开了围攻。

赵国军民对秦国的反复无常甚感痛恨。全国上下同仇敌忾，固守邯郸，虽然赵军兵少力弱，但由于士气高昂，战斗意志坚决，再加上邯郸城高池深，易守难攻，秦军发动多次攻城，全都遭到击退。

秦国武士复原图

但这样被围困下去也总不是个办法。刚开始时，赵孝成王还想利用子楚这个人质作谋和的棋子，尤其是他现在的身份与前不同，不再是庶子，而是秦国太子的嫡世子，第二顺位王位继承人。但秦昭王攻城略地，从不考虑人质的安危，因为他儿子众多，孙子更是多得自己都不知道有多少；安国君也跟父亲一样，无可无不可，这个嫡世子死了，再立一个就是，反正还有20多个儿子眼巴巴地盯着这个位子呢。

　　这样一来，吃亏的就是异人了。秦昭王四十七年（前260），秦国大将白起在秦赵长平之战中坑杀了45万赵国降卒，引起了赵国人极大的愤慨，白起也被冠以"杀人魔王"的"美称"。但由于赵国势弱，大仇难报，也只好忍气吞声。如今秦国又是大兵压境，赵军伤亡惨重，口粮不继，旧仇之上又添新恨。既然在军事实力上同你大秦相差甚远，那就拿你的王位继承人来泄愤；你秦国不管异人的死活，那我们也不必客气了！旧恨新仇之下，杀掉秦国人质的呼声在赵国是日益高涨。

　　异人可不想束手待毙，但他也知道不能指望秦昭王来救他：在敌国当人质的命运早就被安排好了——两国战端一起，能逃出就活，逃不出来就等死，全看自己的能耐和造化。现在他唯一可以指望的，就剩下吕不韦了。

　　吕不韦现在也是热锅上的蚂蚁，原本设计好的通天大道上突然跳出只拦路虎，而且这一口咬得很绝，正咬在致命的地方上。吕大财主现在恨不得雇他几百个刺客，把秦昭王的儿子孙子宰个干净，就留下异人一个，看他们是不是还这样无动于衷。这种想法无异于痴人说梦，吕不韦只能靠自己来救异人脱险了。然而秦赵战火刚燃，赵孝成王便派兵将异人居住的客馆围了个水泄不通，任何人都不得随意出入！吕不韦连见异人一面的机会都没有，更别说带他脱离虎口了。

　　正在吕不韦一筹莫展之际，事情出现了转机：由于秦军久攻邯郸不下，秦国从其他战场上又调来了大批部队，守城赵军的压力骤然吃紧。赵王只好从城内调派人手，这样对异人的看管不知不觉地就放松了一些。

　　吕不韦一看机会来了，便马上展开了行动。他先到自己在邯郸的朋友家中，扔下了不少钱，叮嘱了一些事情；随后暗递消息，让在客馆里不停拉磨的异人收拾东西，准备逃走。

　　这天晚上，吕不韦重金贿赂了看守异人的军校，溜进了馆舍，随后让异人和赵姬母子乔装打扮，在用金钱打通的通道中逃出了客馆，来到了吕不韦事先安排好的朋友家里。

这里毕竟还是赵国的地盘，异人躲得了初一，也过不了十五。赵国人要是知道他跑了出来，而且还在赵国里，不让他横尸街头才怪，早点逃离这个虎狼之地才是上策。现在离得最近的秦国人就是城外那群不知疲倦、日夜攻城不止的秦军了。吕不韦认为，现在只有混进秦军这一条路可以走，到了军营见到此时替换王陵统军的王龁将军，就算真正逃出了虎口。而赵姬和嬴政却无法跟着异人一起跑到军营中去。军营不是收容所，男人可以装成士兵，女人和小孩却没法在一群男人中间生存。权衡利弊，吕不韦决定将赵姬母子暂时留在赵国，等异人回到秦国后再想办法接他们母子回去。异人在吕不韦面前没有说话的份，吕不韦说什么他也只能听着；赵姬虽心有不甘，但也没有反对的权利，只能眼睁睁看着异人和吕不韦逃出了赵国。

第二天夜里，吕不韦带着异人在朋友的帮助下溜到了秦国军营，见到王龁将军。没过几天，王龁便派一队士兵保护二人回到了秦国都城咸阳。

在拜见完秦昭王和安国君之后，吕不韦便安排异人和华阳夫人见面。由于华阳夫人是楚国人，为了博取她的好感，吕不韦特意让异人穿上了楚国的传统服装。刚一见面，异人便跪倒在地，痛哭流涕地对华阳夫人诉说离别之情，好像面前坐着的是自己的亲娘而不是父亲的小老婆。

而华阳夫人见到异人之后也是情不自禁，在第一次见到了自己下半生的依托之后，悲感交加，也哭着说道："我本是楚国人，你能身穿楚服，体会到我思乡之情，可看得出你对我的真心实意。我愿收你为子，你不如改名为子楚，如何？"

异人闻言，满口答应，马上便拜只比自己大了三岁的华阳夫人为母。从此改名为子楚，早晚问安，格外殷勤。而华阳夫人也经常在枕边向安国君念叨子楚的好处，使得子楚这个本来不怎么样的儿子在安国君眼里越来越顺眼了，甚至还为自己有了这么一个好儿子、好的王位继承人而沾沾自喜。

回到了秦国的子楚终于过上了好日子。剩下的就等着他爷爷归天，他爸爸入土，自己好继承王位了。

子楚的苦日子到了头，而赵姬母子的苦日子才刚刚开始。由于秦国大将王　 久攻邯郸而不下，恼羞成怒，上报秦昭王后，又从各地调来了精兵良

将，加紧了对赵国的围攻。赵孝成王见和谈无望，便打算杀了秦国的人质来泄愤。然而此时的子楚早就溜之大吉了，赵孝成王手再长也不能伸到秦国去将他抓回来。经过探子的查访，赵王发现子楚的妻儿还在邯郸，便下令搜寻他们。

邯郸是呆不下去了，无奈的赵姬只好抱着年仅两岁的小嬴政在吕不韦朋友的帮助下躲到了一个小村庄里。这里民风淳朴，对这对孤儿独母比较客气，只要不给他们添麻烦，赵姬母子的生活也就不会受到多大的影响。而且就算赵王知道了，也不容易在山沟里找到他们。

秦昭王五十年（前257）九月底，秦军在数次攻城战中伤亡惨重，而攻破邯郸城池的日期却始终看不出迹象来。另一方面，楚国春申君所率的20万大军以及魏国公子信陵君所率的八万精兵也已及时到达，围攻秦军外围。只不过因为邯郸城中的军民协同作战，精壮伤亡过半，无力发动反攻，否则里应外合，秦军就有被歼危险。王龁见情况不对，只得报准秦王，下令撤军，邯郸之围终于以秦军的失败而告终。

赵国刀币

脱离了危险的赵王本打算去全力搜寻赵姬母子，但一想到下一步将要与秦国进行和谈，而他俩也可以当作索要好处的筹码（秦国人才不知道赵姬母子是不是在他手上呢），因此也就不再操心他们的事，转而一心一意地把精力投到与秦国的和谈中去了。

身处偏僻山村的赵姬虽然得知了秦军撤退的消息，但她却不知道赵王的想法，所以仍旧带着小嬴政在山沟里苦熬时光，等待着吕不韦和子楚来将母子二人接到身边。

然而此时身在王宫的子楚和

吕不韦好像忘了还有两个人尚在敌国：子楚整日里忙着在华阳夫人面前献殷勤，闲暇时间也要在朝中学习如何处理政务；而吕不韦则借着子楚的关系，在朝臣中间大撒金钱，以求让未来的仕途更顺利一些。二人如此一忙，有意无意之间也就把赵姬母子抛到了脑后，秦赵在达成和议之时，子楚压根没提赵姬母子一个字！

时间已经是秦昭王五十二年（前255）了，赵姬母子在小山村里已经生活了两年。凭借着吕不韦留下来的钱和朋友的帮助，他们物质上的生活还是比较富裕的，与其他在贫困线下挣扎的村民们相比，有着天壤之别。但也因为这个缘故，他们被孤立在人群之外。大人可以不理这些，但嬴政是个孩子，他需要平等的玩伴，而不是卑躬屈膝、谄言媚笑的仆婢。

然而嬴政身边的孩子们却对这个秦室后人却不能做到平等看待，他们甚至为嬴政取了个绰号，叫他"秦弃儿"。其实赵姬和吕不韦、子楚之间的那点事谁都知道，村里的大人们都忠厚，不会当面提起，顶多在背后嚼嚼舌头；小孩子可没有那么客气，每逢嬴政想参加他们的游戏，就会有人抗议："我们不跟弃儿玩！"甚至有些孩子还编了一首儿歌，跟在他背后唱——"弃儿，弃儿，有娘无爹！弃儿，弃儿，弃之河东！"嬴政的反应，先是跟他们打架，此时年仅五岁的嬴政打得过谁，反而常被打得鼻青脸肿，回家后，脾气倔强的他却不吭一声。赵姬看了心痛，怎么问都没用，只有责骂奶娘。但奶娘也有说不出的委屈：嬴政哭闹着不准她跟着，他要独自出去和同年龄的孩子玩。最后，赵姬只有命两名健仆随时保护，走到哪里跟到哪里。这使得嬴政离群儿更远，也更独立。五岁的孩子，竟然失去欢笑，脸上满布成人的忧郁。在这种压力下长时间生活的嬴政生了重病，导致了发育不良，相貌从刚降生时的帝王之相变成了蜂准（马鞍形鼻梁）、挚鸟膺（鸡胸），甚至还患上了严重的气管炎，使得说话声音变成了"豺声"。

这段痛苦的经历，在嬴政幼小的心里烙下了深深的痕迹，再加上刚刚出生不久，便尝到了两国战争给他的父母带来的苦难（虽然那时的小嬴政还不懂事，但赵姬和下人们却会将这段辛苦的岁月讲给他听，否则无法向他解释有母无父的现实），使得他称帝之后为人凶暴，手段残酷。

作为母亲，赵姬也明白这种生活会给小嬴政带来多大的伤害，但她也无能为力。一个出身低微的风尘女子，哪有能力去教育好一个将来有可能成为

29

一国之君的孩子？穷乡僻壤之中，更不可能有什么名师大家。对于赵姬来说，这是一个无奈的问题。

除了那些四肢发达、头脑简单的仆人外，赵姬身边找不到一个可以与之商量的人。再三权衡之下，她决定冒险搬回邯郸：比较而言，大城市的人没那么多的闲心去管别人的私事；再说，在城里的闺中密友较多，有事情也可以相互照顾；对五岁的嬴政来说，这时候也应该为将来学习国君之道打基础了。至于回到邯郸的安全问题，赵姬也管不了那么多了，听天由命吧；嬴政能不能在邯郸得到充分的发展，也只能看他自己的造化了！

统一六国的萌芽

此时秦赵之间已经达成和解，作为战胜国的赵国在和议中也得到了不少好处，对于赵王来说，赵姬母子也没有什么利用的价值了。搬回邯郸更好，这样赵国可以在眼皮子底下监视母子二人。因此，在得知二人搬回邯郸的消息后，赵王也是睁一只眼闭一只眼，任他们母子自由行动。

回到邯郸之后，赵姬得知了这种情况，因此对自身的安全问题也就放了心。母子二人在朋友的帮助下居住在深宅重院里，加上赵姬的活动还不能完全公开，来往的都只是一些至亲好友和故旧的眷属，这些人都属于高级阶层，懂得如何掩饰伪装；她们的孩子也大都富于教养，尽管背后批评挖苦的话，说的比村里的孩子还难听，但绝不会像那些粗鄙人一样，当着嬴政的面唱童谣。

在这些孩子面前，嬴政和他们地位相等，出身背景也大致相同，能玩到一起去，虽然有时免不了发生点吵嘴打架和不愉快的事，但这些也不过是孩子们的通病，谁也不会放在心上，吵过了也就忘了，而不再像和村里的孩子格格不入的时候那样了。

嬴政已经长大了。赵姬知道，一旦子楚成为秦国之君，嬴政就将很有可能成为嗣君。按照秦宗室法律，太子公子五岁时要接受嗣子基础教育，包括诗、书、礼、乐、射、御和剑法；过了 12 岁便进行养成教育，学习项目包括政经之术、兵法、刑名等深一步的学问，此外也可按照自己的兴趣，研读其他天文地理、诸子百家等较高深的学问；到了 15 岁则开始接受个别教育，按照太子、嫡嗣子、庶出公子等级别，分别受不同的训练。而太子和嫡嗣子所受训练特别严格，有太师教授君王学；太傅督导品德修养，管理生活起居以及外交应对等仪节；太保则负责身体保健及安全护卫等事宜。

所以，现在到了让嬴政学习成王霸业之道的时候了。虽然现在的嬴政因条件所限，不能接受如此系统的教育，但绝不能因此耽误了他君王学的基础教育。于是，赵姬便辗转地找到了一个隐居的博学之士，即为后世称为"子隐老人"的。在赵姬的恳求下，子隐老人答应收嬴政为关门弟子，但同时也提出了六个条件：

第一，他要看嬴政是否生有君王之相，若不够格，不收；

第二，他任何教法，家长不得有异议或意见，否则退学；

第三，嬴政要住在他那里，每个月只准省亲三天，而且要学就是三年，不得中途退学；

第四，学生不得带伴读书童或女仆，一切日常生活事务自理，衣食住行由他负责调配，家长不得自送衣服食物，否则退学；

第五，除上述条件外，首先嬴政需通过入学测验，办法另订；

第六，以上条件需以文字正式订约。

这些条件不可谓不苛刻，但为了嬴政能得到最好的教育，赵姬答应了。

经过对嬴政的考察，子隐老人不禁发出了感慨："越王勾践和他相比，真是萤火比明月。日后他若当了秦王，天下不是大乱就是大治！"

子隐老人正是为避乱世才揣着可以济世的满腹经纶选择了隐居。在嬴政身上，他隐约看见了未来的天下在面前这个孩子掌中风云变幻！为了苍生，子隐老人决定，要让这个孩子在自己手中成为结束动荡的天之骄子！

在子隐老人门下学习是一件非常辛苦的事。作为关门弟子，老人对嬴政的要求极其严格，甚至剥夺了他游戏的时间。小嬴政虽然也曾为此而哭闹过，但子隐老人根本不为所动，嬴政也只好老老实实地听话了。也许是身体内流淌着贵族血液的缘故吧，久而久之，嬴政喜欢上了君王之道的修业，甚至还常常缠着老人传授一些还没来得及讲的知识与本领。老人喜在心上，更加不遗余力地将自己的韬略全部传授与小嬴政。

时间飞快，一转眼已经过去了三年。当嬴政八岁、对世界已经有了初步的认识能力之后，子隐老人开始揭去他与真实世界之间的面纱。

嬴政出身贵族，平时所接触到的也都是和自己身份相差不多的人，在他的身边，可以说是"出入有高官，往来无下层"，对他来说，这就是真实的世界。然而，当子隐老人带着他来到城中偏僻的角落时，嬴政的世界改变了，中国未来的命运也即将发生重大转折！

这里是七国最繁华的都市之一的角落。与嬴政平时接触到的世界相比，这里只有一种颜色——灰色！这里看不到衣冠楚楚的达官贵族，看不到穿梭不息的车水马龙，甚至连沿街叫卖的商贩影子也看不到。这里有的只是满街的污水，低矮险暗的茅屋以及衣衫褴褛、食不果腹的妇孺老幼。走进屋子，一股臭气扑鼻而来，令人忍不出呕吐的欲望。屋顶和墙壁早已失去了它应有的作用：风从四壁进

赵国武士的头盔

入屋子毫无阻碍，阳光也可以从房顶直射进来。对于嬴政这样的孩子来说，能够躺在炕上欣赏到天上的星星倒是一件极其有趣的事，但对于居住在这里的人们来说，简直就是地狱般的生活环境。一旦下起雨来，往往是屋外下大雨，屋里下小雨；屋外下小雨，屋里也会闹个"洪灾"；就算是屋外雨停了，屋里也要沥沥啦啦地"哭"上个半天。

这样的生存环境让人不禁对他们抱以深深的同情。但嬴政发现，除了孩子之外，这里的人们脸上没有表情，看不出他们是喜是悲，抑或对这种生活是绝望还是有所企盼。过了很长时间，嬴政才明白这其中的缘由：连年的战火已经烧毁了人们的希望，无权无势无钱的穷苦百姓躲不开战争的阴影，只能在生存与死亡的一线间挣扎；他们没有选择的权利，长期的苦难已经麻木了神经，更麻木了他们的目光。

在这里转了一圈，嬴政和子隐老人没有看见一个健全的成年男子，目之所及处，除了妇孺老幼，就是缺胳膊少腿或者是奄奄一息的男人，而他们穿着破褴的军服，在街头乞讨，完全没有了一个男人所应拥有的那种尊严。对此嬴政很是疑惑。子隐老人告诉他，从500多年前开始，战火就没有熄灭过。而战争却是减少人口最好的手段，只不过减少的是那些被迫成为征兵对象的精壮男子。离开了男人，妇女和老人撑不起这个家。而这些抛弃了男人尊严的乞丐，则大都是在长期的战争中幸存下来的。他们有的是家乡仍在秦军手上，有家归不得；有的是回家以后，发现亲人死的死，散的散，田园荒芜，房屋烧得一干二净，自己又伤残，无力再独自重整家园，只有到邯郸来谋生。邯

郸虽然繁华，但也自有难处，伤残人到哪里都没人请，最后只有流落街头。有的是自小离家，在军中混了太久，家是否尚在，还有没有亲人，全都不清楚，而且他们除了打仗，其他的生活技能一窍不通，伤残之后更是只剩下了一口气，也只能以讨饭为生了。邯郸是个大城，相对来说比较容易得到眷顾，所以有这么多的人聚集到这处国都来。然而邯郸也在受着战火的侵袭，尤其是最近被秦军围城，导致了城里粮援无继，城里人自己都吃不上饭，哪里还有食物去供养这些可怜人呢？他们在这里，也只是等死罢了！

谁也不知道当年幼的嬴政听完了老人的解释之后是什么样的心情，但可以肯定的是，这段经历以及亲眼目睹的情形，在嬴政的心里打下了深深的烙印。这段经历是宝贵的，它为中国迎来真正意义上的大一统奠定了嬴政内心的思想基础。后人也许应该感谢吕不韦和子楚对赵姬母子的弃之不顾，否则，在深宫内院里，嬴政是无法接触到这些赤裸裸的真实世界的，也就会像当时的那些王公贵族们，整日里纸醉金迷，沉醉在歌舞升平之中。这样一来，再优秀的人才，再有帝王之相，也只能沦为历史中的尘埃！

与老人约定的三年学习时光很快就过去了，嬴政在子隐老人的门下学到了很多在王室之中不可能学到的为君之术；他的所见所感，也让统一中华的萌芽在心底悄悄地出现。虽然这个时候的他还不能完全理解统一的意义，甚至也许他直到死也没能知道自己的作为究竟给后世中国带来了什么样的影响，但不可否认的是，在异国他乡流离失所的艰辛历程，让他明白了战争的残酷，也朦胧地感觉到统一是把战争发生的可能性降低到最小限度的唯一方式。

种子已经种下，然而下一步如何去走，却不是年仅八岁的小嬴政可以决定的，就连子隐老人也无法透过这乱世迷雾看清未来。此时的赵姬也对现实无能为力，她能做的只有等待，等待吕不韦和子楚将受苦多年的母子接到那本该属于他们的世界中去。

大秦王国的阴暗交替

掐指算来，赵姬母子已经孤独地在赵国生活了六年之久了。六年里，嬴政已经从一个只知道哭泣的婴儿成长为拥有远大抱负的八岁少年，但实现抱负的路还要寄托在远在秦国、可能已经把母子二人忘得干干净净的吕不韦和子楚身上。然而此时的两个男人，好像真的将孤儿独母忘记了。

成为了秦国嗣君之后，原本不受人正眼相看的庶出之子子楚，在一夜之间成了秦国的红人。那些以溜须拍马为吃饭本钱的臣子们，整日里像一群苍蝇似的围在子楚身边转来转去，就连国外的使节到秦国来给秦王和太子送礼的同时，也忘不了给子楚捎上一份。而受了多年非人待遇的子楚早已沉醉在这纸醉金迷的日子里，朝朝欢饮，夜夜笙歌，把赵姬母子全然抛在了脑后。

至于吕不韦，在秦国王室中也拥有了一定的地位，政治投机目的已经达到，除了用金钱为自己铺路外，剩下的就等着子楚登基那天了。对他来说，赵姬和嬴政已经没有什么利用

秦孝文王所开的五尺道至今仍在使用中

的价值了，子楚不提这件事，他也懒得去费脑筋。

秦昭王五十六年（前251）秋，在战国舞台上折腾了半个多世纪的秦昭王终于撒手西去，把秦国江山留给了他已经53岁的儿子安国君。当了29年储君、14年太子的安国君却无福消受。次年十月，秦昭王的服丧期满后，安国君正式登基，是为秦孝文王。同时他也遵照和华阳夫人的约定，立子楚为太子。然而仅仅即位三天之后，这位苦苦等待了几十年的秦王便猝然而死。

持国一年，在位仅三天，孝文王便驾鹤西游了，这令后人十分不解：早不死晚不死，偏偏当上了国君就翘了辫子，这其中是否有什么阴谋阳谋的？史籍之中都没提，后人便猜测，恐怕是吕不韦和子楚合谋将孝文王害死的！

这种说法也有些道理。昭王当了56年国君，活生生地把大儿子给熬死了。吕不韦害怕这种长寿因素是可以遗传的，万一孝文王跟他爹一样，以50多岁的年龄再活个二三十年，那子楚可就真跟他大伯一样了！就算子楚等得起，吕不韦却等不起：在孝文王手下，他没有政治上的优势，更无法捞取好处，只有子楚上位，吕布韦才有把握秦国大权的可能。因此，吕不韦便撺掇子楚动手干掉君父。

另一种观点则认为孝文王是自然死亡。孝文王正式即位时已经是54岁了，在那个时代，人的平均寿命很短，54岁已经算是高龄了。昭王在位时，朝政之事用不到孝文王操太多的心，安安分分地做好太子就是本职工作。昭王死后，孝文王就忙开了："尊唐八子为唐太后，而合其葬於先王。韩王衰绖入吊祠，诸侯皆使其将相来吊祠，视丧事。孝文王元年，赦罪人，修先王功臣，褒厚亲戚，弛苑囿。"（《史记·秦本纪》）这些活看起来不多，但对于一个老人来说已经够辛苦的了：守灵柩，葬父母，见外宾，赦囚犯，封功臣，打发那些追着屁股要好处的亲朋好友，还要遵照祖训去围场打猎，更不用说日常还要处理大大小小、鸡毛蒜皮的政事了。再加上即位之前，当了几十年的储君没有事情可做，日夜沉迷酒色，身子早就被淘虚了。一下子开始这么繁重的工作，不猝死才是见了鬼的。

相比较而言，自然死亡说可信度更高。当时的吕不韦没有政治上的权力，他不敢这么做，一旦事不机密，不仅做不上官，连脑袋都可能丢了，与权力相比，还是自己的小命更重要；而子楚就更不敢了，他为人怯懦，要他去杀父王，比让他自杀困难得多。因此，孝文王那虚弱的身子，还是被累死的才对。

孝文王死后，子楚理所应当的成为了秦国国君。即位后的第一件事，便是授吕不韦相国之职，封为文信侯，以蓝田(今陕西蓝县)12个县为食邑（就是将这12县的税收作为吕不韦的工资，多收上来的就是奖金了），后改为食河南洛阳10万户；然后尊华阳王后为太后，生母为夏太后；大赦罪人，对先王功臣大加厚赏，并颁布了施政政策：施行仁政，布惠于民。

按习俗，此时的子楚应该册立王后和太子了。但不知道处于什么考虑，他就是不想把曾经与他同生死、共患难的赵姬扶正。然而回国后的子楚虽然纳了不少的姬妾，但就是没有一个肚子大了的。依照秦室的规定，没有儿子的姬妾不能被立为王后，因为王

秦庄襄王子楚

后所生的儿子是要被立为太子的，其他的儿子只能算是庶出（华阳夫人是过继了子楚之后才有成为王后的权利的）。在与子楚有过关系的女人里，也就只有赵姬给他生了个嬴政了。另外，掌握了大权的吕不韦也想在子楚身边安插个内应，赵姬无疑是最好的人选，因此也极力建议子楚立赵姬为后，嬴政为太子。万般无奈之下，子楚只好按照吕不韦的想法做出了决定。派人接回了还在邯郸等待的赵姬与嬴政。

成为了秦国王后的赵姬，在史料中被称为子楚夫人。从一个青楼女子到一国王后，这之间相差了不仅十万八千里，但子楚夫人做到了，也可以说是一步登天，只是这一步跨得过于漫长与艰辛了。

历史中的子楚并不像现代文学作品中所描绘的那样懦弱无能，只懂得去吃喝玩乐，将国家大事都交由吕不韦去处理。他承袭爷爷的施政纲领，继续为秦国开土拓疆，在内部也实行仁政，进一步深化商鞅变法的改革措施，使秦国的实力拥有了进一步的增强。值得一提的是：当时东周王朝境内的小封国西周已经于秦昭王五十一年（前256）被秦军所灭，周赧王病死，西周公被迁于但狐聚（今河南省临汝县西北），小封国东周还存在。秦庄襄王元年（前

249），东周君联络诸侯，谋划伐秦。子楚得知消息后，立即派吕不韦统领十万大军，一举攻灭了东周七邑，迁东周公于阳人聚(今河南省临汝县西)。东周王朝的最后残余被铲除，周朝至此彻底终结。接着，秦军继续蚕食三晋，又攻占了大片土地。为后来的大统一奠定了坚实的基础！

子楚和吕不韦忙着管理国家，子楚夫人却没那么有正事了：现在的嬴政有专门的人来服侍，更有数不清的名师大儒来教导他，子楚夫人也插不上手，只是整日享受这天堂般的生活罢了。也许是八年的孤单生活，让子楚夫人的男女之欲显得分外强烈。她夜夜献宠，使尽娇媚之能事，让庄襄王贪欢成瘾，再加上国事劳累，不久便衰弱不堪。

庄襄王三年（前247），子楚忽染重病，吃了御医开的药，毫不见效，眼看着病情一天天加重。据身边近侍和御医所见，相国吕不韦来探望过一次，还关心地带来一些上等药材，这些药服后，病势不但未能减轻，反而更加严重，甚至到了奄奄一息的境地，当年五月就见他的祖先去了。就在子楚弥留之际，宫中又传出闲言，说相国和王后关系暧昧，来往频繁。幸好庄襄王这时已无知觉，否则他就是在九泉之下，也不会瞑目的。

子楚的死因何在？至今还是一个未解之谜。《史记》中对此只字未提，而野史之中却常常将之说成吕不韦所送的药其实是毒药，子楚是被吕不韦给毒死的！这种说法越传越广，流传至今，已经为大多数影视文学作品所接受，并进一步加以演绎。

乍看起来，这种说法有些道理。已经当上秦国相国的吕不韦野心进一步膨胀，想要夺取更大的权力，这与他商人唯利是图的本性是分不开的。但子楚无疑是他权力路上最大的障碍，等他自然死亡是不可能的了，子楚此时年

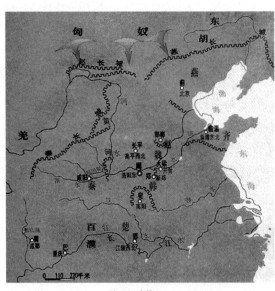

战国形势图

仅36岁，吕不韦要大他许多，熬时间是熬不过年轻的子楚的。就算老天有眼，让子楚先一步去了极乐世界，可谁也不知道这一天何时到来，要真等上个十年八年的，嬴政也长大可以亲政了，哪还有他老吕什么事？这时将子楚做掉，吕不韦就可以独掌大权了。

然而这种猜测是建立在嬴政是吕不韦的儿子基础之上的，只有这样，生性阴鸷多疑的嬴政才不会对杀父凶手施以痛手。否则，一旦发觉了此中玄机，即使子楚没有尽到做父亲的责任，嬴政也会为他报仇的。此时的嬴政已经回到秦国三年多了，精明的吕不韦也应该对嬴政的性格有所了解，他不敢冒这个险，因此不可能采取此行动。

子楚的真实死因其实是身心俱疲而导致的心力衰竭。灭了东周之后，子楚尝到了铁骑横扫的快感，在当年就接着攻击韩国。韩国战败，献出成皋、巩城两处地盘，秦将这块土地置为三川郡，秦国的边界也就扩张到大梁（今河南开封）。

次年，子楚再派大将蒙骜攻打赵国，平定太原。

三年，蒙骜再攻魏国高都（今晋城泽州县高都镇）、汲城（今汲县西南），攻下以后继续进攻赵国的榆次（今山西榆次）、新城（今山东桓台）、狼孟（今阳曲县黄寨），连占37城；另一方面，王龁的分遣军也攻下上党（今山西长治一带），于是，合置为太原郡。

这三年中，秦军攻城略地，势如破竹，子楚享受征伐快感的欲望更是欲罢不能。

但在三年三月，他开始尝到战败的滋味。

魏将信陵君无忌率燕、赵、韩、楚、魏五国兵击秦，秦军遭到致命打击，节节败退，所征服的河内之地尽失，又复退兵到河外（今河南西部黄河以南地区）陕、华二地。在这几个月中，军中使者每日来报，全都是战败的消息，蒙骜带来的战报不再是某月某日攻占某处，某人应请封赏，而是紧急请兵多少，某月某日已退至某处，伤亡若干亟待补之等等。

子楚日夜操劳失眠，好在相国吕不韦善于调度，军费粮秣不缺，但要增援，却发现到正如长平之战当时一样，全国15岁以上丁壮几乎全在前线，在后方操作农事的大部分为女人，其余全是由不堪服兵役的老弱残废勉强从事春耕，真的是无力再支援前方了。

秦国自秦孝公以来，一直到秦昭襄王和他父亲孝文王，秦国政略是纵横捭阖，无往不利，秦军作战，更是战无不胜，势如破竹。但交到他的手上，秦军不败的神话就被打破了，而且是败得如此之惨。要不是蒙骜遵照"将在外君命有所不受"的古训，不等诏命就自动撤退到河外，也许秦军会遭到全部受歼的命运。

在这种打击之下，子楚感到没有颜面去见列祖列宗，心火上焚，再加上原本体质就不好，很快就病倒了，没多久就变得奄奄一息。并且，子楚病重后，对吕不韦的信任无以复加，因此常召他进宫托付后事。所以吕不韦有机会与子楚夫人频频接触。无法在他身上得到生理满足的子楚夫人又开始偷偷摸摸地与老情人胡搞一通。纸是包不住火的，宫里的宫女太监等人嘴不严，难免会有风言风语传到子楚的耳朵里。两种打击夹杂在一起，就算是铁打的也受不了，更何况子楚还是一个弱不禁风的病秧子呢！

秦庄襄王三年（前247）五月，子楚带着满腔愤慨撒手人寰，将大秦江山扔给了他年仅13岁的儿子嬴政。

对于子楚来说，死是一种解脱；对于吕不韦来说，这是一个让权势登峰造极的契机；对于嬴政来说，这是一个无法推卸、又不愿推卸的重任；对于中华大地来说，这，是长达26年腥风血雨的开端！

第2章
战国时代的铁血君王

　　13岁的嬴政登上了大秦王国的最高位置，然而等待他的却是更加纷乱的世界。铁血政策在这个时代的嬴政身上发挥了最重要的作用：放逐母后，逼死仲父，一代天骄峥嵘乍现；重用李斯，壮大国力，一代帝国崛起东方！长眠在骊山陵中的千古大帝，正在永恒的梦中回味着那段让后人代代传颂的铁血岁月！

骊山之阿起皇陵

子楚死后，嬴政继位（后世称此时的嬴政为秦王政），加先父谥号为庄襄王，母子楚夫人为庄襄太后。由于年纪尚小，便由庄襄太后听政。一个青楼女子，年纪还不到30岁，哪有处理国家大事的能力？因此执政大权实际上是掌握在吕不韦的手中。秦王政虽然对此心有不甘，但人小言轻，朝中臣子没谁会把这个黄口乳儿的言语放在心上。因此秦王政只好听从母后的建议，尊吕不韦为"仲父"，晋爵文信侯。

寿陵出土的残碑

后人常以此作为吕不韦是嬴政的生父证据之一，然而这是出于对我国古代礼制不了解造成的。在我国古代，家庭中的男孩按出生的先后顺序被分别称作"伯、仲、叔、季"，也就是长子、次子、三子、四子。举例来说，著名的教育家思想家孔子名叫孔仲尼，也就是说他排名第二，所以后人又管他叫孔老二。"仲父"翻译成现代汉语就是"二叔"，通俗点说就是干爹。秦王政是出于对吕不韦的尊敬才如此称呼他的。这种例子在中国历史上并不罕见：早在殷商末年，周武王就称姜尚（即姜子牙）为"尚父"，这比吕不韦的"仲父"更为直白，但谁也不认为周武王是姜尚的私生子；后世的三国时期，蜀后主刘禅也称诸葛亮为"相父"，但好像也没人说诸葛亮是刘禅的亲爹吧？

有了吕不韦主持朝政，秦王政便开始忙些其他事情。即位之初，他便开始大修陵寝。其实古代帝王生前造陵并非秦王政的首创。早在战国时期诸侯国王生前造陵已蔚然成风。如赵肃侯"十五年起寿陵"（《史记·赵世家》；还有平山县中山国王的陵墓也是生前营造的。秦王政只不过是把国君生前造陵的时间提前到即位初期。但他此时年仅13岁，即使按照当时的平均年龄来说，也还有几十年好活，这么早就准备后事，其中的奥妙何在？有一则传说代表了大多数人的想法：当嬴政坐在宝座上、沉醉在一片万岁呼声中时，曾幻想永远不离开人间和豪华的宫殿，于是听信了方士们所编造的东海中有蓬莱、方丈、瀛洲三座仙山，上边居住着仙人的美言，并派方士徐福带领数千名童男童女，到海中的仙山上求取长生不老的仙药。但是徐福一行入海后就再也没有回来。后有民间传说，他们来到了现在的日本国定居，在那里开辟了一个新的天地。以后，嬴政也认为"长生不死"的"神仙世界"是靠不住的事，所以他转而特别重视自己陵墓的营建。

其实，嬴政自即位后不久就开始为自己修建陵墓，这则传说经不起历史的证明，其中真实的原因何在？这便需要从他的性格上去分析了。

当年秦王政被子楚和吕不韦抛弃在赵国之时，见到了在深宫内院不可能见到的世态民生，更见到了生老病死的残酷轮回。富人还好一点，穷人死了，不过是一张破席裹尸，乱坟岗子中草草安葬，后世子孙如有发达的一天，连祭拜祖先之地都无处寻觅。人说孩子的心灵是一张白纸，不管在上面写上什么，一生都难以擦去。秦王政的心就在那时写上了对死亡的恐惧：他害怕死亡，更不想自己死后被草草收尸。如今他是一国之君，而且是战国七雄之中实力最为雄厚的秦国之主，有权力更有能力为自己修建一个足以让后世仰望的陵寝。他的父亲秦庄襄王子楚年仅36岁就匆匆离去，在位仅三年的他还没有来得及为自己修建归宿之地，秦王政不愿沦落到父亲的地步，因此在即位之初便开始了骊山陵的破土工程。此举被后世历代皇帝所效仿，也算是秦王政的一个创举了。

从秦王政元年（前246）到二十六年（前221），由于统一之战的影响，骊山陵的修建工程只是停留在选址、策划及初步奠定工程的规模和基本格局之上，真正形成规模还是要在二十六年到秦始皇三十五年（前212）这十年中，集中人力物力财力大加修建的。

第 2 章

战国时代的铁血君王

关于秦陵为何选址于此的问题，历代考古学家也众说纷纭。

骊山一直是一个写满了众多传奇色彩的风水宝地，西周末年的周幽王与爱妃褒姒就曾在这里演出了一场烽火戏诸侯的历史悲剧，从而葬送了西周王朝；唐朝的唐玄宗李隆基为了杨玉环（杨贵妃）也在此修建了名贯古今的豪华浴池——华清池，二人乐而忘国，最终洗出了安史之乱，使得大唐王朝由盛转衰，最终也没再次抬起头来。

民间传说中，秦王政也与骊山有着很深的关系。相传嬴政生前在骊山与神女相遇，游览当中欲戏神女，神女盛怒之下，朝他脸上唾了一口，嬴政很快生长了一身的烂疮，最终一命归西。这虽然是一个神话故事，但

周幽王烽火戏诸侯

从中人们也可以隐隐约约地看出嬴政与骊山似乎有些缘分，他的长眠之所也选在了骊山脚下。在真实的历史中，这处宝地究竟以什么样的魔力吸引着嬴政呢？

古人把墓地的选择看作是一件造福于子孙后代的大事，尤其像嬴政这个企图传之于万世的封建帝王自然对墓地的位置更加重视。对于嬴政选择骊山之阿建陵的缘由的据北魏时期的郦道元在《水经注》中解释道："秦始皇大兴厚葬，营建冢圹于骊戎之山，一名蓝田，其阴多金，其阳多美玉，始皇贪其美名，因而葬焉。"也就是认为骊山的背阴面产金，朝阳面则盛产美玉，嬴政贪恋这里的财富，所以决定睡在这里。此说在学界沿袭千余年，并且被认为是最早的、最具权威性的观点而深信不疑。

单从表面上来看，《水经注》的解释似乎不无道理，然而仔细回味起来，嬴政当年仅是一个13岁的孩童，能否知道骊山盛产金与美玉还是个问题；即使知道，当年选择陵墓位置恐怕也不会按照一个被吕不韦架空的小国君的个人意志来决定。所以这个问题似乎应该从当时的礼制及陵墓的设计意图方面寻找答案。

实际上，陵墓位置的确立与秦国前几代国君墓的位置有很大的关系。嬴政先祖及太后的陵园葬在临漳县以西的芷阳一带，嬴政的陵园选在芷阳以东的骊山之阿是当时的礼制所决定的，因为古代帝王陵墓往往按照生前居住时的尊卑、上下排列。《礼记》、《尔雅》等书记载，"南向、北向、西方为上"。"西南隅谓这奥，尊长之处也"；东汉王充所著的《论衡》一书记载得更明白了："夫西方，长者之地，尊者之位也，尊者在西，卑幼在东……夫墓，死人所藏；田，人所饮食；宅，人所居处，三者于人，去凶宜等。"葬在芷阳的宣太后（秦惠文王之妻，嬴政的高祖母）也希望其陵墓能葬在她丈夫与儿子之间，即"西望吾夫，东望吾子"，亦是按长者在西、晚辈居东的原则。嬴政先祖已确知葬在芷阳的有昭王、庄襄王和宣太后，既然先祖墓均葬在临漳县以西，而作为晚辈的嬴政只能埋在芷阳以东了。若将陵墓定在芷阳以西，显然有悖于传统礼制。可见秦始皇陵园选在骊山脚下完全符合晚辈居东的礼制。

另外，陵墓位置的选择也与当时"依山造陵"的观念有关。大约自春秋时代开始，各诸侯国国君相继兴起了"依山造陵"的风气：许多国君墓不是背山面河，就是面对视野开阔的平原，甚至有的国君干脆把自己埋在山巅之上，以显示生前的崇高地位和君权的威严。春秋时期的秦公墓也受这种观念的影响，有的"葬西山"，有的葬在陵山附近；战国时期的秦公墓依然延续了"依山造陵"的流行趋势。而秦始皇陵墓造在骊山脚下也完全符合"依山造陵"的传统观念。它背靠骊山、面向渭水，而且这一带有着优美的自然环境。整

个骊山唯有临潼县东至马额这一段山脉海拔较高，山势起伏，层峦叠嶂。从渭河北岸远远眺去，这段山脉左右对称，似一巨大的屏风立于始皇陵后，站在陵顶南望，这段山脉又呈弧形，陵位于骊山峰峦环抱之中，与整个骊山浑然一体。

风景如画的骊山

从风水角度来说，骊山也是不可多得的宝地。它不仅依山，而且还环水。除了北临渭水之外，在秦陵的东侧也有一道人工改造的鱼池水。《水经注》记载："水出骊山东北，本导源北流，后秦始皇葬于山北，水过而曲行，东注北转，始皇造陵取土，其地于深，水积成池，谓之鱼池也。……池水西北流途经始皇冢北。"可见鱼池水原来是出自骊山东北，水由南向北流，后来修建秦陵时，在陵园西南侧修筑了一条东西向的大坝，坝长 1000 余米，一般宽 40 多米，最宽处达 70 余米，残高 2 至 8 米，它就是人们通常所说的五岭遗址。正是这条大坝将原来出自骊东北的鱼池水改为西北流，绕秦陵东北而过。此外，在陵园东侧，还有川流不息的温泉水经过。《水经注》记载："在鱼池水西南有温泉水，世以疗疾。"《三秦记》则曰："骊山西北有温泉。"可见当年的温泉与西北的鱼池水相对应。由此不难发现秦始皇陵的风水特点是，南面背山，东西两侧和北面形成三面环水之势。"依山环水"，不知道在当时秦陵是否还有更好的选择。

"依山环水"的造陵观念对后代建陵产生了深远的影响：西汉帝陵如高祖长陵、文帝霸陵、景帝阳陵、武帝茂陵等就是仿效秦始皇陵"依山环水"的风水思想建造的，以后历代皇陵也都基本上继承了这一建陵思想。

骊山陵破土动工了，从此骊山脚下整整热闹了 37 年。而秦国后宫也没死气沉沉，这里的热闹程度，要比骊山陵的建筑工地火爆了许多，使得生性暴躁的秦王嬴政，第一次大开杀戒！

难以启齿的后宫丑闻

秦王政即位后，忙着修建陵寝、学习为君之道；而掌握着国家大权的吕不韦更是忙得不可开交，只剩下庄襄太后无所事事了。此时的她虽有听政之名，但决定权控制在吕不韦的手中，操心受累的事都由吕不韦去做，她只是坐在那里装装样子罢了。

庄襄太后新寡，而且年龄还不到30岁，寂寞深宫，她无法忍耐。好在情夫吕不韦现在可以随意出入禁宫，又与太后恢复了两性关系。其实二人从庄襄王病重时起，就过住甚密，到现在更是肆无忌惮，幽会的次数越来越多。宫娥彩女大都是太后的心腹，自然守口如瓶；朝臣听到风声，也都畏惧吕不韦的权势，敢怒而不敢言；秦王政还是个少年，不知其中隐秘，于是两个人暗地往来，又做成了一对夫妻。

对于吕不韦，庄襄太后是既钦佩又爱怜。她钦佩吕不韦的机敏和老谋深算，她是吕不韦所有计谋的知情者和见证人。作为女人，她对吕不韦处心积虑所追求的东西并不感兴趣，她更看重的是感情上的满足。她对眼前的状况也感到心满意足，儿子前途远大，她又能与意中人时时相会，没有比这更好的了。她多么希望这种日子能够天长地久、永不改变啊。

在这种意识支配下，庄襄太后常常有意在年幼的秦王政面前称道吕不韦的好处。秦王政年纪尚小不懂事，哪里懂得这其中的奥妙？虽然他也不想把权力全都交与吕不韦，但以他的岁数及经验来看，对当傀儡一事一时也无可奈何，只能顺着母后的意思，让吕不韦继续代替他当秦国的国君。

然而，随着时间的流逝，吕不韦年纪越来越大，对风流之事明显地感到力不从心；而秦王政却是越来越成熟了。纸难包火，一旦被秦王政得知了此事，老吕的脑袋可就得换个地方呆了。于是他决定摆脱庄襄太后对他无休止

的纠缠，让别人顶替他在庄襄太后床上的位置，同时也为自己找一个替罪羊。

吕不韦差人四下打听性欲强盛的男子，门人很快禀报，咸阳闹市有个无赖嫪毐，以大阴著称，附近淫荡的妇人都争着跟他来往。新近又因奸淫触犯刑律，正等候判决。

听到这个消息，吕不韦十分高兴，急忙派人将嫪毐保释出来，留在府中当舍人，准备等待机会再献给庄襄太后。

为了试嫪毐的本事，也为了诱惑庄襄太后，吕不韦设计了一个让嫪毐显露本领的计策，并故意使人把此事当作奇闻说给庄襄太后听。等吕不韦与庄襄太后私会之时，庄襄太后果然向吕不韦打听嫪毐的情况，尽管神情有些羞赧，可是话语中分明透露出欣羡之意。见时机已到，吕不韦便把自己的想法和盘托出。开始时庄襄太后还顾忌着自己的地位和颜面，不肯点头，但经不住吕不韦花言巧语陈述利害，便答应了。

接下来的事情吕不韦都谋划好了，他先派人告发嫪毐犯有奸淫罪，依照秦律当判腐刑(阉割)，接着又买通行刑人员，真戏假唱，使用李代桃僵之计让嫪毐躲过了刑罚；最后拔掉嫪毐的胡子眉毛，装作他被阉割的样子，混在内侍之中送进后宫。第二天，庄襄太后重重奖赏了吕不韦，以表谢意。没几天，庄襄太后与嫪毐已是打得火热，形同夫妻。

那嫪毐果然本领非常，相处不久，年纪已经不小了的庄襄太后竟然有了身孕。这下二人可慌了神。那年头又没有人流一说，怀了孩子只能生下来；对一般人来说，没有计划生育的限制，生下来顶多是多一张吃饭的嘴而已；然而庄襄太后的身份却不一样，一国的太后竟然做出如此丑事，传了出去岂不令人不齿？情急之下找到了吕不韦。吕不韦出了个主意，让庄襄太后谎称有病，再让嫪毐贿赂卜师，故意称宫中有鬼，当远避西方200里之外。

此时的秦王政对干爹和老娘的关系也有所知晓。传说有一次，秦王政晚上从庄襄太后所居住的宫外经过，听到了屋里吕不韦气喘如牛和庄襄太后娇喘吁吁的声音。对男女之事已有所了解的秦王政立刻明白了是怎么回事。但以自己现在的实力来说，还无法撼动吕不韦的权势，更不想让自己的母后蒙羞，于是用紧紧咬住舌头的办法来强压怒火。由于用力过大，竟然将自己的舌头给咬断了！这也就造成了以后他说话是"豺声"的原因了。

当然这只是一个传说，秦王政发髭音是因为他患上了支气管炎，而不是因为咬掉了舌头。试想，若秦王政真的把舌头给咬掉了，那宫中的御医可是如临大敌的，医疗记录上肯定会重重的大书一笔，即使不能把舌头掉了的真正原因写上，也会找个冠冕堂皇的理由把这件事的根本起因掩盖过去。然而各种以宫中档案为参考依据的正史却对此只字不提，这不能不让人怀疑此事的真实性。

秦王政确实有可能知道吕不韦和庄襄太后奸情，就算二人做得再隐蔽，随着嬴政的逐渐长大，权势也日益增强，朝中对吕不韦不满的大有人在，将此事委婉地透漏给秦王也是扳倒吕不韦的一个好办法。因此当庄襄太后提出搬出王宫的想法后，秦王政也愿意母后离吕不韦远一些，免得再发生更大的丑闻。于是建议："雍州(今陕西凤翔)正在咸阳西200多里，且有现成的宫殿，母后住在那里最好不过。"

于是庄襄太后带着嫪毐迁往雍城大郑宫。这里僻静无人，两人更加无所顾忌，太后竟在两年之中连生二子，养在密室中。庄襄太后还奏称嫪毐代王服侍太后有功，请封给其土地。遵从太后之命，秦王封嫪毐为长信侯，把山阳的土地赏赐给他。

得了势的嫪毐现在把谁都不放在眼里，他非但不感谢吕不韦的引见，反而想与吕不韦分庭抗礼。他广召门客，拥有客僮数千，朝臣中的不少趋炎附势之徒纷纷从吕不韦的周围脱离，去投靠了嫪毐。

秦王政九年（前238）嬴政已经22岁，但还未加冕。庄襄太后传下令来，让秦王在德公庙举行加冕仪式，佩剑，并赏赐文武百官酒肉，大吃大喝五天

这时，嫪毐与手底下亲信一边饮酒，一边赌博。到第四天嫪毐与中大夫颜泄赌了几场，连连失利。也是嫪毐酒喝得过量，不肯认输，要求复盘，颜泄喝得半醉，硬是不肯答应。两人说着说着就红了脸，动手厮打起来。这下子，嫪毐恼了，破口大骂："我是当今大王的假父（后爸的意思），你小子算老几，敢对我动手？"

颜泄见嫪毐动了怒，叫他这一骂，吓得酒醒过来，掉头就往外跑，只顾低头逃命，正遇上秦王政从祈年宫出来。

颜泄见秦王政在此，好像见了救星，号啕大哭，向秦王请罪。秦王政是何等聪明，见颜泄这番模样，料知其中必有隐情，不发一言，只吩咐一声：

"快扶颜大人到祈年宫歇息！"便在众人护卫下，回了祈年宫。

嫪毐带领亲信追到这里，见是秦王政在那里，不敢再往前追，只好悻悻地转身回去了。回到祈年宫，秦王政屏退左右，亲自审问颜泄："颜大夫何故惊慌，快如实对寡人讲来？"

颜泄这才将他如何与长信侯饮酒，如何赌博，长信侯如何赖账，翻脸，动手打人，又如何骂他等情节，一一向秦王政做了哭诉。未了，又向秦王奏道："嫪毐其实不是太监，他假装受了腐刑，私自服侍太后，现在已经生下了两个儿子，藏在了大郑宫里，用不了多久，就要谋权篡位了。"

听完颜泄所奏，秦王政直气得眼中冒火，叫颜泄不得泄露，立即召人进来，秘密将兵符交予来人，令他速去岐山，召大将桓齮领兵前来护驾。

谁知此事被卧底在祈年宫里的两名内史看到。这两人平时很受庄襄太后和嫪毐的器重，得到很多好处，已成为嫪毐死党。乘间隙，偷偷溜出祈年宫，将秦王召兵来雍城的消息向嫪毐做了报告。

这时嫪毐酒已醒了，闻讯大吃一惊，连鞋子也顾不得穿，光着脚向大郑宫跑去。不等通报，径直去见庄襄太后，将紧急情况对庄襄太后说了之后，征求庄襄太后意见："事到如今，也没有别的办法，除非乘桓齮兵还没来，把宫里的骑卫卒和宾客舍人全都发动起来，攻打祈年宫，杀了秦王，你我二人尚可保住一条性命。"

秦国两色剑

庄襄太后听了又惊又怕，没了主意："宫里的那些侍卫怎么可能听我的命令呢？"

见庄襄太后如此，嫪毐急了，连哄带劝地说："你把太后玉玺借我使使，我把它当作国君御宝用。就说：'祈年宫出现了叛上作乱的贼人，秦王有令，召大郑宫里的侍卫一起去救驾。'他们应该没有不遵从的。"

庄襄太后方寸已乱，无可奈何地说："但凭你做主好了。"便取出了玉玺交与嫪毐。

嫪毐假造了一份秦王亲笔信，加盖上庄襄太后的玉玺，亲自骑上快马遍召宫骑卫卒，又集合起本府宾客舍人，拿起武器，由嫪毐和内史肆、侍卫竭三人分别带领围攻祈年宫。祈年宫内的秦王政见情势危急，便登上高台，对围宫军吏高声大喝道："你们为什么围宫?还不马上给我滚蛋！"

围宫的军吏大多数不明真相，见秦王没什么事，反而责骂他们犯驾之罪，一个个吓得纷纷后退。有个胆大向秦王说："长信侯传言行宫有贼，特来救驾。"

秦王政对宫外军吏大声喊道："众军吏听着，宫中无贼，长信侯就是逆贼！"众军吏听了此话，散去大半。

嫪毐见此惊慌失措，督促手下亲兵、宾客加紧攻打祈年宫。

秦王下令道："活捉嫪毐的人，赐钱百万；杀了他并把他脑袋呈献进来的，赐钱五十万；能砍掉一个造反之人脑袋的，赐爵一级；不分贵贱，赏格一律同等看待。"

这项命令一下，军吏、内侍反戈相击，越斗越勇。嫪毐死党不敌，渐渐退却。

看到大势已去，嫪毐带领亲信杀出一条血路，打开东门外逃。正当嫪毐一伙急急如漏网之鱼仓皇逃命之时，正遇大将桓齮奉命领兵前来救驾，当即将嫪毐等叛党生擒活捉。继而挥兵前进，清剿余党，不一会儿，就完全平息了这场暴乱。

平定暴乱之后，秦王政亲自带人到大郑宫搜索，从密室中搜出庄襄太后与嫪毐所生的两个儿子，命人装入布袋，乱棍打死。听到孩子的哭叫声，庄襄太后心如刀绞，但也不敢出声向秦王求情，只能暗暗垂泪。

处理完毕雍城诸事，秦王政也不向庄襄太后告别，气呼呼地回到了咸阳。经审讯，得知吕不韦与太后通谋，贿通主刑官吏，诈称阉割，使嫪毐混入宫禁等详情。于是将嫪毐处以车裂之刑，夷灭三族，并将其他参加谋反的人一并处死，先后处死了1000人之多。

秦王政怒犹未息，令将庄襄太后从大郑宫迁出，迁到最小的棫阳宫居住，并派300士兵日夜看守，不许宫中人等随便出入。

而对于吕不韦，则因送假太监进宫伴太后，犯下欺君之罪，本当连坐，因念他侍奉先王有功，功罪相抵，免去相国职衔，勒令回河南乡下闲置。

将庄襄太后迁至械阳宫后，秦王又下令道："敢为太后求情的全都宰掉，把他的手足四肢全都砍下来，给我摆在宫门外，我看谁还敢胡说八道！"结果进谏者一连被杀27人。最后还是足智多谋的客卿齐人茅焦用激将法说服了秦王。

秦王问："你没看见台阶下堆的死尸吗？"

茅焦从容不迫地答道："臣听说天上有28颗星宿，现在台阶下才死了27人，我来就是想凑足28宿之数，并不惧死。臣又听说活着的人不可忌讳死，当国君的人不可忌讳亡国。忌讳死就不可以得生；忌讳亡就不可以得存。生死存亡是圣明君主急欲知道的，难道大王就不想知道吗？"

"你这是这是什么意思？"

"大王酿成大错，难道自己还不知道？隔离生母，有不孝之行；处死谏士，有暴君之举。如果天下人知道此事，就会逃离秦国，没有人再愿意为国效力，臣恐怕秦会亡国，暗地里为大王担心啊。我的话说完了，请大王杀吧！"

秦王政大概考虑到自己刚刚亲政，如果连自己的母亲尚且不能容纳，确实容易招致天下人误解，这才接受了茅焦的劝告，亲率人马，浩浩荡荡接回庄襄太后。母子见面，自然免不了庆贺一番。但是，从此太后再不能在政治舞台上占有一席之地了，而是只能作为秦王、秦始皇的母亲，在后宫中尽享"天年"。

即使如此，庄襄太后的生活也不能重现往日的风光了。对于这段经历，秦王政始终是不能原谅的，庄襄太后也就只能在深宫中孤独地打发残生。秦王政十九年（前228），庄襄太后病死，跟庄襄王合葬一处。秦王统一华夏之后，追封庄襄太后为"皇太后"，也算给他的母亲一个交代。

然而，对于该丑闻的幕后策划者，秦王可就没那么心慈手软了。因为这个人不仅让秦王卷入了后宫丑闻的风波，更成为了他满足自己无限权势欲望之路上一个必须逾越的障碍！

艰难的夺权路

后宫的丑闻彻底震怒了秦王政，这也是他即位以来第一次大开杀戒。通过这件事，秦王政意识到，他这个位置并不是高枕无忧的，许许多多意想不到的隐患正威胁着他的权力。在这个外强虎视、内贼偷觑的时代，若想立于不败之地，唯有比强者更强！现在已不是昭王和庄襄王统治下的时代了，仁政已经无力将国家带到更高的高度。当年秦国通过商鞅变法，率先走上了封建主义道路，使得国力强盛于其他国家。如今几十年过去了，其他诸强也纷纷开始了变革行动，大有赶超秦国的趋势。这样一来，秦国原本所具有的优势正在为列强逐渐蚕食：昭王围赵失败、蒙骜兵败河内，这都是六国崛起的征兆。虽然吕不韦持政期间也进行了一系列的改革措施，但以一己之力对抗天下的秦国，此时只能维持自保，而无力再向前迈进。因此，秦王政下定决心，要以铁血政策来改变秦国现在的被动局面。

想要达到目的，必须先从内部进行调整，第一个被试刀的，就是吕不韦！

虽然现在的吕不韦已经因为嫪毐事件而被迫回老家赋闲，但他在朝廷中的余威尚在，朝中仍有不少他的心腹。当秦王尚未决定如何处理吕不韦时，朝中大臣就纷纷上奏力保，各国国君及权要都派使者来说情，民间发动请愿，希望免处吕不韦罪责的人，更是逐日有加。

经过调查，秦王政发现，吕不韦的势力不但遍布秦国内外，而且已深深扎根于民间的各个行业；不只是官僚体系，就连士、农、工、商各个阶层，都存在着吕不韦的影子。因为吕不韦不只是相国，也是大地主、大工业家、大商人和知识分子精神上的领袖。他会赚钱，也会用钱，他利用权势赚来的钱，再用来收买人心，增加他的权势和影响力。而且，退下去的吕不韦仍控制着

秦国的财经动脉。每逢出兵或国家有重大开支，国库还得向他和他的利益团体设法调借。

更使秦王政不安的，是吕不韦在秦国和国外的潜在势力，在这次吕不韦被赶回老家时充分展示出来。

在他诏命公布后的一个月里，咸阳城似乎变成了吕不韦城，从早到晚，无论是富贵人家，茶楼酒肆，或是街巷市井，上自君侯大臣，下至贩夫走卒，口中谈论的都是吕不韦，设宴送行的、赠送纪念物歌功颂德的，更是无日不有。吕不韦起程的那一天，送行车队长十多里，沿道的几案从咸阳东门一直排到十里长亭，送别宴毕，还有人送过渭水的。吕不韦到家之后，河南就取代了咸阳的地位，变成了政治、经济、外交甚至是文化中心。各国使节或是来访大臣，到咸阳之前，都会先到吕不韦那里停留议事，到达咸阳见秦王政时，所提出的往往是在吕不韦那里得到的结论。在咸阳的大臣遇有重大问题和疑难杂症，也会和吕不韦书面往来商议，甚至是远到河南当面请教。在文化中心方面更不用说了，吕不韦免去相国，闲暇时间更多，他召集门客吟诗著作，齐议时事，俨然成了清流首脑。

吕不韦的有形无形势力以及他控制着的秦国经济，正逐渐将秦国的国力变成他和他利益集团的私人势力。因此可以说，吕不韦只要活一天，秦国就不是属于秦王的。

除掉吕不韦已经是刻不容缓之事，但秦王想撼动吕不韦却没那么容易。牵一发而动全身，若贸然采取行动，很可能逼得他造反。老吕不是嫪毐那种无赖，他的计策与计划一定会做得相当周全，只有先将他的产业能国有化的都国有化了，不能国有化的都加以重税，让吕不韦和他的人负担不起，只有慢慢脱产；然后在朝堂上夺取主动权，让吕不韦先在朝中威风扫地，让那群老家伙无话可说；最后再擒贼擒王，直接对吕不韦下手。树倒猢狲散，吕不韦一倒，他编织的那些关系网也自然会冰消瓦解，而那群没有了主心骨的门客，更掀不起大风大浪。就算是吕不韦被逼得造起反来，自己已经把军权握在了手中，任凭吕不韦再怎样，他手下的那群乌合之众也是敌不过朝廷的正规军的。

经过周密的调查，秦王政已经掌握和编织了足以置吕不韦于死地的证据。他决定动手了。

秦王政十二年（前235）的一天，彻夜未眠的秦王政终于提笔写下了一封给吕不韦的信：

君何功于秦？秦封君河南，食十万户。君何亲于秦？号称仲父。其与家属徙处蜀！

《吕氏春秋》书影

这封信写得可谓是毫不给吕不韦以颜面，他把吕不韦对秦国的贡献彻底地抹煞！秦王政心里也明白，吕不韦对秦国的贡献其实是巨大的。他抱着"欲以并天下"的心愿，为秦的统一事业做出了贡献。并且在战国时期学术思想"百家争鸣"的历史背景之下，吕不韦有着要求思想统一的倾向。所以吕不韦要门下客人，个个著其所闻，综合百家九流之说，畅论天地万物古今之事，最后汇编成书，名曰《吕氏春秋》。该书特别注重吸取儒道两家的学说，对法墨两家的观点往往采取

批判的态度。《吕氏春秋》是中国古代杂家的代表作，说它是"杂家"，因为它是集百家之长于大统，没有形成自己的体系，调和了儒、道、法的思想观点。吕不韦主编《吕氏春秋》的目的，是为秦朝统一天下进行理论论证的。这是在韩非之前进行的一种统一思想的试验，为日后的思想统一奠定了理论基础（吕不韦的努力虽然在当时没有取得应有的效果，但是，作为《吕氏春秋》的历史任务，并没有结束于先秦，而是开启了两汉思想统一之门）。再者，若不是吕不韦居中策划，子楚还要在赵国过着人质的日子，哪敢奢望以庶出之子的身份继承王位？更不用说把位子传到秦王政手中了。如果说这都不算亲，那除了是秦王政的亲生父亲外，恐怕没有更亲的了。

然而秦王政将这份功绩全然抛弃，直接指责吕不韦对秦国毫无贡献，反而从秦国手中捞取了大量的好处。短短30个字，可谓是字字如刀，直扎在吕不韦的心窝里。

秦王又想到，如果就这样直接把吕不韦杀掉，肯定会引起那些与吕不韦有着千丝万缕联系者的不满。自己亲政不久，这些人暂时还得罪不起，因此没有把话说得那么露骨，只是把吕不韦及其家人发配到四川去。剩下的，就看吕不韦的悟性了：他要是还有点头脑，秦王就能取得想要的结果；要是他不开窍，那也没关系，四川之地是穷乡僻壤，人烟稀少，他吕不韦有再大的能耐，也没办法以光杆司令的身份与秦王对抗。到那时，姓吕的已经是嘴边上的肉了，想什么时候吃掉，只看秦王的心情如何了。

秦王的书信被快马加鞭地送到了吕不韦在河南的家中，送信者只说了一句话："大王希望文信侯能够妥善处理。"

话已经说得很明确了，秦王的意思就是要让吕不韦自行了断。

如今的吕不韦早已没了当年指点山河的颐气：权力被彻底剥夺，产业又被全部充公，剩下的只有这些见风使舵的门客和自己多年来辛辛苦苦积攒下来的个人财产。天下之大，吕不韦已是无路可走。虽然他还有机会逃往国外，但天下大势已经决定了不久之后，秦国就会横扫六国。到那时，吕不韦将死得比被五马分尸的嫪毐更惨。

当夜，月色如水。

吕不韦独自坐在书房之中，用手轻抚着那卷《吕氏春秋》。当年书编成之后，他曾将该书放在咸阳闹市之中，书上悬起千金。他极为自信地宣称，无论是谁，只要能够为这本八览、六论、十二纪、长达20余万字的《吕氏春秋》修改增删一个字，就可以将这千金取走。其结果当然是这千金还是原封未动地回到了他的口袋里。

吕不韦苦笑一声，推开书，站起身来。编了这么多年的春秋，自己还是不懂春秋。当年的越王勾践手下的谋臣范蠡，其功绩不知要大自己多少倍，但勾践功成之后，他便及时抽身引退，荡舟西湖，避免了日后的兔死狗烹，最终成为了富甲天下的陶朱公。而自己呢，本是一代巨商，却非要投身政界，而且随着权势的日益增加，野心也随之膨胀，终于到了令国君忍无可忍的地步，导致了如今这个下场。早知如此，何必当初？

吕不韦打开一个隐藏在墙壁夹层里的柜子，从里面拿出一瓶酒，斟上满满的一杯。事到如今，该恨谁呢？恨秦王政斩尽杀绝？自己要是坐在那个位置上恐怕做得更绝；恨嫪毐愚蠢混账？嫪毐事件只不过是个导火索而已，即使没有此事，秦王政也会找其他理由铲除自己的。在秦王政眼里，自己是他最大的拦路虎，只有将自己置于死地，秦王才能安稳。

吕不韦摇了摇杯中的酒。自己的一生就在这杯酒里了，是功是过，是对是错，只能留给后人去评论了。

吕不韦拿稳杯，一饮而尽！

夜已深了，万籁俱寂，只

战国人形铜灯

有桌上的灯台在摇晃着鬼魅般的光芒。

吕不韦死了，怎么处理吕不韦遗留下来的党羽又成为了秦王为之挠头的问题。吕不韦就像是一个榕树，不仅干粗枝壮，其根系更是错综复杂。树虽然倒了，但根还在，如不尽早将之铲除，其后患无穷。如若要采取激烈手段，好处是不浪费时间，用迅雷不及掩耳之势一举清理掉这些残根，不让它们再有时间长出新根来；但害处是这些根和整个秦国的各阶层都已纠缠在一起，一不小心，轻则伤害某部分的国家利益，重则可能动摇国本，给各国诸侯带来趁机入侵的机会。

用缓和的办法呢？好处是可以防止前述的害处，但毛病是出在可能旧的未去、新的又蔓生出来，斩不完理还乱，永远没有清理干净的一天。

第二天的朝会上，秦王政颁布了一道命令："如今叛逆嫪毐已受刑，文信侯吕不韦也因害怕连坐而饮鸩自尽，反叛案已经告一段落。为避免人心继续不安，表示寡人宽容，允许有罪之人改过向善，先前那些不知情或被迫从逆而被流放到蜀地者，准予赦免其罪，回归原籍！"

此令一下，顿时人心大快，纷纷赞称秦王圣明；那些被赦免的人更是感激得五体投地。

如此不费一金一银之举，让秦王政在国民心目中的威望猛然升高。

然而秦王政虽然做出了赦免有罪之人的决定，但他还是对眼前的局势放心不下。经过一番酝酿，又一道命令从他的口中发布了出去。

秦国，重又陷入了一片恐慌之中！

决定帝国命运的风波

吕不韦饮鸩自尽，秦王政去了心头大患；面对 嫪毐 反叛案遗留下来的问题，进退两难的秦王政选择了宽容。这是生性多疑的嬴政继接回母后之后第一次的大度，但他很快就为自己的选择感到了后悔。

吕不韦畏罪自杀后，他所养的门客冒着被砍脑袋的危险，瞒着朝廷，私下里将吕不韦风光大葬。送葬的和之后前去祭墓的，竟然达到了数千人之多。眼见成了一堆枯骨的吕不韦还是一只百足之虫——虽死而未僵，其余毒仍在阻碍着秦国走向正轨。

贵族、大臣们养门客在战国时期蔚然成风，"战国四公子"（魏国信陵君、楚国春申君、赵国平原君、齐国孟尝君）都以礼贤下士、拥有数千门客著称。在那个时期，门客是一股可资利用的政治势力，"以相倾夺，辅国持权"（《史记·春申君列传》），借助门客的力量来争权夺势，是这群吃饱了没事干的贵族大臣们真正的目的。

吕不韦贵为"仲父"，很长时期内是秦国的实际主政者，自不能免俗。司马迁在《史记》中明确指出，吕不韦正是鉴于战国四公子的成就，才用重金招贤纳士，使得其门客达到了 3000 人之多。曾把异人当作"奇货"的吕不韦罗致如此多的门客，显然出于政治投机和博弈的需要。而且吕不韦千金一字著春秋的嚣张气焰，更令秦王政无法无动于衷。门客一旦变成卿大夫的私人势力，只知人主而不知君王，便具有相当的危险性。而且门客中还包括刺客。人主支付更为优厚的报酬，关键时刻把他们作为杀手锏抛出，给予对手致命一击。专诸、豫让便是这类"死士"。仅凭这一点，秦王政也必须采取行动了。

另外，在秦王政元年，吕不韦接受了韩国的建议，让"水利工程师"郑国来主持修筑一条人工运河。该运河从雍地云阳县（今泾阳县云阳镇）西南

25 里起，至中山西郊瓠日（今泾河瓠口）止，傍北山而开渠，东引洛水，全长 300 余里，可灌田地无数。吕不韦一直希望做几件大事来显示治国才能，巩固自己的政治地位。韩国的建议与吕不韦急于建功立业的想法不谋而合，吕不韦当年就组织力量开始修建郑国渠。

然而韩国此举却大有深意。早在秦武王四年（前 307），秦军就打破了函谷关，兵锋直指韩国。虽然身背六国相印的苏秦提出了合纵的构想，但只求自保的六国仍旧是朝秦暮楚，面对咄咄逼人的秦国铁骑，只能做着无谓的抵抗，韩国就是这种局面最大的受害者。

成了惊弓之鸟的韩国尽管数次迁都，也避不开秦军的锋芒，反而丢掉了大片的土地。尽管韩军战斗力也很强，有"强弓劲弩皆在韩出"、"天下宝剑韩为众"的说法，然而，在强秦进攻下，韩国被真正打败了，将士尸横遍野、百姓四散流亡，景象十分凄惨。

面对强敌，即将亡国的韩惠王派出一个手无寸铁的水利工程师郑国，去说服秦国兴修水利。在韩国看来，这是危难之际疲乏秦国，救亡图存的好办法。在当时，各国没有常备军队，全民皆兵，而修郑国渠这样的大型灌溉工程，秦国要动用所有青壮年劳力，耗费大量财力和精力，这必然要影响到秦国统一战争的进程。韩国想借此求得暂时的安宁。

应该说，韩国的如意算盘打得很响，可到头来还是一笔糊涂账：韩王和郑国都没有料到如日中天的吕不韦竟然会倒得那么快，那么彻底。掌握了实权的秦王政看穿了韩国的阴谋，就在郑国渠即将完工的时候，一道旨在彻底解决门客问题与间谍事件的逐客令下达了。而韩国，也因此郑国渠一事而面临着亡国的危机！

在一干王室贵族的建议下，秦王政下达了逐客的命令：

第一，郑国渠立即停止修建。秦国力量应该主要放在对外发展之上，能够征服天下，兼并各国，就有耕种不完的肥沃土地，到时各国俘虏都是用之不竭的人力。

第二，外籍客卿一律驱逐，限其三日之内出境，小生意人可留下，有垄断利益及大批田地的外籍商人兼地主，全部限其归国，产业收归国有，田地分给原佃农价购，折价分期上交政府。

第三，为吕不韦安葬、送葬或哭祭者，六百石以上官职者夺爵，谪迁房陵（今湖北房县）守陵；五百石以下，不夺爵亦迁房陵。凡是未参加送葬或祭墓的秦籍舍人门客，不夺爵，但迁居房陵。若是外国人，立刻驱逐出境。

后人修建的吕不韦墓碑

此令一下，全国大震。在那个时代，才俊们到异国献计得到重用的游士制度非常普遍。以秦国之强，到这里来讨个一官半职的外国人真如过江之鲫。接到命令后，秦国的场面可谓是极其壮观：无论在哪条街上，都能看到拖家带口、急匆匆奔向城门的人。有点钱的还能赶个车，将家财和妻儿老小一起运走；要是有幸看到那些穷人搬家，那可就热闹多了：男人手抱肩扛着一大堆并不值钱的物件，女人抱着吃奶的孩子，其他的孩子是大的背着小的一路跑。大人叫，孩子哭，乱纷纷的好似集体逃荒。

其实这不是逃荒，而是逃命！秦王只给了三日期限，若不能按时滚出秦国，那脑袋可就得从脖子顶上滚蛋了。

然而有一个人虽在被逐之列，但决不甘心就此灰溜溜地滚出秦国，他就是著名儒家学派代表荀况的学生、吕不韦的门客——楚国人李斯。

作为荀子的得意门生，李斯有着宏伟的政治抱负。学业完成以后，他分析了当时的形势，认为"楚国不足事，而六国皆弱"，唯有秦国具备统一天下的条件，于是他决定到秦国去施展自己的才能与抱负。

秦庄襄王三年（前247），李斯来到秦国，先在吕不韦手下做门客，取得吕的信任后，当上了秦王政的侍卫。利用经常接近秦王的机会，李斯给秦王上了《论统一书》，劝说秦王抓紧"万世之一时"的良机，"灭诸侯成帝业"，实现"天下一统"。秦王政欣然接受了李斯的建议，先任命他为长史，后又拜为客卿，命其制定吞并六国、统一天下的策略和部署。

但由于李斯是吕不韦的门客，又是一个外国人，自然在被逐之列。然而李斯的政治抱负尚未实现，不愿就此滚蛋。在离开咸阳的前夜，他给秦王写

了一封奏章，这就是令后世广为传颂的《谏逐客疏》。之后，他便收拾好行李，踏上了离开秦国之路。

李斯在奏章中列举大量历史事实，说明客卿辅秦之功，力陈逐客之失，劝秦王为成就统一大业，要不讲国别，不分地域，广集人才。他写道："从前秦穆公用了百里奚、蹇叔，当了霸主；秦孝公用了商鞅，变法图强；惠文王用了张仪，拆散了六国联盟；昭襄王有了范雎，提高了朝廷的威望。这四位君主，都是依靠客卿建立了功业。现在到大王手里，却把外来的人才都撵走，这不是在帮助敌国增加实力吗？"

李斯谏逐客

读罢《谏逐客疏》，秦王深受感触，马上下令，立刻召回李斯，就算他现在已经离开秦国，也要不惜动用一切手段，把他给带回来。同时，秦王宣布，废除逐客令！

此时的李斯已经离开了咸阳。经过多方打听，秦王派去的人终于在丽邑（今陕西临潼县东北）县尉衙门找到了准备到处去流浪的李斯，并快马加鞭地将他带回了秦王面前。

再度见面的秦王和李斯整整谈了一天一夜。

李斯向秦王分析了天下大势，讲明了各国的强处及弱点，结论是：经过秦国这多年的用间和挑拨分化（指苏秦的同学张仪针对苏秦的"合纵"之策提出的"连横"建议），诸侯各国合纵之约已解，近年来更是窝里斗，打得不亦乐乎。秦国如今应趁各国兵祸连年、民生凋敝之际，迅速出兵平定天下。

他又建议：欲灭六国，首先最有利的目标是韩国，因为韩地小民弱，容易征服，在战略上吞掉韩国，一方面可以先声夺人，使天下震恐，另方面师一出即可大获全胜，对我军士的士气和自信都有增益的效果。"先弱而后强，乃用兵之常法！"李斯总结道。

李斯又取出几张羊皮地理图，一一展开在几案上和秦王政观看。只见这些地理图绘得非常详实精细，凡是地形要点、道路、城市、村落、粮食、水源地等的人口和人力与资源提供能力，全都清晰地注出。

谈完了军事策略，李斯又开始分析秦国内政的情况。他认为：秦地民风淳朴，不敢窝里斗，但却可以为国家而捐躯，器重法纪而不会徇私枉法，这是孝公变法所留下的遗风。但在吕不韦主持朝政的这段时间里，官民风气都受到了商人唯利是图的本质影响，逐渐败坏，经常发生官商勾结共谋利益的事。由于工商业发达，各国商人云集，将各国尤其是楚赵的颓废淫乱之风带了进来，民风走向浅薄自私，唯利是图，追求个人享受，而置国家于不顾；财富逐渐集中于少数人之手，特别是外国商人的手中。如任这种情形继续下去用不了多少年，就会出现农业衰败，农民无以为生，集体流入城市的情况。但城市的规模也有限，无法容纳这么多人，更无法为其提供生存之道，种种乱象将由此而生。

针对这种情况，李斯建议：再用商鞅之法，并予加强，重农抑商，以维国本；发展国家经济，节制私人资本，以积国富！

听完李斯的分析及建议，秦王不禁击节叫好。随后二人确定了秦国下一步的发展方向：整理内政与吞并韩国同时进行，然后视情况先吃掉赵魏，再收拾燕楚；齐国地偏，与秦不接邻而最富强，放在最后集中力量干掉它。最重要的战略改变是：秦国不再像以前那样蚕食各国，适可罢兵；而是按先后次序，全力做到整个吞并。

郑国渠遗址

对于郑国渠的问题，李斯认为：在秦文惠王九年（前316）秦军占据四川盆地后，有了除关中外的第二块富庶之地。都江堰使成都平原变成天府之国，让秦国看到水利对于国家强盛的巨大作用。当时秦军主战场在北方，成都平原的粮食很难运到，因此提高关中粮食产量极为重要。

63

远古时候，泾河与渭河经常泛滥，给关中带来大量肥沃的淤泥。但由于关中平原干旱时有发生，上好的土地得不到充分开发。而郑国渠引泾河水浇灌关中的方式，正是秦国向往已久的事情。

郑国设计的引泾水灌溉工程充分利用了关中平原西北高、东南低的地形特点，使渠水由高向低实现自流灌溉。为保证灌溉用水源，郑国渠采用独特的"横绝"技术，通过拦堵沿途的清峪河、蚀峪河等河，让河水流入郑国渠。

在逐客时，秦王曾想杀掉间谍郑国。郑国则说，杀掉我没什么，可惜工程半途而废，才是秦国真正的损失。

听了李斯的分析，秦王经过权衡利弊，最后得出结论：修建水利工程对于开发关中农业的意义，远远能够抵消掉对国力造成的消耗。于是，秦王决定继续修建郑国渠。

秦王政十六年（前230），用了16年时间修建的郑国渠终于挺立在关中大地上，郑国渠修建之后，关中成为天下粮仓，该渠所灌溉的115万亩良田，足以供应秦国60万大军的军粮。

郑国渠尘埃落定，人们看到了一个新的秦国，一北一南，郑国渠和都江堰遥相呼应，如同张开的两翼，东方六国都处在其阴影之下，秦灭六国到了瓜熟蒂落的时候了！

第 3 章
横扫六国江山的铁骑

　　或明或暗的宫廷斗争，让秦王政掌握了国家大权；沁透铁血的阴谋阳谋，让秦国有了笑傲中华的实力。一头猛虎呼啸而出，一条巨龙乘雷而起，几百年的刀光剑影即将在秦军铁骑掀起的血雨腥风中结束，一代天之骄子将在六国的废墟上俯视苍生！

大秦猛虎出山

李斯和秦王政的彻夜长谈，决定了秦国统一天下的战略方针。但第一步如何行动，却在群臣之中引发了一场激烈的辩论。

有人主张先吃掉楚借以增加国力，同时解决侧背之忧；也有人认为应该先拿下韩魏两国，再进军赵齐，免得后方遭到袭击；但秦王政最终采用了李斯攻赵灭韩的建议，理由是赵国目前为中原核心，拿下赵国，东可取齐，北可攻燕，而赵国和楚国因有大河及长江的阻隔，楚想救赵并不容易，等于秦军侧背都有了依托。

魏国实力不足，秦军发动灭韩战争之际不敢轻易出兵相救；而赵国军力较强，在攻打韩国之时，定会感到唇亡齿寒，拼死相救。两国夹击之下，吃亏的只能是秦国。先攻赵，消耗它的军事力量，让它没法管闲事，之后的韩国就是手到擒来的了。

秦王政十三年（前234），秦王动手了。

这一年，秦军在平阳（今河北磁县东南）大败赵军。次年初，秦将桓齮再次率军东出上党（今山西省东南部长子县西南），越太行山深入赵国后方，攻占了赤丽、宜安（今河北藁城

赵国名将李牧

西南)两地，对赵都邯郸构成了严重的威胁。

赵国还不想这么快就成为秦的鱼肉，好歹自己也是战国七雄之一，还可以和秦国对峙一下。大兵压境之下，赵王迁急忙将在北部边疆防范匈奴的名将李牧调回邯郸，命他率所部南下，指挥全部赵军抗击秦军。

与邯郸派出的赵军会合后，李牧率边防军主力在宜安(今河北蒿城西南)附近与秦军对峙。他认为秦军连续获胜，士气正是高昂的时候，如果仓促应战，胜算极小，于是便采用筑垒固守、避免决战、拖垮秦军、伺机反攻的战术，拒不出战。桓齮认为，过去赵将廉颇曾以坚垒阻挡王龁的进攻，今天的李牧又是故计重施；秦军长途奔袭，不利于打持久战。于是他便率主力进攻肥下(今河北晋县)，企图诱使赵军救援，等到他离开营垒后，便将其歼灭在运动战之中。

李牧对桓齮的那点小聪明知道得是清清楚楚，得知桓齮调兵攻打肥下时，只是冷笑了一声，压根没有做出举动。当赵将赵葱建议救援肥下时，他也很干脆地拒绝了。

秦军主力去肥后，营中留守兵力薄弱；又由于多日来赵军采取守势，拒不出战，秦军习以为常，疏于戒备。李牧乘机一举袭占秦军大营，俘获全部留守秦军及粮草辎重。

李牧判断，桓齮得知情况之后必将回军救援，便部署一部兵力由正面阻击敌人，将主力配置于两翼。当正面赵军与撤回秦军接触时，立即指挥两翼赵军实施钳攻。经激烈战斗，10万余秦军全部被歼。桓齮仅率少量亲兵冲出重围，但也没脸回国面见秦王，只能如漏网之鱼一样逃奔到燕国去了。

秦王并不甘心就此承认失败。十五年，再次派军兵分两路攻赵，一路由邺(今河北临漳西南)北上，准备渡漳水向邯郸进迫；一路由太原取狼孟(今山西阳曲)后东进番吾(今河北磁县境内)，攻击邯郸城背面。赵王迁再次命令李牧率军抗击。

邯郸之南有漳水及赵长城为依托，秦军难以迅速突破。李牧便决心采取南守北攻，集中兵力各个击破的方针。他部署赵将司马尚在邯郸南据守长城一线，自率主力北进，反击远程来犯的秦军。

两军在番吾附近相遇。李牧督军猛攻，远道而来的秦军难以抵挡赵军的攻势，此役大败。李牧见好就收，马上回师邯郸，与司马尚合军攻击南路秦

军。此时的秦军已经得知北路军被击退的消息，料想很难取得胜利。两军刚一相接，便撤军退走。

此战为赵国赢得了喘息的时间，获得短暂的稳定。但由于在肥之战及此战中损失惨重，军事实力丧失殆尽，已经无力组织远程追击及反攻，仅能退守邯郸，但求自保，不敢奢望其他军事行动了。

两次攻赵的军事行动虽然都以失败而告终，但秦国却是醉翁之意不在酒，消耗掉赵国的军事实力才是秦王政的真正目的。

于是，秦国便按既定的中央突破、由近及远、逐个歼灭的方针，将主攻方向指向韩国！

然而出人意料的是，这场灭国之战竟然如此轻松写意。如果说秦赵之战打得惊天地泣鬼神的话，那秦韩之战可就只能等于和风细雨了。

在战国七雄之中，韩国的实力是最弱的。自从春秋末年三家分晋、自立为王以来，韩国就没在其他六国面前抬起过头。可它又偏偏占据了重要的地理位置，是当时的交通枢纽：北去赵国，东往魏齐、南下楚国的通衢大道均从此地伸往他处，那一横的黄河就穿韩而过，奔流到海。占此地者，就可以水陆并进，运粮调兵，来去自由。在战火纷飞的岁月里，韩国完全可称为兵家必争之地！

如果韩国的实力还配得上战国七雄这个很有气势的称呼的话，那么这个地理位置对它来说就是非常有利的了。可偏偏它又是一个软柿子，又紧邻着如狼似虎的秦国，明摆着是其嘴边上的肉。以前秦国想要吃掉它的时候，还有赵、楚、魏等国替它出头对抗强秦，事后虽免不了要给他们一些好处，但韩王觉得，送东西给人和让人把东西抢走的心情是不一样的，虽然对比来看，从自己手中丢掉的其实也差不了多少。再加上秦国就算打了败仗，也多少能在韩国捞块地盘，而其他国家也时不时地拿韩国来发泄一下。因此，弱小的韩国在这个乱世之中其实扮演的是一个狼群中的羔羊的角色。

面对强邻，韩国不是也没想过办法。派郑国到秦国修建郑国渠，借此消耗秦国实力就是韩国人想出来的"好主意"。只不过此举是偷鸡不成，反蚀把米，秦国虽然因此消耗掉了一部分人力和财力，但修建成功的郑国渠所换回来的却是无可比拟的丰厚财富。

然而秦王政并没有因为韩国人给秦国办了件大好事就对它另眼相看，反而将它作为了统一之战的试刀者。如果非要说郑国渠给韩国也带来好处，那就是该渠使韩国有幸成为中华帝国的第一个成员！

秦王政十六年（前231），秦国故意挑衅，强行索要韩国地盘。由于赵国的军事力量处于崩溃的边缘，实在无能为力，爱莫能助。无可奈何的韩王安只能被迫献出南阳地区(今河南境太行山南、黄河以北地区)，企图以此来满足秦国，让这个贪心不足的邻居能够高抬贵手，放自己一马。

秦王政本以为韩王能够拿出点男人的样子与自己打上一架，然后秦军就可以长驱直入，直接将韩国吃掉。没想到韩王却采取了鸵鸟政策，要啥给啥，弄得秦王政都有点不好意思了。

此计不成，秦王政干脆就坡下驴，笑纳了韩王的孝敬。然后在同年九月，任命内史腾为南阳守，率军前往南阳接受该地。名为接手，实际上秦国却是以该地为前进基地，作进攻韩国的准备。

十七年，在秦王政的命令下，内史腾率领秦军突然南下，渡过黄河进攻韩国，一举攻克韩都郑(今河南新郑)，俘获韩王安，继而占领韩国全境。韩国成为了六国之中第一个被秦国统一的国家。随后秦国便在原来韩国的土地上设置颍川郡，建郡治于阳翟。

拿下了实力最弱、同时又是地理位置最为重要的韩国，秦国统一的大幕拉开了。一头猛虎从山林中呼啸而出，整个中华大地都为之战栗。虽然这场灭韩之战并不那么惊心动魄，但它预示着一场腥风血雨即将降落在九州沃土之上。其余的五国，谁也无法在大统一的历史车轮下作出螳臂挡车的姿态，即使名列战国四大名将之首的赵将李牧，也在秦军的反间计下悲壮地死去！

第3章

横扫六国江山的铁骑

赵国自毁长城

韩国一战即下，秦王政统一的信心立刻极度高涨。他看到了秦国那强大的实力，更看到了秦军不可战胜的铁骑。高坐在咸阳宫的金銮殿上，秦王政仿佛看到了在秦军舞起的刀光剑影下，原本不可一世的六国君主噤若寒蝉，匍匐在地的身躯止不住地颤抖；他仿佛看见了，普天之下四海一家，而他，嬴政，这个曾经被父亲遗弃的秦弃儿，是天下的主人，是至高无上的统治者！从此，天下的王族只有一个姓，那就是嬴；天下只有一个王，那就是嬴政！

按照原定的统一战略，攻占韩国后，就要对赵国或者是魏国进行统一之战了。然而是先攻赵还是先灭魏，秦王和李斯一时都拿不定主意。依照秦王的脾气，他肯定是想要早一点把赵国给打下来，因为被遗弃在赵国的痛苦经历始终在他的脑海中挥之不去，而也终将成为伴随他终生的心理阴影。

但统一之战是不是儿戏，天时地利人和，样样都要考虑，不可能由着秦王政自己的性子来。然而事有凑巧，就在秦赵番吾之战的第二年，位于赵国北部地区的代地发生了大地震，从乐徐（今满城西北）以西一直到平阴（今山西阳高东南）的数百里范围内一片废墟。

俗话说得好，福无双至，祸不单行。第二年，大地震之后的赵国又赶上了一个荒年，全国大饥，连赵王都吃不上肉了。一曲儿谣在赵国大地上悄悄流传开来：

赵为号，秦为笑。以为不信，视地之生毛。

赵国的号哭正给了秦国笑的理由。秦王政当即下令，命大将王翦率兵攻打赵国！

肥、番吾两战，令赵军精锐丧失殆尽；连年天灾，又令国家经济处于崩溃的边缘。面对来势汹汹的秦国大军，赵王迁欲哭无泪。但作为一国之君，不管怎么样也要对全国的子民负责，至少在死后不能被列祖列宗骂为败家的混蛋。万般无奈的赵王只好再命李牧率起残余的军队和秦军作最后一搏。

秦王政十八年（前229），王翦亲率秦军主力部队东出井陉(今河北井陉县西)，另一员秦将杨端和则率领河内兵进围赵都邯郸。

李牧不愧为战国四大名将之首，在他和司马尚的指挥下，疲弱的赵军硬生生地将战争拖到了第二年，令王翦所统帅的虎狼之师久战无功。

身在秦国的秦王政早就想要把赵国打下，如今上天已经把这块肉送到了嘴边，但却久久难以下咽，怎不令他怒火中烧？气急败坏的他在朝堂之上是一脸的死灰色，看谁都不顺眼，就连李斯都被他找茬骂了个狗血淋头。那些大臣们更是在秦王面前连大气都不敢喘一口，生怕哪句话说错了以后就再也说不了话了。

攻打赵国的王翦此时也是急得火烧眉毛。一个到了垂死边缘的赵国竟然久久难以攻下，实在有负自己的威名。这还是小事，若在赵国战场上耽搁太长的时间，势必会对日后的军事行动造成不利的影响。现在秦军已经有些疲惫的苗头了，长时间下去，士气将会受到严重的挫伤。到那时，别说统一天下了，连赵国都未必能平定得了。

日忧夜虑的王翦认识到，赵军并不可怕，最难对付的是赵将李牧。这员赵国名将，在戍守边疆、抵御匈奴时就已名满天下，经历了这么多的战斗之后，已经熬成了精。以自己的能力，面对面的硬碰硬肯定玩不过这个老狐狸，因此只有使一些卑鄙的手段才能赢取胜利。虽然二人在交手的过程中也产生了惺惺相惜的感情，但两国交兵，各为其主，私人的恩怨也不能提起，只能对不起李牧了。

想通了这一点，王翦心里已经有了主意。他想起了一个人。

秦王政二年（前245），赵国战事多次失利，赵悼襄王又想起了被他弃用的老将廉颇，于是派人去调查廉颇是否还能胜任要职。悼襄王的宠臣郭开一直对廉颇怀恨在心，因为他最擅长的是吹牛拍马，这就令生性耿直、嫉恶如仇的廉颇分外恼火，甚至曾在宴会上当面斥责过他。郭开时时都想找机会报复。由于当时的廉颇在赵国地位很高，郭开没有给老将军使绊的机会，只能

赵国名将廉颇

一直忍着。如今机会来了，廉颇年岁已高，正好以此为由将他从高位上拉下来。

郭开暗地里给赵王派去调查廉颇的使者送了许多金子，让他诋毁廉颇。结果使者给赵王带回的报告是："老将军虽然年岁高了，不过饭量还是很大，力气也不错，一顿饭吃了一斗米、十斤肉，披甲上马的灵巧劲儿也不输给年轻人。不过，就在跟我说话的一会儿功夫，老将军就跑了三趟厕所，看来身体的某些部件还是不太灵光了。"

赵王一听这话，心里就有些嘀咕，这时郭开又在旁边浇油："两军对垒之时，廉老将军要是肚子又闹别扭，恐怕就不好办了。"赵王终于下定了决心。

这一席话，断送了廉颇的一腔报国之心，也断送了赵国的生存机会，此后赵国的军事实力走向了衰落。

王翦又想起了秦国间谍王敖曾在酒席宴上和他说过，郭开谗害廉颇之后，王敖曾问他："你不怕赵国灭亡吗？"郭开的回答是："赵国的存亡是整个国家的事，可廉颇是我个人的仇敌。"

利用好这个小人，王翦想，李牧一定会被赵王迁夺去兵权，这样秦军就可以不战而胜了。

于是，王翦命人准备好重礼，派一个灵巧的人趁夜色偷偷地潜入邯郸，谒见郭开，说明来意。

郭开见钱眼开，满口答应，第二天就向赵王迁进谗言，说李牧想要背叛赵国。

由于这一段时间来李牧紧守不攻，秦军也是围城不止，邯郸城内有些挺不住了。赵王正对李牧的做法有所怀疑，再听郭开这么一说，立时就信以为真了。他马上下令，撤销李牧、司马尚的统兵权，召回城内，改用赵葱和颜聚继续率兵抵抗。

李牧知道赵、颜二人都是无能之辈，把本来就已经很衰弱的赵军交到他们的手上，用不了多久，赵国就会沦陷在秦军的手中。因此，他坚决不服从命令。

这一违抗君命的举动令本就对李牧有所怀疑的赵王更加疑心。见软的不行，赵王就来硬的了，派人将李牧和司马尚抓回了邯郸。

据《战国策·秦策五》记载，李牧被抓回邯郸后，赵王一心想要置这个有谋反可能的忠心能将于死地，便在宫内摆宴赐酒，然后派一个奸臣韩仓胡乱找茬数落李牧："将军得胜归来，大王向你敬酒贺功，可将军回敬大王时，双手紧握匕首，其心叵测，其罪当诛！"

李牧急忙分辩说："臣的胳膊有残疾，伸不直，而我的身躯高大，跪拜的时候双手够不到地。臣非常害怕这样对大王不敬，从而导致死罪，便叫木工做了一个假肢。大王若是不信，臣可以将假肢献给大王看看。"说完便从袖中取出假肢给韩仓看。那假肢做得比较粗糙，就像一个木头橛子，上面缠上布条。

李牧恳求韩仓向赵王加以解释，韩仓却不理睬，冷冷地说道："下官只负责传递大王的命令。大王赐将军死，绝没有容恕的余地，要是再为你多说一句好话，恐怕连我也保不住性命了。李将军，你就快上路吧，有什么冤屈，黄泉下再倾诉吧！"

无奈，李牧朝北向赵王遥叩感谢往昔知遇之恩，抽出宝剑准备自杀，可转念一想：臣子不能自杀于宫中。于是他快步走出司马门。之后，李牧准备右手持剑自杀，可是残疾的胳膊太短，宝剑无法刺透，他便用嘴含住剑尖，将剑柄抵在柱子上，身体向前一倾，宝剑刺口而入，一道英魂冲天而去！

秦将王翦得知了赵王诛杀李牧、自毁长城的举动之后，大喜过望。他知道赵葱和颜聚两个蠢货压根不是他王翦的对手，赵国最可怕的人已经死了，剩下的乌合之众只会成为秦军案板上的鱼肉。王翦当即下令，全力进攻赵都邯郸！

没有了李牧的赵军溃不成军，秦军以迅雷不及掩耳之势打破赵军，很快就平定了东阳地区（约今河北邢台一带）；无能的赵葱死于乱军之中，腿长的颜聚弃国而逃。秦王政十九年十月，秦军攻克邯郸，杀了李牧的赵王迁当了秦国的阶下囚；赵公子嘉逃到代地称王，国名虽为赵，但后世一般将公子嘉称王的赵国称之为代国，传统意义上的赵国就此灭亡！

赵国被纳入大秦版图后，秦王政亲自来到已经属于自己的领土上。在赵国时的黑暗生活在他心中挥之不去，如今他不再是"秦弃儿"，而是以一个征服者的身份重归故里。多年的压抑在此刻瞬间爆发，秦王政终于露出了他凶狠毒辣的本色！

刚到赵国，秦王就下令，找到所有当时与庄襄太后及其家人有仇的，无论男女老幼，全都活埋！

秦王政终于亲自报了在赵国备受侮辱的一箭之仇，而且，报得如此彻底！

按照之前预定的统一方针，吞并赵国之后，紧接着就要去攻打魏国。当原韩、赵、魏三国的属地尽归秦有之后，黄河流域的中原地区就将连成一片：南可攻楚，北可伐燕，东可击齐，并且可将三国之间的救援路线完全切断，实现各个击破的战略方针。

计划永远赶不上变化。就当雄心勃勃的秦王政准备集中兵力，攻取魏国的时候，一名自不量力的国君，一名流传千古的刺客，让秦国大军的刀锋改变了方向；一段悲壮的传奇，也在此刻上演！

壮士的不归路

秦王政十九年（前228），秦国铁骑横扫赵国，大军兵临易水（今河北易县南），王翦的剑锋直指北方。地处北方的燕国顿时天下大乱，统治集团一片惊惶。燕国的太子师（太子的老师）鞠武主张西与代国联合，南与齐、楚结盟，北与匈奴和好，集合起尚未被秦国所灭的国家和地区的力量共同抗秦。燕国太子丹却反对他老师的建议。曾在秦国当过人质的太子丹对秦国的实力比较了解，对秦王政的为人也比较清楚。他知道，就算是联合起这几个国家的力量，也很难对强大的秦军构成威胁，最多不过是让亡国的时间推迟一些罢了，根本不是长久之计；并且，现在的各诸侯国都被秦国的刀锋吓破了胆，争相臣服秦国、苟且偷生还来不及呢，哪里还有组织合纵的可能？

太子丹认为，擒贼要先擒王。现在秦国的主心骨只有秦王一个人，

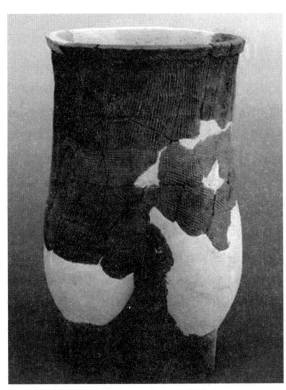

易县遗址出土的燕国三期领花边鬲

如果秦王死了，那么秦军就不会如此猖狂；退一步说，即使不能打消秦国统一六国的野心，只要秦王一死，秦国必将大乱，短时期内不可能再发动军事行动，这样燕国就有了喘息的余地，可以不慌不忙地进行迎战准备了。到那时，在联合起其他信心有所增长的国家，与秦国相抗衡，鹿死谁手就是个未知数了。

如何让秦王踏上黄泉路，是一个很令人头疼的问题：此时的秦王政刚刚32岁，正值春秋壮年，等他寿终正寝，那燕国早就姓嬴了，因此，使用非常手段送他上路才是正道。当年的曹沫、专诸、豫让、聂政等刺杀当权者的一批刺客之举，正给太子丹提供了借鉴。现在的当务之急，就是要找到一名武功高强又忠实可靠的刺客！

这个建议得到了燕王喜的首肯，便把此事交给太子丹全权负责。

上哪里去找这样一名敢死之士呢？鞠武告诉他去找以智勇深沉而在燕国闻名的"节侠"田光。巧的是，田光正好认识这样的一个人，当太子丹求到他时，就把这个人推荐给了太子。

此人名叫荆轲，据说本是齐国庆氏的后裔，人称庆卿，后来迁居到卫国，方改姓荆。他自幼喜好读书击剑，曾经把自己的政治见解向卫元君游说，但不为卫元君所用。秦王政六年（前241），秦军攻占卫国濮阳（今河南濮阳西南），作为秦东郡的治所，将卫元君迁至野王（今河南泌阳），成为秦的附庸。无家可归的荆轲只好到四方游历，结识了许多豪杰志士。在榆次(今山西榆次)，他与同为武艺高强之人的盖聂讨论剑法，话不投机，盖聂怒目而视，荆轲也不生气，挥袖扬长而去。在邯郸，他与当地有名的侠客鲁句践奕棋赌博。棋到中局，两人在一步棋上方生了争执，鲁句践对他破口大骂，他仍是不予计较，悄然离去，只是后来再也没和鲁句践打过交道。随后，荆轲来到燕国，与当地以杀狗为生的屠夫和擅长击筑的高渐离交上了朋友。荆轲喜好喝酒，整天与屠夫、高渐离一起在街市喝酒。酒过三巡后，高渐离击筑，荆轲就和着乐声唱歌，唱到动情处，常常忍不住放声大哭。喜好交结义士的田光，知道荆轲并非等闲之辈，便将他收为门客，另眼相待，二人成为至交。

在鞠武的引荐下，太子丹见到了田光。二人坐稳后，见左右没别人，太子便离开自己的座位向田光请教："燕国与秦国势不两立，先生也许有所知晓。"

田光深知太子的来意，微微一笑，说："我听说宝马良驹年轻力壮的时候，一日就可以奔驰千里之遥；然而等到它衰老之后，就是劣马也能跑到它的前边。如今太子只听说我盛壮之年的情景，却不知道我精力已经衰竭了。因此，我不能冒昧地谋划国事，我的好朋友荆轲倒是可以承担这个使命的。"

太子大喜："希望能通过先生和荆轲先生结交，不知先生意下如何？"

田光深施一躬："遵命。"即刻起身出去。

太子送到门口，告诫他说："我所讲的，先生所说的，是国家的大事，希望先生不要泄露！"

田光弯下腰去，笑着说："是。"

见到荆轲之后，二人促膝长谈。

田光说道："我和您彼此要好，燕国没有谁不知道的，如今太子听说我盛壮之年时的情景，却不知道我的身体已力不从心了。我荣幸地听他教诲说：'燕国、秦国势不两立，先生也许有所知晓。'他的用意便是要我去刺杀秦王。现在没有为外人我也不和您见外，实话对您说，我已经把您推荐给太子，希望您前往宫中拜访他。"

荆轲施了一礼："您的意思我明白。"

田光微微一笑："我听说，年长老成的人行事，不能让别人怀疑他。如今太子在送我出门之时告诫我说：'我所讲的，先生所说的，是国家大事，希望先生不要泄露。'这是太子怀疑我。一个人的所作所为却落得让别人怀疑的地步，那么这个人就不算是有节操、讲义气的人。希望您立即去见太子，就说我已经死了，机密也不会再从我口中泄露出去了。"

接着，田光缓缓拔出宝剑，刎颈自尽。

遵照田光的嘱托，荆轲便立刻进宫会见太子，告诉他田光已死，同时将田光临死前的话转告了他。

太子丹向荆轲拜了两拜，双膝一屈，跪倒在地痛哭流涕地说道："我之所以告诫田先生不要讲出去，是想使大事的谋划得以成功。如今田先生用死来表明他不会泄露机密，难道是我的初衷吗？我真是多嘴，葬送了田先生的性命！"

荆轲扶起太子丹，二人刚一坐稳，太子丹又离开了座位，跪倒在地，不

住地磕头："田先生将您引荐给我，这是上天哀怜燕国，不抛弃我啊。如今秦王贪心不足，不占尽天下的土地，让各国的君王拜倒在他的脚下，他是不会善罢甘休的。秦国已占据赵国的全部领土，王翦的大军即将到达易水，灾祸很快就要降临到燕国。燕国本来就没有多大的实力，再加上多次被战争所困扰，导致更加弱小。我估计，现在就算调动全国的力量也不能够抵挡秦军。我有个不成熟的计策，如果真能得到天下的勇士，派往秦国，用重利诱惑秦王。贪婪的秦王一定能达到我们的愿望；要是能进一步地劫持秦王，威胁他归还被侵占各国的全部土地，就像曹沫劫持齐桓公一样就更好了；实在不行，就借劫持他的机会把他杀了。秦国的大将现在在国外独揽兵权，如果国内出了乱子，君臣定会彼此猜疑，趁此机会，东方各国得以联合起来，就一定能够打败秦国。这是我最大的愿望，但不知道该把这使命委托给谁。希望先生能够认真地考虑这件事。"

荆轲扶起喜欢跪在地上的太子丹，默然不语。过了好一会儿，方才说道："这是关系到国家生死存亡的大事，我无能无德，恐怕难以胜任。"

太子丹又扑通一声跪倒在地，膝行到荆轲身边，坚决请求不要推托。

而荆轲原本就想找机会报秦国灭掉卫国之仇，如今燕国太子自己送上门来恳求他去刺杀秦王，正合他的心意，更何况还有整整一个国家为他做准备，比他自己单干要容易得多了。于是装作盛情难却的样子，答应了太子丹。

太子丹大喜，立刻拜荆轲为上卿，专为他修建了一所名叫荆馆的豪华住宅，而且每天都去问安，日常饮食鸡鸭鱼肉俱全，各种珍宝也不断地奉上，车骑美女更是由他随意享受。就像伺候亲爹一样伺候着荆轲。

然而过了很长一段时间，荆轲仍然理所应当地享用着燕国的厚待，一点行动的表示都没有。此时，攻破赵国的都城秦将王翦继续率兵向北掠取土地，一直打到了燕国的南部边界。太子丹再也坐不住了，涕泪俱下地请求荆轲："秦军横渡易水只在旦夕之间，那时就算我还想要长久地侍奉您，恐怕也不可能了！"

荆轲哈哈大笑："太子就是不说，我也要向您请命行动了。不过现在到秦国去，没有让秦王信任我的东西，就不可能接近秦王。"

太子丹毫不犹豫地说道："不管您要什么，只要是我们燕国有的，我一定全部奉上！"

"我听说秦国的叛将樊於期现在在国内，秦王悬赏黄金千斤、封邑万户来购买樊将军的脑袋。如果真能得到樊将军的脑袋和燕国督亢的地图，把它献给秦王，相信秦王一定会高兴接见我的。只有这样，我才能够有机会报效您。"

太子丹犹豫了半天："督亢的地图倒没有问题。只是樊将军是到了穷途末路才来投奔我的，我怎么能忍心为自己私利而伤害他呢？您看看有没有别的办法！"

"好，那我再想一想吧。"

荆轲明白太子不是不忍心拿樊於期的脑袋去换秦王的性命，毕竟这是一笔划算的买卖，而是怕给人落下视投奔者的性命如草芥的口实，这样以后就不会再有能臣名将来投奔他了，这对他日后继位为王可十分不利。于是荆轲便私下里去会见樊於期。

荆轲也不寒暄，开门见山地说道："秦国对待将军可以说是太无情无义了，您的父母、家族都被杀尽。如今我还听说秦王悬赏黄金千斤、封邑万户来买将军的首级，不知道您对此有什么打算？"

樊於期仰望苍天，叹息流泪："每每想到这些，我就痛入骨髓。但我想不出办法来！"

荆轲压低了声音："现在我有一句话可以解除燕国的祸患，洗雪将军的仇恨。不知将军想不想听？"

樊於期凑向前："先生有话，但讲无妨。"

"我希望能够得到将军的首

传说中樊於期自刎处——血山塔

级，将其献给秦王，秦王一定会高兴地召见我。这时，我便左手抓住他的衣袖，右手持匕首直刺他的胸膛……这样一来，不仅将军的血债深仇可以洗雪，而燕国被灭国的危机也可以解除了。将军意下如何？"

樊於期猛地站起身来，将衣衫撕去半边，露出臂膀，一只手紧紧抓住另一只手腕，走近荆轲："这是我日日夜夜切齿碎心的仇恨，今天听到您的教诲，我方茅塞顿开。荆先生，我的头是您的了！"

话音刚落，樊於期便抽出宝剑，在脖子上用力一拉，自刎身亡！

听到樊於期自尽的消息，太子丹立刻赶到现场，趴在樊将军的尸体上痛哭起来。可再哭也不能把樊於期给哭活了。事情到了这一地步，只能按照荆轲的计划行事了。太子丹将樊於期的首级砍下，装到匣子里密封起来，然后连同督亢地图一起郑重其事地交给了荆轲。

为了刺杀秦王，太子丹早就开始寻找天下最锋利的匕首。经过一番搜寻，赵国人徐夫人的匕首进入了他的眼帘：这把匕首极其锋利，不亚于专诸的鱼肠剑。太子丹也不管它到底值多少钱，扔下百金揣起就走。但他仍然怀疑这把锋利的匕首在荆轲手中能否将秦王一击毙命，为确保万无一失，太子丹又找来工匠，让他们用剧毒再将匕首淬炼一下。完工之后，从大牢里提出几个死刑犯做实验：匕首见血封喉，再强壮的人，在被刺了一下之后，也活不过一炷香的时间。

万事俱备，太子丹开始准备行装，送荆轲出发。一个人去还是不太把握，太子丹就找了个叫秦舞阳的家伙。秦舞阳 13 岁的时候就曾在闹市之中将自己的仇人宰掉，从此以后别人都不敢正眼看他，生怕惹到了这个活阎王。太子丹认为这家伙还有点用途，就派他作荆轲的助手，一同西入强秦，刺杀嬴政！

然而荆轲却看不上秦舞阳。做刺客，要的是有勇有谋，像秦舞阳这样闹市之中杀人的行为，只能称得上是一个莽夫之举。等到了咸阳宫中，那秦舞阳就毫无用武之地了。

荆轲在等待一个人，等待那个曾经怒视过他的盖聂！

荆轲事先已经通知了他，如果能和他一起行动，可以说是万无一失的。只是盖聂住在榆次，离燕都蓟（今北京）很远，还需要一段时间才能赶到。他的行装荆轲已经替他准备好了，只要盖聂一到，二人就可以马上出发。

又过了几天，盖聂还没到，荆轲依然选择了等待。

然而太子丹却坐不住了，认为荆轲心生悔意，以等人为借口故意在拖延时间，就再次催促荆轲："秦军渡过易水的日子不远了，荆先生还不打算动身吗？要不我让秦舞阳先行一步，先生随后出发，如何？"

荆轲勃然大怒："你这么说是什么意思？只顾去而不顾完成使命回来，那是没出息的混蛋！你就给了我一把匕首，让我拿着它进入强暴的秦国，分明是要我去送死！我之所以暂留的原因，是等待另一位真正的勇士和我一同前往，而太子却认为我是在拖延时间！荆轲也不用你催促了，我这就走！"

临行之际，凡是知道这件事的人，都身着白色丧服为荆轲送行。每个人都明白，此后再也见不到荆轲了！

来到易水岸边，众人为荆轲饯行。一阵苍凉凄婉的声调刺破天空，那是荆轲的好友高渐离在为他壮行。

荆轲静静地听着。

高渐离的筑声突然从苍凉转为悲壮，一段视死如归的旋律撕裂了每个人的心。荆轲纵声高歌：

> 风萧萧兮易水寒，壮士一去兮不复还
> 探虎穴兮入蛟宫，仰天嘘气兮成白虹

歌罢，一声长啸从荆轲口中冲出，划破长天。在场之人无不脸色剧变，怒发冲冠，仿佛已经身处在生死莫测的咸阳宫中。

太子丹满满地斟了一杯酒，双膝跪倒，将酒杯举过头顶，献在荆轲面前。

荆轲拿起酒杯，一饮而尽，然后将酒杯摔在地上，带着秦舞阳登舟渡水，再也没有回头看过一眼。

到了秦国，荆轲带着价值千金的厚礼，贿赂秦王宠幸的臣子中庶子蒙嘉。

接受了厚礼的蒙嘉果然不负重托，在秦王面前说了一大堆好话。令秦王十分高兴，更何况荆轲还带来了他日思夜想的叛将樊於期的头颅。

秦王更换朝服，设九宾之礼（战国时期最高的外交接待礼仪），在咸阳宫召见燕国的使者。

作为正使的荆轲捧着樊於期的首级率先进入宫内，秦舞阳则捧着地图匣子跟在后面。刚走到殿前台阶下，秦舞阳脸色突变，白得像死人一样，浑身止不住地发抖。

秦王脸色一变，顿时阴沉下来，冷冷地质问荆轲："这是怎么回事？他的脸为什么那么难看？"

荆轲回头看了一眼，朝秦舞阳微微一笑，上前谢罪："他是北方藩属蛮夷之地的粗野人，从来没见过世面，更没见过天子，所以心惊胆战。希望大王可以宽容他，让他能够在大王面前完成使命。"

秦王点点头："粗野之人，寡人不和他一般见识。让他下去，你自己把东西拿上来。"

荆轲递上装有樊於期首级的匣子，打开给秦王验看。

见果然是樊於期的首级，秦王大喜，问荆轲："你为什么不早点把这个逆臣杀掉呈献给寡人？"

荆轲从容不迫地说道："樊於期得罪了大王之后，逃亡到北部荒漠，是敝国国君悬赏千金方才将他抓获的。本来打算时把他活着献给您，但就怕路途遥远，发生变故，只好将他的脑袋带过来，希望能够稍稍平定大王的怒火。"说话时的荆轲脸色如常，语气和缓，不带一点杀气。秦王也就放松了警惕。

秦代青铜剑

这时秦舞阳正捧着地图匣，低头跪在阶下。秦王命令荆轲："把他捧着的地图给寡人呈上来。"

荆轲缓步走下台阶，拿起地图，献到秦王面前。他慢慢地将地图展开，同时给秦王介绍督亢的情况，秦王仔细地观看着。

地图即将展开到尽头，荆轲猛地一拉，一把寒光闪闪的匕首暴露在秦王眼前。荆轲趁机左手抓住秦王的衣袖，右手拿匕首直刺他的胸膛。

秦王大惊，奋力抽身跳起，挣断衣袖，急忙退开。荆轲刺了个空。

秦王慌忙拔剑，但剑身奇长，剑尖触地时，剑柄也要抵到腋下。秦王没那么长的胳膊，无法将剑出来，越是着急，越是费力。

原来一般人佩剑是为了防身，但士大夫、大臣或者王侯的佩剑，则成为了身份的象征：剑鞘镶的珠玉越名贵，剑身越长，象征着地位越高。秦王志在天下，剑身比所有各国国君的都要长大。

秦汉墓室壁画《荆轲刺秦王》

关于秦王拔不出剑的问题，后世考古学家很是疑惑。众所周知，青铜剑一般都是短剑，它无法做长的原因是青铜材料质地较软，容易折断。春秋战国时期，最负盛名的越王勾践剑，全长不过55.6厘米。青铜剑普遍宽而短，60厘米似乎是青铜剑的极限。这种长度的配剑随手就可以抽出，秦王怎么可能因为剑太长而拔不出来呢？

1974 年，考古人员在兵马俑坑中发现了一把完全不同的青铜剑。令专家吃惊的是，这把剑的长度竟然超过了 91 厘米！可以推测，当年秦王佩带的很可能就是这种加长青铜剑。在刺客紧逼奔跑中，要拔出将近一米的长剑，确实不容易。但这毕竟是青铜剑，秦人用什么方法才能让长剑不易折断呢？

在青铜时代，铸剑的关键是在冶炼时向铜里加入多少锡。锡少了，剑太软；锡多了，剑硬，但容易折断。对秦剑做的化学定量分析显示：它的铜锡配比让青铜剑的硬度和韧性结合得恰到好处。在 2000 多年前的落后时代，就能够有如此出色的冶金造诣，实在令人惊叹。

秦王拔不出剑来，而荆轲又手提匕首紧追不放，只得绕着大殿铜柱逃跑躲避。

依秦制，殿上群臣不得携带兵器，殿下执兵器的郎中和武士，在没有接到秦王亲自下达的命令之前不得擅自上殿。处于逃命状态的秦王根本顾不上下令招郎中和武士上殿护驾，而殿上的那些臣子早就被这突如其来的意外吓傻了，只会愣愣地站在那里看秦王狼狈地逃命。

绕了几十个圈子，养尊处优的秦王早就上气不接下气了；游侠天下的荆轲却是体力充沛。眼见手持匕首的荆轲一步步逼近了秦王，这个令天下为之战栗的铁血君王命在旦夕！

幸好殿上的御医夏无且急中生智，在荆轲用匕首刺向秦王之时，将随身携带的皮革药囊向荆轲掷了过去。荆轲挥手一挡，药囊跌落在地。秦王也得以趁这个空当喘了一口气。

这时候，群臣中终于有清醒过来的了，他们开始大叫："大王把剑转到背上！大王把剑转到背上！"

这时候秦王才如梦方醒，将剑推到背上，反手拔剑，总算将剑拔出来了。

长剑在手，秦王胆子大了，开始主动攻击荆轲，第一剑就将荆轲的左腿砍断。荆轲倒坐在地，依靠铜柱，用力将匕首掷向秦王。秦王侧身一闪，匕首掷空，一阵火星和一声清脆却惊心动魄的响声在一根铜柱上迸发出来。

秦王提剑回身反刺，手无寸铁的荆轲情急之下用手阻挡，霎时三根手指被斩落在地。

荆轲明白，刺杀行动彻底失败了。他倚柱盘腿而坐，神色自若地笑着对秦王说："算你的运气好，我要不是想活着劫持你，要你订定誓约，归还各国土地，你早就死定了！"

秦王冷笑一声："想取寡人性命的人多了，你不是第一个，也不是最后一个，但你是第一个胆敢刺杀寡人的人！来人，"秦王向殿下带着兵器的郎中和武士下令，"杀了他！"秦王那声嘶力竭的声音中明显带着一丝颤抖。

乱刃之下，荆轲被众武士斩杀！而秦舞阳，连反抗的举动还没做出来，就被砍死在台阶上。

刺客终于被处死了，逃过一劫的秦王顿时感到头晕目眩，跌坐在椅子上，好半天没有缓过劲来。

回味起刚才那惊心动魄的情景，秦王不禁咬牙切齿：一个小小的燕国，竟然也敢触犯龙颜！你不是想杀寡人吗？寡人先灭了你！

第3章

横扫六国江山的铁骑

燕国引火烧身

按照秦王原本制定的作战计划，当王翦的大军打到易水畔后，就将回兵南撤，进攻魏国。因为燕国虽然弱小，但它与齐国毗邻，在战国七雄中，齐国的实力仅次于秦国，秦王担心齐国会在秦军攻燕时施以援手。虽然齐国的实力在连年战争中受到了不小的打击，但瘦死的骆驼比马大，秦王也不敢对它掉以轻心。齐国一插手，南方的魏国也会在秦国背后捅刀子；而代国也时时想报赵国被灭之仇，虽说它实力不济，但好歹也有个诸侯国的名分，凑出支军队还是有可能的。秦军实力虽强，在四国合攻之下也很难受，统一大业未竟，秦王政还不想让秦军遭受无畏的损失。之所让王翦一路打到易水河畔，正是为了切断燕、齐、代三国援魏的途径。

然而燕国人却不知道秦王在心中打的算盘，他们错误地判断，秦军在吞掉赵国后兵临易水的举动是要在下一步进攻自己。燕太子丹铤而走险，派荆轲去刺杀秦王。然而图穷匕见，荆轲功亏一篑，激得秦王政怒火中烧，下令王翦不必依照原计划撤军，而是兵驻易水待命；同时，命令大将辛胜率军与王翦汇合，待辛王二人会师后，立即向燕国发起歼灭战！

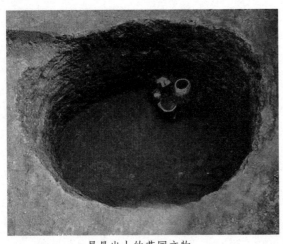

易县出土的燕国文物

太子丹的愚蠢举动使燕国将本来准备烧到魏国的烽火引到了自己身上。面对来势汹汹的秦军铁骑，燕王喜束手无策，只得紧急约会齐、代两国，希望能借三国联军之力共抗秦军。

对于燕国的请求，代国倒是答应得很痛快。原本为赵国王位继承人的赵公子嘉，在秦国灭掉赵国后逃到了代地；虽说成了一国之君，但这个鸟不生蛋的荒凉之地，远没有赵国腹地那样发达，再加上地震带来的阵痛还没有得到恢复；强秦在侧，自己手中的军队还不够秦军塞牙缝的。燕王喜的请求正合代王嘉的心意，这对同病相怜的难兄难弟很快就一拍即合，将两国军队联到了一起。

而齐国就没那么好说话了。秦昭王二十四年（前283），齐国在济西之战中受到燕军重创，从此以后实力一直没有恢复到原来的水平，自然对燕国怀恨在心。而且秦国在远交近攻的方针下，采取一切非军事手段，争取齐国中立，以削弱抗秦的力量。齐王为了自身的眼前利益，对秦国也采取结好政策，不敢支援其他国家的抗秦举动。齐丞相后胜又被秦国重金收买，只幻想与秦联盟，既不与各国合纵抗秦，也不在本国加强战备。齐王完全听信了后胜的主张，只是以秦国盟友的身份坐看着其他诸侯国接二连三的在自己眼皮子底下成为秦国的疆土。对于燕王的请求，齐王认为，自己没帮秦国就已经算是很够意思了，让我出兵援助，门都没有！因此，面对燕王的请求，齐国不屑一顾，一兵一卒都没派，反而致信与秦将王翦，讲明自己的立场，告诉他，你们随便打，我不管！

得到了齐王的许诺，王翦也就没什么顾虑了。秦王政二十年（前227）秋，秦军与燕、代联军决战于易水东岸。

交战之初，燕代联军在捍卫国家生存的动力下士气高涨，给秦军的进攻制造了不少麻烦。两军接战三天两夜，杀声震天，燕代军伤亡虽大，秦军也损失不小。王翦心中暗暗着急：邯郸之战有李牧为借口还惹得秦王一肚子不高兴，这次面对孱弱的燕代联军还遭受了如此损失，实在是好说不好听。

正当王翦面对战争的局势愁眉不展的时候，联军内部传来了好消息：燕军中传出谣言，蓟城方面燕王和太子丹见取胜无望，已率领精兵远走辽东(今辽宁辽阳)。国君带头逃跑，无论是真是假，都会令战士们无心恋战，燕代联军士气一下子跌落到谷底。

趁此机会，王翦率军猛攻。已经没有了斗志的燕代联军现在只顾保命，哪还管得了国家的存亡？战火未燃，胜负已分，易水东岸的燕代联军被秦军歼灭殆尽，易水之中横卧了两万联军尸体，血红的河水在尸体的堵塞下为之不流。

王翦乘胜渡河追击，将蓟城围得水泄不通。不过这时王翦才知道，谣言并不是空穴来风，燕王和太子丹早就逃跑到辽东去了。

这时秦王得知了大破燕代联军的消息，十分兴奋，下令再加派兵力，由驻兵赵地的大将李信率兵增援，并告诉他，务必拿下蓟城，同时，也要给燕王和太子丹点颜色看看。

话虽没有明说，但李信完全明白秦王的心思。对于荆轲行刺一事，秦王始终怀恨在心，虽然荆轲死了，但教唆犯太子丹还活得挺滋润。李信最主要的任务，就是让太子丹活得难受一些，甚至不让他再活下去了。

李信兵抵蓟城是已经是秦王政二十一年了。见蓟城即将告破，也就不再在此耽搁时间，而是率领援军一路北上，赶赴辽东取太子丹的人头！

蓟城之战持续了不到一个月，就以秦军破城而入告终。王翦率领秦国铁骑当仁不让地接收了蓟城的管辖权。传统意义上的燕国就此而宣告消失！

李信那边也传来了好消息。当他带兵追击至衍水（今辽宁浑河）时，与太子丹所率的军队相遇，经过一场血战，燕国主力部队彻底覆亡，太子丹侥幸逃走，龟缩在辽东城内不敢露头。

李信知道，秦王恨的是太子丹一个人，只要将他的脑袋带回去，就能平息秦王的怒火。燕国大势已去，残军败将在这天寒地冻的地方也掀不起风浪，只要抓住祸首，秦军就可回兵对付魏、楚两国，不必在苟延残喘的燕国身上浪费时间了。

兵贵神速，打仗也要讲究速战速决，更何况千里追击的秦军已经略显疲态，走投无路的燕国在秦军的紧逼下肯定会狗急跳墙，秦军要是再打上几场硬仗，就对后面的作战十分不利了。

躲在上谷（今张家口、小五台以东地区）的代王嘉面对秦军铁骑欲哭无泪，从富庶的邯郸被赶到了荒凉的上谷，秦王还是没有放过他的意思。他现在有点明白齐国为什么不出兵，真不知道在这乱世之中还有几个像自己这么讲义气的国君，人家一句话，就让自己的精锐部队尽数葬身于秦军刀枪之下，而本应死战的人，却率领自家的优秀部队逃之夭夭。真不明白自己怎么就这么贱！

正当代王嘉绞尽脑汁想法子对付秦军的时候，李信派的使者到了。

使者交给代王嘉一封李信的亲笔函，大意是：秦国之所以攻打燕国，只是为了燕太子丹的人头，与贵国无关，您又何苦替他人去送死呢？如今易水西边的燕代联军全都被我大秦歼灭，大王是个聪明人，应该知道怎么做！

代王接到信后禁不住大喜，正愁走投无路呢，秦国竟然主动放了自己一马，甭管以后如何，起码眼前还是能过上安稳日子的。

代王马上派使者去见王翦，提出解除燕代联盟后，秦军保证不再攻代的要求。得到王翦的承诺后，他又给燕王喜写了封信：秦国之所以对贵国步步紧逼，只不过是因为太子丹的缘故。如果现在大王能够舍弃太子的性命，将他献给秦王，秦王一定会偃旗息鼓，不再逼迫。为了您的江山社稷考虑，这也是唯一的出路了。

燕王收到信后，将代王骂了个狗血淋头：你说解除联盟就解除联盟，说讨好秦国就讨好秦国，还把我燕国放在眼里吗？这样也就罢了，毕竟你也有难处，可你不该让我的儿子去送死，合着不是你儿子！话说得冠冕堂皇，为我的江山社稷考虑，可我连太子都死了，江山社稷留给谁去？别人知道我连个太子都保不住，还不得笑掉大牙？

骂归骂，燕王也实在想不出更好的办法让秦军退兵了。以前还好说，割点地陪点款就算了，可到了现在，连国都都让人家占去了，还能拿出什么让秦王满意的东西呢？代王的建议也只能当作没有办法的办法了。

无奈之下，燕王也先派使者得到王翦不再攻辽东的保证，然后忍痛牺牲，派人送信给太子丹说：你派荆轲去刺杀秦王的事，寡人可一点都不知道。现在秦王正急着要我儿的脑袋呢。秦国虎狼之师现在步步逼近我们的藏身之地，具体怎么做，我儿好自为之吧。

燕王可是把话说绝了：荆轲刺秦一事跟我一点关系都没有，你老子可不蹚这趟浑水；为了你，国家都亡了，也算够意思了，你就赶紧乖乖地把脑袋给秦王送上去吧，别把你老子也给带进泥沟里去。

看完燕王的信，太子丹顿时泪流满面，仰天长叹。

他想给自己斟上一杯酒，可颤抖的手怎么也拿不稳酒壶，酒洒的到处都

是，而精美的方樽中却始终不见酒量的增加。

送信的使者已经等得不耐烦了："太子爷，您也别拖延时间了。您是个聪明人，怎么做心里有数。大王那里还等着信儿呢！"

太子丹狠狠地瞪了使者一眼，将酒壶口对准自己的嘴，一仰脖，壶酒干净。然后只听得一声清脆的响动，精美的青铜酒壶在地上摔出一片坑坑洼洼。

随后，太子丹拔出佩剑，自刎而死。

得到李信带回的太子丹首级，王翦果然退兵蓟城，不再进逼，然后派专使将首级送回咸阳，交到秦王手中。

大仇得报，秦王龙颜大悦，命辛胜驻守蓟城，王翦和李新班师回朝。

北上的秦国大军回身南望，剑锋所指之处，各国无不战栗。在兵强将勇的秦军面前，任各国国君倾尽全国之兵，也难以让秦军的横扫旋风有所停滞！

水淹大梁城

燕王北逃，代王龟缩，这两个昔日里不可一世的国家在秦军的冲击下，像两只丧家之犬一样，惶惶不可终日。代王迁向秦国服软，燕王喜用儿子的命来保全自己；仅剩残余势力的二国在秦王眼里已成了囊中之物，任他们苟延残喘也无力死灰复燃。为了集中兵力攻打魏楚两国，秦王也就暂且放过了他们。

王翦之子王贲

北方战争取得决定性的胜利后，秦王把目光投向原计划准备攻打的魏国。由于王翦、李信二人刚刚作战归来，需要一定的休息时间，名将如云的秦国也不会只让他们去享受痛击对手的喜悦，于是，王翦的儿子王贲便成了攻打魏国的统帅。

由于秦国地处魏国与楚国之间，在秦军攻打魏国之时，南方的楚国很有可能趁秦国内部空虚之际在背后捅刀子，这样秦国就不可避免进行南北两线作战，从而无法集中优势兵力，实现各个击破的作战方针。因此，王贲并没有直接出兵魏国，而是先对楚国展开了一系列的骚扰行动。

就在北方作战结束的当年，王贲突然率兵进击楚国北部地区(今河南南部)，毫无防范的楚国仓促应战，终敌不过准备充足、实力强大的秦军。没用多长时间，楚国北方的十余座城池便纳入了秦国的疆土。

经过这一打击，楚国的军事力量急剧下降，通过杀弟篡位、在这个宝座上屁股还没坐热的楚王负刍现在只求自保，根本无心去过问其他国家的闲事了。让现在的他趁秦国国内空虚搞个偷袭行动，那真还不如杀了他。就算秦国大开城门热烈欢迎，他也得摸摸自己的脖子有没有刀硬。

解决了攻魏时的侧背之忧，王贲旋即率军北上，用闪电战术进击魏国。

魏国圆钱

秦王政二十二年（前225），王贲大军兵围魏国国都大梁城（今河南开封）。已经是困兽的魏王假依仗城内仅有的10万精兵以及历代国君所修建的防御工事，与志在必得的秦军做了最后的殊死抵抗。

率军攻城多日，王贲仍然没能踏入大梁城池一步，这对少年成名的小将军来说可是难以接受的挫折。据国内传来的消息透露，秦王现在正准备派兵攻打楚国，如果大梁城还不能尽快拿下的话，两线作战的秦军定然损失巨大。

年轻人的血气方刚逼得王贲日不能休、夜不能寐，常常在夜深人静之时走出军营，像一头狼似的在战场周围走来走去，不时向着大梁城的方向爆发出一阵阵低沉的咆哮。

这天夜里，王贲在巡视的过程中，突然看到了环绕大梁的黄河与鸿沟。此时正是初春时节，积攒了一个冬天的冰雪已经消融，巴颜喀拉山脉雅拉达泽山麓和各姿各雅山麓（黄河源头）消融的积雪也注进了滚滚的黄河水，河水的高涨已经让黄河河道比平日里宽阔了许多。月色下的河水泛着点点银光，三面环水的大梁城则灯火通明，这样的景色竟然让王贲心中产生了一丝淡淡的忧伤。

大梁城三面环水，易守难攻；其位置上的洼势更令进攻难上加难！水？

洼地？王贲心里突然闪过一个念头，一个可以迅速攻破大梁城的战术。只是这个战术太过阴狠，而且对于魏国王室来说起不到决定性的打击，只能摧毁他们的心理防线，真正受苦的，还是那些无辜的平民。

王贲摇摇头，将自己的悲悯之心摇了出去。乱世之中，说不上谁对谁错，平民百姓也好，王侯将相也罢，说穿了也不过是各诸侯国争权夺势的工具而已；战火一燃，倒霉的只能是手无寸铁的百姓，不管什么时候，王宫贵族们都能过着悠哉游哉的生活。

另外，如果不用此计，那么秦军破城之日一定会拖延很长时间。这样一来，那些当兵的心里定会分外压抑，一旦大军进入城中，烧、杀、抢、奸之事不可避免，虽说秦军纪律严明，但真到了那个时候，自己这个统帅都很难制止。相比较来说，这个战术也许更能用最小的损失来换取胜利，毕竟自己还要对秦王、10万秦军和他们的家人负责。

主意拿定，王贲兴冲冲地奔回军营，当即命令传令兵把那些正在做美梦的将领们从被窝里给拉出来。

第二天，守城的魏军发现往日里死命攻城的秦军竟然消停了许多，一个个只是大张旗鼓地在城根下喧哗叫骂，而没有太大的武力行动，反而看见一大群秦兵扛着锄头、铜镐之类的家伙奔黄河、鸿沟而去。守城的将领不敢怠慢，忙将这一情况向魏王作了汇报。

魏王听信大惊，秦军这是要决堤水灌大梁啊！历史上的黄河流域一直是水害的重灾区，被鸿沟、黄河所环绕的大梁更是常常在水害时首当其冲。当年吴王阖闾派大将伍子胥开凿鸿沟，一是为了灌溉农田，二是为了北上伐齐，第三就是为了缓解黄河的压力，减少黄河水害的发生。历代魏国国君对鸿沟与黄河都不敢有丝毫的怠慢，每年都要投入大量的人力物力进行治理。如今秦军使出了这一绝技，大梁城即将变成水晶宫，魏国国都在劫难逃了！

这该如何是好？魏王忙召大臣前来商议。依魏王的意思，为了魏国百姓，也为了祖宗辛辛苦苦修建起来的大梁，干脆向秦军投降算了。然而臣子们却不想这样就束手就擒，城中毕竟还有10万军队，对抗秦军也势均力敌，再拖延一段时间，楚国那里就能缓过来了，到时两面夹击，大梁的危机也就可以解除了。虽说最后也免不了被秦国割去不少土地，但最起码祖宗的根基是保住了。兵来将挡，水来土掩，这是祖宗传下来的古训，只要军民众志成城，秦军放水也能抵挡得住。

面对群臣的一致反对，魏王也不好再坚持自己的意见了，只能寄希望于大水的破坏不会那么严重，魏军也能坚持到楚国缓过劲来的那一天。

工贲的决堤命令一下，六万秦军不分昼夜地挖掘河沟堤防。不到几天工夫，便将河堤挖通，泛滥的河水像万马奔腾一样，从三面涌向大梁城，数百里范围内的农村田园全变成了泽国，无数的生命和财产都埋葬水底。

大水灌城足足延续了三个月，大梁也咬牙挺了三个月。只盼着楚国能尽快出兵秦国侧背，这样就能分担不少大梁的压力。到时倾起全城精锐，力逼秦军撤退，然后再去收拾那该死的黄河大堤。

但事与愿违，此时秦王已经等不得大梁城破了，他要趁楚国尚在阵痛之时趁热打铁，已经派李信率兵前去楚国作最后一战了。大难临头，楚国哪还有心思去管魏国的死活。

魏王得知这一消息时，大梁城内已是水深逾丈，民众都爬在屋顶上嗷嗷待哺，而且水势没有丝毫回落的意思，几十万居民无以为炊。这时候已经没有什么贫富之分了，持续了三个月的大水让全城都断了粮。唯一能维持平日美食的地方，大概也只有王宫了，地势高，楼台亭榭也高，但宫殿之间的联络都要靠舟艇了。

魏王含着眼泪召开了御前会议，与会臣子们也没有了当日的那种大义凛然，三个月的困难时光足以把这些养尊处优的大臣们的雄心壮志都磨灭了，一个个耷拉着脑袋，像群斗败了的公鸡一样站在那里发蔫。

魏王开口说道："如今之势，大家都已了解，不知哪位爱卿尚有高见，望直言不讳，拯救全城人的性命！"

群臣还是没有一个肯开口的，包括那些之前闹得最欢的大臣们也都哑口无言：城内虽然还有10万精兵，可都站在房顶上；虽然还囤有可供三年的粮食，可都埋在水底下。这种局势，就算姜尚、孙膑再生，恐怕也无能为力了。

"事到如今，"魏王哽咽着说，"大家都无能为力了。寡人无德，殃及全城臣子百姓，如今只有出城投降一条路了！"

次日，魏王假让宫人们将自己捆起来，然后带着王子王孙及一干大臣，大开城门，来到秦军面前，向王贲投降。

至此，大梁城纳入秦国版图，魏国宣告灭亡！

得知了秦军在魏国战场上大获全胜，秦王按耐不住内心的喜悦之情，这样，他终于可以集中优势兵力去攻击实力并不弱的楚国了。至于立了大功的王贲，秦王则令他驻守已成为秦国领土的魏国故地，成为了当地无其名而有其实的封侯。

南方的楚国战场上，秦军也在步步进逼，秦王正在等待着即将从楚都新郢（原名寿春。考烈王二十二年徙都寿春，按原都城郢改为郢，一般民众为与旧都郢城区分，都称之为新郢，今安徽寿县）传来的捷报。然而，令他没有想到的是，统一之战中一场前所未有的惨败即将降临在秦军头上，而贵为秦王的他，也不得不生平第一次向一个臣子低下头来。

第3章

横扫六国江山的铁骑

轻狂的惨痛代价

在王贲兵围大梁之时，秦王便已着手下一步攻打楚国的军事计划了。此时的楚国刚刚被王贲拿走了10多座城池，元气大伤，而魏国仅剩大梁一座孤城，尚在秦军的包围之中，用不了多久就是秦王的囊中之物，根本没有支援楚国的可能。如果秦军能够来个趁热打铁，抓住时机，那横扫楚国也只是眼前的事了。

灭燕一战，大将李信居功第一，因此秦王也对他另眼看待；而老将王翦也是一个不能忽视的统帅，若不是他，秦军也不可能如此势如破竹。所以，在决定对楚战略时，二位名将都来到了秦王的驾前。

秦王也不啰嗦，开门见山地直奔主题："现在魏国已是我们的囊中之物，也就是说除了楚国、齐国以及赵、燕的残余势力外，全国已经基本上在我们秦国的掌握之下了。寡人此次召见二位将军，就是想听听二位对进攻楚国的意见，看看二位需要多少兵力，寡人好及时调拨。"

两位将军低头沉默半天，在心中暗暗计算。

等了一会，秦王开口问道："二位将军可有主意了？"

王翦抬起头："楚国地大物博，民风虽然淳朴，但生性极其骠悍。再加上早年楚怀王入秦时客死秦地，叶落而未能归根，使得楚人对我们秦国恨得咬牙切齿，所以有所谓的'楚虽三户，亡秦必楚'的谣言流传开来。因此要顺利地攻取楚国并做好抚民善后的工作，至少需要60万大军。"

听了王翦的估算，秦王尚未开口，李信抢先一步，冷笑道："老将军未免要得太多了吧？"

对于李信的无礼，秦王也没生气，转头问李信："那依李将军，用多少军队便可以将楚国攻下？"

"大王只需给我20万，我就可以将全部的楚国城池献与大王！"李信意气风发地说。

"20万就足够了？"秦王的脸上依旧那样的平静，看不出是喜是怒。

"进攻楚国，不在兵力的多寡，而在于战术的应用。20万大军兵分两路，一路取鄂郢（今湖北江陵），一路攻平舆（今河南平舆），然后会师于城父（今河南平顶山市北），这样大江以北的楚军就会被消灭殆尽。整顿一些时日后，再东攻新郢，捉拿楚王。吃掉楚国是没有什么问题的。"

"王将军认为如何？"秦王转问王翦。

王翦微微一笑，不置可否。

"李将军果然是少年英雄，就按你的计划，寡人派你和蒙武各领军10万，兵分两路攻楚，不论谁先捉到楚王，寡人必有重赏！"

"谢大王！"李信起身行礼，挑衅似的看了一眼一直沉默不语的王翦。

"王将军还有什么需要补充的吗？"秦王转向王翦。

"自古英雄出少年。臣老了，自愧不如。"王翦淡淡地说。

秦王注视着这位曾经为他立下汗马功劳的一代名将，看到他那已经略显花白的头发，不禁感叹道："王将军真是老了！"

闻弦音而知雅意，王翦立刻明白了秦王心中对自己已产生了些许不满，

当即离座顿首：

"请大王准许老臣回平阳故居养老！"

"哦？"秦王脸上现出一片惊讶，"王将军何出此言？寡人是不是哪句话说错了？"

"臣该死！"王翦依然俯身禀奏，"老臣长年累月在外行军，如今年岁已高，身体也不如

楚国贵妇服饰

97

年轻时那样了，一到阴天下雨之时，浑身的骨缝都疼痛难当，如此状况，还怎能担当重任？因此老臣斗胆，恳请大王赐臣骸骨归乡！"

"将军还没老到那种地步吧？"秦王政笑了笑说："寡人只是笑言，将军何必当真？既然将军身体不适，回乡养病即可。病好了之后，再到朝中为寡人指点一二！"

秦王政二十二年（前225），当大梁城尚处在大水浸泡、城垣渐坏之时，李信与蒙武的20万大军已经开赴楚国战场。

秦军在李信的率领下攻平与（今河南平与北），蒙武攻寝丘（今河南临泉），两战均告全胜。李信又乘势再攻鄢、郢，都是一战而下。紧接着便依照原计划引兵向西，与蒙武军会师于城父（今河南平顶山市北），准备下一步攻取新郢，捉拿楚王，灭掉楚国！

楚国并不像李信所想像的那样不堪一击。楚国虽弱，但也名将如云，楚军士气也在保家卫国的意识鼓舞下分外高涨，年少轻狂的李信不得不为此付出成长的巨大代价。

20万秦军会师城父之后，在此地休整，准备等力量积蓄充足完毕，再一鼓作气，攻下寿春。

然而令李信没有想到的是，负责楚国防卫的名将项燕（即后世西楚霸王项羽的祖父）在与秦军交战过程中，并没有与其针锋相对，而是雪藏了楚军主力，只利用少量楚军来与秦军对抗。在李信与蒙武轻易取得一系列胜利后，项燕亲率楚军主力五万，暗中尾随李信军三日三夜。

李信对此毫无察觉，与蒙武会师后，在城父的秦军也因为轻易的胜利而放松了警惕。这时，项燕出其不意地夜袭秦军。

秦军从睡梦中惊醒抵抗，两军展开一场混战。仓促应战的秦军怎敌得过准备充分的楚军？刚一交手便溃不成军，纷纷逃散。有的向西而逃，正好又遇上楚军埋伏，大杀一场，又再折回来。这样的乱冲，使秦军完全失去指挥联络，天明后清点人数，所剩的已不到三万，只能力保城父不失，而无力对楚军施以有力的反击了。

一开始李信还希望驻扎在城外的蒙武来救，最后得到消息，蒙武军也在离城父30里路的一处山隘中遭到伏击。幸好秦军战斗力强，经过一天一夜的冲杀后，终于冲出包围，赶来援救。

然而等蒙武赶到时，项燕的楚军突然全部撤走，放弃了与秦军的缠斗，匆忙而来的蒙武见到的只是李信和他那只剩几千人的秦军。

此际蒙武的十万秦军不足七万，与李信合兵一处也不过七万余人，这样的兵力连自保都难说，更没有办法去实现灭楚擒王的计划；再加上十名都尉七名阵亡，剩下三个也都各带战伤，使得主帅的命令都难以通过中层将领向下传达，此时再妄谈灭楚，只等于是肉包子打狗，有去无回。

李信想起了王翦的话和老将军那高深莫测的微笑！

秦王手持李信所书的谢罪折，身体不住地颤抖，口中重复着李信的话："悔不该不用王将军之言，悔不该不用王将军之言……"

秦王突然愤怒起来，将奏折用力扯开，尽力向空中抛去，竹简散落一地。

"错在寡人啊！骄兵必败，是寡人纵容了他！来人，"秦王大声下令道，"预备车驾！"

当夜，秦王便匆匆离开咸阳，赶赴平阳。

到达平阳时已是第二天深夜，秦王顾不得旅途劳累，敲开了王翦家的大门。

此时王翦早已得知城父秦军大败的消息，所以便已事先换好了朝服，当秦王来到家中时，王翦毫不慌张地打开中门，带着全家男女老幼在门外跪接。

刚一下车，秦王就拉着王翦的手将他扶起，一直到走进密室都没有松开。

王翦施完见君礼后，秦王开口道歉："李信兵败城父之事，想必将军已经知道了。"

王翦故意装糊涂："老臣一直躲在家里养病，与外界没有往来，因此我基本上并不知晓，只听说了一点传闻。"

"将军还在记恨寡人日前所言吗？"

"老臣岂敢！实在是老臣眼花耳聋，不再过问世事了。"王翦连忙跪倒请罪。

秦王笑着挽起王翦："寡人前次不用将军之计，果然让李信这个年轻人丧师辱国。如今根据探报，楚国要集中全力向西进兵。将军虽然有病，难道也肯眼睁睁看着国家危急不管，看着寡人忧心无策也不问？"

"陛下，老臣实在是老病不堪，头脑整天昏昏沉沉，一点都不管用了。还是请大王另选良将，以免误了国家大事。"王翦叩头谢罪。

99

"好了，"秦王再一次挽起王翦，"王将军，不要再用什么老病作借口了，前次是寡人不对。你再推辞，就是还将那事记挂在心里！"

"老臣不敢。"王翦回座说，"大王要是实在无人可用，那老臣勉效犬马之劳，不过，臣要的兵力仍然是60万。"

"好，就这么定了。"秦王高兴地回答，"待大军集结完毕，寡人亲自送将军出征！"

秦王政二十三年，王翦率60万秦军兵出灞上（今西安市南），秦王亲自带领宫中文武前来送行。

喝完壮行酒，王翦突然向秦王呈上一张清单。刚开始秦王还以为是什么作战计划，但拿在手中一看，不觉哑然失笑，原来是一份房地产表，上面列明十多笔咸阳附近的美宅良田。

"到现在将军还怕穷吗？历来有战功的人，寡人的赠赐足够让他们锦衣玉食一辈子的了。将军得胜归来后，寡人必定加倍厚赏。"秦王笑道。

"作为大王的臣子，功劳再大也不能裂土封侯、享受食邑，老臣不能不为子孙后代考虑。"王翦没有一点开玩笑的意思。

"好了，这是小事情，寡人会交代专人办理，目前将军应操心的是伐楚的作战大事！"

"对于大王是小事，可是对于老臣来说，却是关系到子孙万世基业的大事！"

"寡人回头便办理，这总行了吧？"

"谢大王！"王翦深施一礼，翻身上马，"老臣现在就向大王辞行。"

60万秦军在老将王翦的率领下辞别秦王，绝尘而去。

俗话说，老将出马，一个顶俩。60万秦军铁骑在拥有丰富作战经验的老将王翦的统帅下浩浩荡荡地向楚国前进。大军所肩负的任务，不仅仅是要报李信战败之仇，更重要的是，他们要为大秦帝国的统一，奠定起最坚实的基础。此战之后，大秦铁骑将以风卷残云之势，横扫华夏九州，迎接大统一的曙光！

疾风卷残云

李信的骄傲自大让秦王吃尽了苦头，即使李信上书谢罪，也换不回 13 万秦军将士的性命，更令秦王的统一计划不得不为之停滞。万般无奈之下，秦王低下头来，请老将王翦出山，并按照他的意思，调派 60 万大军，尽皆付与。可以说，秦王将决定秦国命运的一战，全部交给了王翦去指挥。如果此战失利，那么秦国军力在短时间内很难东山再起，从而给了他国以喘息之机。到那时，不仅秦国的统一大业将会成为笑谈，就连已经摘下的胜利果实，也会再飞回到树上。

秦王回到咸阳宫后，开始焦急地等待王翦凯旋的消息。没过几日，王翦所派来的传讯兵接连五次觐见秦王。秦王很奇怪，按照正常的行军速度，此时的大军不过刚刚开赴到函谷关（位于今河南省灵宝县东北）而已，还远未与楚军交手，王翦如此着急，究竟所谓何事？

召见完传讯兵，秦王才知道，除了报告军情外，王翦还特别附上请求那些美宅良田的信。看来汇报军情只不过是个幌子，王翦真正的目的还在于秦王曾答应给他的那些房产。

得知了王翦的用意之后，秦王不禁暗自发笑："这个老东西，到这时还惦记着那些房产。看来寡人要是不真的给他，他恐怕连打仗都不能安下心来。"

秦王也不耽搁，立时动用国库，将王翦在清单上所列的房产一一买下，然后派人通知王将军，美宅良田已经备妥，就等将军凯旋归来了。

接到秦王的通知后，王翦微微一笑，从此不再提这件事。然而王翦的一些幕僚却对他的所作所为大为不解："将军这种要法未免太过分了吧？"

王翦笑着说："不算过分。各位都明白，大王疑心颇重，从不肯轻易相信别人，尤其是在外领军作战的大将。兵法云：'将在外，君命有所不受。'大

王对此一直是耿耿于怀。如今大王可说是将全国的军队都交给了我,我要是不摆出贪小利的姿态,多要些美宅良田为子孙着想,大王就很难去掉猜忌之心。那样不仅我的作战行动将会受到影响,就连我这颗脑袋,"他举手在脖子上轻划一下,"也不一定能保住了!"

听到他这番话,众幕僚才知道王翦的良苦用心。

王翦将60万秦军分成两路,分别从函谷关及武关(今陕西丹凤东南)而出。

楚王负刍得知王翦率领60万秦军大举伐楚的消息后大惊失色,他压根不敢小看这位赫赫有名的秦军大将,更何况还有60万训练有素、装备精良、战力出众的秦军。楚王不敢怠慢,忙起倾国之兵50万,交与名将项燕,令他不惜任何代价,也要保住楚国!

由王翦亲率的40万秦军主力部队刚出函谷关,尚未抵达楚国方城(今河南南阳地区),就得到消息,楚国

丹江口水库楚国墓地出土的三足铜鼎

的50万大军正在项燕的率领下列阵方城,等候进行决战。

消息在秦军内部流传开来后,从部将到士卒个个紧张,摩拳擦掌准备接战。而王翦却下令:加强防御工事,多设障碍物,注意警戒,不准擅自迎敌,无论何人,违令者斩!

古代战争史上难得一见的奇观在方城出现了:50万楚军不分昼夜,三班倒地在秦军营前叫骂挑衅;而40万秦军却整天留在壁垒内,饱食嬉戏,任楚军如何挑战辱骂,就是不出壁垒应战,实在被骂急了,也扯开嗓子与楚军对骂一番。有时近百万人齐声叫骂,场面倒也十分壮观。

项燕那里急得火烧眉毛:秦军就这样干靠着,也不采取有意义的行动,真不知道他们是到这里来打仗的还是来集体度假的。但秦军深藏不出,他也没有什么办法。这次他不敢再像对付李信那样,雪藏主力,伺机偷袭了,面前

的这个对手是一只狡猾的狐狸，稍有不慎就会导致全军覆没，更何况要面对的还是60万秦军，以非主力部队来对抗，只等于自寻死路。前日5万对20万，用的是游击战术，今日两军严阵以待，无法再故技重施，因此项燕也只好耐心地等待着机会。

秦军大营里的王翦却比项燕要悠闲得多了。处理完军务，闲来无事的王翦就是靠和幕僚下棋、喝酒、聊天来打发时光。

过了一段时间，王翦始终也没有什么举动。这日，正和幕僚下着棋的王翦突然命两名侍卫："你们到外面去走一趟，看看士卒们正在做些什么？"

两侍卫分别到各营地看了一遍回来禀告说："大多数的士卒在进行摔跤和扔石头的比赛游戏。"

另一名侍卫也说："士卒们饱食终日，先前都因行军疲惫，整天只想着洗澡睡觉，接着就是大吃大喝，互相扯皮。如今全都精力恢复，闲着无聊，争着做各种比赛运动。"

"士气可用了！"王翦点点头。

"哦？那我军是不是现在就可以采取行动了？"

王翦又摇摇头："我军的朝气已生，但敌人的暮气还未到，而且我也正在等率20万大军西出武关的蒙武将军那边的消息。"

幕僚们这才恍然大悟："原来将军按兵不动是出于这样的目的！"

"我如此虚张声势，是要吸引楚国全国兵力至此进行决战，而让蒙武20万部队乘虚攻入楚东。见我不应战，而蒙武军势若破竹，楚军会误认蒙武军才是主力。楚军这次战略应该是采取消灭敌人有生力量为主，而不计较城池土地的得失，所以极力求战。但见我不应战，而蒙武军已到楚东，他们必会引军向东，攻击蒙武军，以求决战，却想不到决战点仍在此地！"

"将军神机妙算，属下自愧不如！不过将军打算何时应战呢？"幕僚问。

"用不了多少时间了，到那时主客易势，攻势权就将掌握在我们手上，我军乘势而动，则战无不胜！"王翦胸有成竹地说。

正谈话间，蒙武军使带来战报：蒙武军已抵达安阳，现在整顿休息，数日后向新郢方向进发。接着探骑来报，楚军正拆除帐篷，整理行装，似乎准备撤退。

没过多久，全军都尉以上将领集体求见，全都认为出战机会已到。但王

翦依然摇头："如今出战，正好合了敌人积极求战的本意，等他们真正撤退时再说。现在你们各回本部，准备拔营出战，待命行事。"

回营后，各都尉宣布准备出战，全军顿时雀跃欢腾。

当天夜里，楚军果然前军改后军，借着夜色的掩护，有条不紊地向安阳方向前进。

王翦得讯，急派出五万骑兵绕道先行，迎击楚军先头部队，再用部分兵力围歼楚军掩护部队，其余则分成多路追击。

楚将景春遭遇秦军埋伏后，误以为蒙武军已到，楚军在经受两面夹攻，于是下令前军调头向南，用意在退保新郪。想不到经过安阳附近渡过汝水（今河南汝河）时，在安阳的蒙武军主力已经赶到，兵力虽然不如楚军多，但休养多时以逸待劳，士卒莫不奋勇争先。

双方激战整整七天七夜！这时追击的王翦主力也已赶到，前后夹击，50万楚军只剩20万不到渡过汝水，退保新郪。

秦军乘胜追击，进围新郪。三个月后，新郪城破，王翦军生俘楚王负刍。

此时，秦国占领了楚自陈城（今河南淮阳）至平舆的全部淮水以北地区，传统意义上的楚国就此灭亡。楚将项燕立楚国昌平君为王，在淮南地区继续反抗秦国。

得知攻陷楚都的消息后，秦王十分兴奋，当即令宫人准备车驾，亲往新郪劳军。

犒赏完将士之后，秦王拉住了王翦的手："王将军，此次新郪城破，将军功居第一，寡人当日答应将军的，早已为你备下。现在楚王后裔仍在，这个隐患不可不除。寡人希望将军能……"秦王微笑着止住了话头。

王翦自然明白秦王的用意，连忙跪倒："为大王基业，老臣何惜余年！"

秦王政二十四年（前223）八月。王翦、蒙武率40万大军和楚将项燕的20万楚军隔着淮水对峙。

对于项燕来说，此战是真正意义上的决战了。楚国已经被逼到了绝境，再也无路可退，楚军实力和楚国最后的宗脉能否得到保存与延续，全在这一战上了。可是，这仅仅20万军队如何来对抗秦军40万铁骑呢？即使是以二换一，最后也只能落得两败俱伤。秦国实力雄厚，用不了多久又会东山再起；而楚国却再也输不起了，这20万军队已经是楚国最后的希望。

项燕明白自己不能再苛求昌平君什么了，20万军队已经是楚的倾国之兵，如今只能做背水一战，至于战果如何，他已无法考虑得太多了。

项燕回望远处的昌平城（今安徽枞阳县），那是楚国最后的根据地了，昌平君正在那里为自己祈祷，为整个楚国祈祷。

项燕一遍遍地擦拭着手中的佩剑。此战凶多吉少，而一旦失败，这把剑就是他最后的解脱，他要与楚国共存亡！

灭楚之战最后一役打响了。

对此战，王翦已经做好了周密的计划：以蒙武率兵13万在昌平左方10里处强行渡河，并扩大声势欺敌，使敌误判为主攻点；王翦自率25万主力利用夜

楚国漆器

色在石矶（今安徽枞阳县石矶镇）渡河点潜渡，如被发现转为强渡，渡河成功后，主导攻城。蒙武的儿子蒙恬则率两万精兵，携带攻城器具，利用两军激战之际，潜行渡河攻城。

刚交手时，战局向着有利于楚国方面的方向发展。蒙武的13万秦军在名将项燕面前并不算什么，转瞬之间，蒙武便已经陷入了被动的局势。

正当项燕准备一鼓作气、歼灭秦军之时，身后的昌平城突然火光冲天。"调虎离山！"项燕这才明白过来，急忙率领3万骑兵和500乘战车火速向城内救援。他不知道王翦派去了多少军队偷袭，但昌平城内起了火，这只能说明守城的楚军已经基本上是全军覆没了。他现在只希望，昌平还能坚持一会，坚持到援兵到来。

走近昌平城，项燕的心顿时沉了下来：火光中的城墙上，写着斗大的"秦"和"蒙"字的旌旗，正迎着夜风招展。

这时，从黑暗出奔来一群人，身上的白衣白甲在黑夜中很是显眼。项燕定睛一看，见是留守昌平城的楚军，再一见他们身上的白衣，一种不祥的感觉顿时涌了上来。

横扫六国江山的铁骑

为首者一见项燕，立刻翻身跪倒，连滚带爬地来到项燕面前，紧紧抱住了他的双腿，号哭着说："项将军，你可回来了。秦将蒙恬骗开了城门，两万秦军突入城内纵火，守军大乱，昌平沦陷，大王他……"说话的人一时哽住了。

　　项燕一把抓住他的衣服，将他从地上拎起，怒吼着喊道："大王怎么了？"

　　"大王他……服毒自尽了！"

　　项燕缓缓地松开手，任夜风毫无顾忌地撕裂他脸上的泪水。

　　昌平城上，秦军旌旗挑衅似的不住招摇。

　　突然，背后传来一阵惊天动地的喊杀声。不用回头也知道，那是秦国大军已经尽数渡过淮水，向楚军发起了最后的进攻。

　　项燕仰望苍天，从胸口暴发出一声长啸："楚虽三户，亡秦必楚！"龙吟一般的声音在喧嚣的夜战场上分外嘹亮。

　　随即，一代名将项燕拔出佩剑，架在了自己的脖子上……

　　楚国，至此彻底告别了历史的舞台。

　　南方平定后，秦军的刀锋再次指向北方。

　　秦王政二十五年，秦国再次大规模动起刀兵，派王贲为将领，攻打燕国的辽东郡，俘获燕王喜；回来时又顺路进攻代国，俘虏了代王嘉。燕、赵两国也继楚国之后，彻底成为了秦国的郡县。

　　儿子忙着消灭敌国，当爹的王翦也没闲着。他乘战胜楚国的余威，迅速平定江南各地，并降服越君，将江南地及越地合置会稽郡，将岭南地区首次纳入中国的版图。

　　五月，秦王犒赏全国军民，各县各里赏赐牛羊美酒，军民普天同庆。

　　从秦王政十三年到二十五年，短短13年间，秦军铁骑便横扫了中原五国。环顾天下，当年的战国七雄，除秦国外，仅剩下统一战略中最后一个同一对象——齐国了。

　　庆功宴上，秦王政端着酒杯，环视全场，仿佛在注视着整个天下。

　　他的目光停留在了宴会厅的东侧，那里是年轻小将们的席位：王贲、蒙恬……这一个个生龙活虎的年轻人将扛起大秦帝国的江山。

　　他的目光又穿透了那些觥筹交错的年轻人，穿透了咸阳宫，穿越了几千里路，落到了东方，大海边的土地——大秦帝国的最后一块拼图，就在那里！

六国毕 四海一

　　大秦王国已经吞并了战国七雄之中的五个国家，岭南百越的部分地区也成了秦国会稽郡（治今江苏苏州）管辖的组成部分，一个亘古未有的庞大帝国即将屹立在世界的东方！

　　地处齐鲁大地的齐国，此时仍处在稀里糊涂的迷梦中。虽然在位的齐王建也知道，自己目前的实力无法和老祖宗齐桓公当年"九合诸侯"的辉煌时期相比，但他还在坚信，瘦死的骆驼比马大，凭借当年奠定下的深厚根基，秦国再强、再狠，在收拾齐国时也得掂量掂量。这么多年来，秦国始终对齐国秋毫无犯，就连王翦、李信灭燕之时，也没敢在齐国的地盘上撒野，这不能不说齐国对秦国还是有一定威慑力的。再加上相国后胜在齐、秦二国中间的斡旋，使得两国结成了联盟，虽说秦国在征战时自己没帮什么忙，但也没给他秦王政使绊吧？

　　齐相后胜此时正躲在屋里一遍遍地数着秦国送给他的金子。在他看来，秦国这是有钱没地方去花了。本来齐国在济西之战后元气大伤，很长时间都难以恢复，根本无心去管别国的闲事，更不用说去干涉秦国的军事行动了。秦国给自己送来重礼，其用意也正在于此。郎有情，妾有意，两国当权者不谋而合。面对秦国的四方征

珍藏在齐国历史博物馆的牺尊

战，齐国也便采取了猫头鹰式的绥靖政策，专心在自己的幸福时光中了。

当秦将王贲灭燕夺代之后，齐王建与丞相后胜方才从和平美梦中惊醒过来。睁开眼睛环顾四周，六国中有五国全变成了秦国的郡县，称王的就只剩下齐王翦一个人。

举行完普天同庆宴会的秦王现在也开始考虑如何来吞并齐国。以本国的实力，吞掉齐国只是时间上的问题，但军队经过连年的征战，早已疲惫不堪，再打下去容易引起兵变。经受战火洗礼过的城池一片颓废，接手的只不过是个烂摊子，还要加大力气去重新修建，秦国虽然有钱，但统一之后哪里都有用钱的地方，能省下一文是一文。再者，齐国也不是个软柿子，一战下来，不知要何年何月；眼见其余五国新收不久，局势尚未稳定，要再在齐国上耽搁太长时间，好不容易打下来的江山很可能又将易手。因此，还是尽量不使用武力为好。

秦王认为，现在齐国的当权者后胜已经被秦国重金收买，而齐王建是个耳根子软的人，宠臣后胜的话比他自己的要好使得多。后胜也不是不知时务的人，齐国的江山早晚是秦王的，不论怎么抵抗，最多也不过是将灭亡的时间推后一些罢了。从这个角度考虑，已成寡势的齐国很有可能接受秦国的建议：主动投降，并入秦国版图。于是秦王便写了一封劝降书，交由使者送到齐王建的手中。

接到劝降书之后，齐王很是犹豫。投降太对不起列祖列宗了，他们辛辛苦苦建立起来的基业，被秦国一封信就给断送了，要是他们九泉有灵，非气得活过来不可。跟秦国对着干？好像也行不通。自从与秦国订立"互不侵犯条约"以来，齐国整整41年没有进行自己的军队建设了，仓皇之间组织起来的军队，肯定敌不过装备精良、训练有素的秦国铁骑。

到底怎么办？齐王无计可施，只得跟后胜商量。得知实情的后胜也是吓得魂飞九天。秦王的钱其实是烫手的山芋，但如今走到了这一步也就没什么别的办法了。后胜知道，自己虽然帮秦国做了事，但也收了人家的礼，两下里也就扯平了。秦王又是心狠手辣的铁血国君，对自己这个背叛了祖国的人肯定不会善待，说不定到时以一句"你之前出卖了齐国，谁知道之后会不会再出卖秦国"为借口，砍了自己的脑袋。由此看来，对秦国的紧逼，只能战，不能降。战还有五成的活命几率，降恐怕就剩不下这么多了。就算战局实在没有取胜的希望，自己也可以带着这些年积攒的金银珠宝乘船入海而逃，齐国别的不行，航海技术在七国之中还是独占鳌头的。

在后胜的极力鼓动下，齐王终于拿定了主意：宣布从即日起解除同秦国的盟约，拒绝一切外交接触；同时在全国范围内征兵，将边界守得严严实实！

秦王闻讯大怒。齐国真是不识时务，敬酒不吃吃罚酒，看来不动用武力是不行了。

现在的关键是派谁统军去攻打齐国。王翦当然是第一人选，但岁数太大了，老胳膊老腿都是病，能不能吃得消还是个问题；蒙武勇有余，但智不足，攻齐必须一战即下，已经不能再拖延时间了；蒙恬年纪尚小，作战经验不多，恐怕还难以当此重任……思来想去，能胜任此次领兵任务的也就只有王老将军的儿子王贲了。

此时王贲的军队正驻扎在燕地南部，从燕南到齐都临淄（今山东淄博市），一路地形易攻难守，而且据间报，齐国大军全守在西方边境上，防备秦军从秦地进军。而且王贲手中有15万军队，临战经验也很丰富，由他来完成大一统的最后一步，是最恰当不过的了。统一之战由父亲开始，由儿子结束，这对于王氏父子来说，也是个莫大的荣耀。

秦王政二十六年（前221），15万大军在王贲的率领下，轻易渡过黄河、济水两道天险，进入齐国境内。

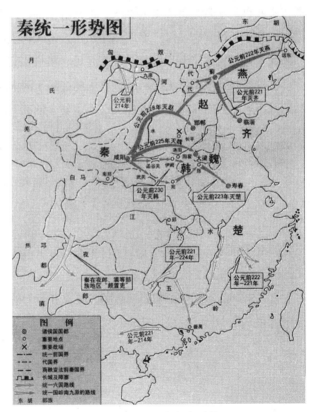

秦统一六国的战争形势图

齐军将领一看秦军到来，下令部下死守，他要到上面去开会，就此肉包子打狗，一去不回。军大夫如此，旅大夫跟着学样，最后连只管100人的卒长也跑得精光，只留下一些全不知情的伍长和兵卒。秦军一到，齐军也没人指挥布阵杀敌，只恨爹娘少生了两条腿，一个个撒了欢地逃命，实在逃不掉的就只好投降当俘虏。

这样的防线让王贲军在齐过境内未遇到任何像样的抵抗，秦军就如同平日行军一样溜达到临淄。

临淄城里已经是天下大乱了，齐王和后胜谁也没想到秦军竟然会来得这么快，让他们连逃跑的机会都没有。此时的秦军已经将临淄城包围得严严实实，城里与外界的联系全部被切断，那些守卫在西部边界的军队还在傻乎乎地等着秦军的到来，压根不知道他们的老大已经成为了秦军的阶下囚。

眼见秦军即将攻城，齐王慌了神，急忙召开御前会议。可这时他才发现，那些文武官员早就跑得不见人影了，没来得及跑路的还不足一半。眼见大势已去，齐王只好宣布投降。秦军浩浩荡荡地进入临淄城，举行了盛大的献俘和入城仪式，将齐王和后胜都软禁在住处，听候秦王发落。

过没多久，接到秦王的回示，齐王建徙居于河内共地（今河南省汲县），后胜以不忠罪名斩首，齐国就此灭亡。中华大地第一次统一在了一个政权之下！

> 秦王扫六合，虎视何雄哉！
>
> 飞剑决浮云，诸侯尽西来。

13年的征战，26年的等待，139年的准备（前359，商鞅变法），数代秦王的愿望终于在这一天达成！

亘古未有的一代帝国即将迎着曙光屹立在世界的东方，亘古未有的一代大帝即将开始书写一段新的传奇！

第4章
大秦帝国的神秘脚步

　　大秦帝国在刀光剑影后的废墟上屹立起来；经过几百年的征战杀伐，和平的曙光终于重现九州。一个崭新的时代已经来临，一段不朽的传奇在此时拉开了帷幕。然而令秦始皇没有想到的是，在他短暂的统治之路上，迈出的却是让后世迷惑千年的神秘脚步！

天下大权在皇家

六国毕，四海一。从鲁隐公元年（前722）开始的春秋战国时代一直到秦王政二十六年（前221）大一统时代的来到，500余年从未间断过的刀光剑影，终于画上了句号。

每一个终点都是一个新的起点。面对东起大海，西至临洮（今甘肃岷县），南抵北乡户（北乡户今天的位置说法不一，大概在今天广东省沿海一带，北到辽东（今辽宁沈阳）的亘古帝国，如何去治理成了不容回避的问题。中国历史上没有可供借鉴的成例，就连外国史上也找不到对秦王政有所帮助的经验——且不说当时通讯不便，更主要的是秦帝国的版图疆域甚至比亚历山大的希腊帝国还要大，更是远超过波斯帝国、亚述帝国、巴比伦帝国以及埃及王国——因此，一切都要从新开始，甚至包括为王者的称号。

在灭六国之前，秦王政一直被称作"秦王"。"王"本是周天子的称号，当时代进入到春秋战国后，各国诸侯割据一方，相互倾轧，逐鹿中原，纷纷称孤道寡，弄得一时之间，"王"遍天下，随便往人堆里扔块砖头，都可能砸到几个王室成员。现在六国尽灭，秦王政已不再是一个诸侯国的王，他所统治的疆域要

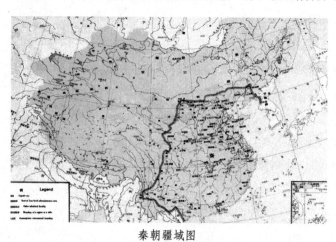

秦朝疆域图

远超昔日秦国所拥有的土地。因此，"王"已经不适合用来称呼这位集七国之尊于一体的统治者了，究竟给他加一个什么样的称号才能符合其尊贵的身份，成了统一全国后第一个需要讨论和确定的问题。

已经是40岁的秦王政高坐在咸阳宫的宝座上，目光冷冷地扫过了肃立两旁的文臣武将，低沉阴冷的豺音环绕在宫殿之内。

"如今六国已灭，天下一统，先辈秦王们希望宇内永久和平、不动刀兵的愿望，终于在祖宗保佑及众爱卿的协助下由寡人完成。既然天下情势已变，假若不改名号，显不出今日之成功，也无法和前代作区分，更不能让后代明白，现在的一切在寡人和众爱卿是一个新的开始。所以议定名号的问题不容忽视，希望众爱卿能够畅所欲言，今天就将名号议定下来。"

廷尉李斯出班启奏："当年五帝所拥有领土不过方圆千里，而且诸侯是否臣服，是否来朝，天子都不能决定。如今陛下兴义兵，诛残贼，平定天下，海内都已成为郡县，法令由中央统一，这是自上古以来从未有的事，所以据实说来，与陛下的功业相比，三皇五帝均有不及。臣曾与博士们讨论过，大家一致认为，古有天皇、地皇、泰皇，而泰皇最尊贵，臣等冒死建议，加陛下尊称为'泰皇'。为了表示一切与古制不同，除了帝号以外，有关皇帝的称谓也应更新。臣建议天子自称'朕'，其余人不得再行僭用，同时改命为'制'，改令为'诏'。"

听完李斯的话，秦王沉思了一会，开口说道："廷尉所言不错，但称'泰皇'仍旧与以前分别不出来，依寡人看，三皇五帝合称最好，今后王号就改为皇帝，众卿家认为如何？"

"陛下圣明。陛下德兼三皇，功过五帝，'皇帝'之称当之无愧，并且这样更可以显示出一切都是自陛下开始。"李斯躬身赞美，一片阿谀奉承之声更是在大殿之中沸腾起来。

秦王政不动声色地说："其他的则按廷尉所奏。朕闻上古之时有号而无谥，中古才生有号、死有谥，譬如先王在世时号庄王，死后谥号为'襄'，名之为庄襄王，这种做法是以子来评议父亲，群臣来议论先王，乃是极其不妥的事，今后皇帝辞世，谥法就可以取消了。而朕为始皇帝，后世以数计算，二世、三世、直至万世，传之无穷。另追尊庄襄王为太上皇。"

群臣又响起一阵谄媚声，异口同声地说："陛下圣明，见解为臣等所不

及！"

从此，秦王政改称秦始皇帝，简称为秦始皇或始皇；同时，"皇帝"一词就成为封建地主阶级最高政治代表的称号，并为历代封建王朝所沿用。

统治者的名号确定之后，秦始皇便开始为大秦王朝的存在寻找理由。

一个朝代的建立有没有存在的理由，是关系到这一朝代能否兴盛发达、长治久安的重要因素之一。因此，每一朝代的统治者总是要寻找种种理由，为自己的存在作论证。昔日商汤灭夏，便称"桀不务德"，是上天要夏

千古一帝秦始皇

朝灭亡的，而他商汤便是上天派下来接替夏王朝的。商人宣称，他们的祖先是简狄，吞玄鸟之卵而降生的。《诗经·商颂·玄鸟》也为这一说法造势："天命玄鸟，降而生商。"因此商人灭夏被看成是上天的意志。后来周人灭商，也如法炮制。周人宣称：有邰氏之女姜原，在野外踩了"巨人"的脚印，生下一个男孩，名弃，他就是周人的祖先，所以周人的出现也是上天的安排。当周文王伐耆(又作黎，今山西长治西南)、邘(今河南沁阳西北)获胜后，连商臣祖伊也大声惊呼："上天要结束我殷朝的命运啦。"于是西周王朝的建立也就被看成是理所当然的。舆论的重要性，秦始皇自然也深深地明白。只是，刚刚确立起来的大秦帝国，要到哪里去找这种舆论上的证据呢？战国时期的百家争鸣给了始皇帝以很好的寻找范围。

战国末年，阴阳五行家邹衍，宣传一种"五德始终"说，就是运用金、木、水、火、土来解释社会历史的变化。他认为：每一个朝代各占一"德"，五德相克，往复循环。尧舜时代是土德，夏朝为木德，商朝为金德，周朝为火德。由此可推，如果秦朝是一个正统的朝代，它的存在也是上天的安排，那就必须具有水德。

在秦始皇的示意下，一种舆论出现了：民间开始传说，当年秦文公在打猎时曾获得一条黑龙，那就是水德的祥瑞。秦文公是秦始皇的老祖宗，祖宗

获得黑龙，就是上天把水德转托给秦人的证据。秦代周，就是水克火，这是上天早就安排好了的，因此，秦始皇建立的政权完全是合乎天意的。

按照五行家的说法，水为黑色，五行水主北方，北为阴寒，因此，秦始皇以水德立国也要处处体现这些特性：正如电影《英雄》中所演绎的，秦朝的旌旗、礼服、旄节都用黑色，数则以六计算，兵符、节符、法冠皆六寸，车舆长六尺，以六尺为一步，皇帝车舆用六马；而且处理政事讲究"严刑"、"峻法"、"刚毅"。为配合这种天意，秦始皇还改一年自冬季十月开始，十月一日为一年首日；改河水（黄河）名为德水，以为水德之始；天下百姓改称为黔首（也就是黑头）。其后秦始皇郑重其事地跑到泰山举行封禅典礼，以证明他的帝位是天神授予的，具有神圣不可侵犯性，也是为了进一步神化其政权。

秦王朝的正统地位，就在这样的舆论宣传中被确立起来了。

仅仅是有了立国的证据，而没有建国的动作也是无法治理好这个庞大帝国的。因此，秦始皇又召集群臣，针对帝制机构的建设和具体实施举行了一系列的议定会议。

丞相王绾认为，如今诸侯初破，燕、齐、楚三地都离中央太远，不封国立藩，恐怕鞭长莫及，难以治理。周所以能维持800年，宗法和分封起到了很大的作用，因此建议秦始皇依周制而治天下。

对王绾的建议秦始皇十分不满："朕要的不是商朝400年或周朝800年的天下，而是要万世永传。而且周朝的分封制是天下兵祸的根源，我们怎么能再蹈覆辙？丞相此言，莫不是别有用心吧！"

见秦始皇动怒，与王绾关系不错的李斯忙出来岔开话题："陛下英明。现在天下完全是靠陛下的神灵之威获得统一，都已经划分成了郡县，对于皇子功臣，用国家的赋税重重赏赐，这样就很容易控制了。要让天下人没有邪异之心，这才是使天下安宁的好办法。设置诸侯确实没有好处。"

秦始皇微微一笑，转而开始讨论具体的实行措施。

明白了皇上的用意，群臣们操作起来也就容易了许多，经过一系列的讨论，最终制定出了中央行政组织和地方行政组织，并在此基础上建立起一套完整的帝制机构：

中央行政机构以皇帝为首，下设三公、九卿，即三公九卿制。

三公为丞相、太尉和御史大夫：

丞相：是中央行政机构的首长，统领百官，协助皇帝处理全国政务。国家大事由丞相总领朝廷大臣集议和上奏。秦朝设左、右丞相，以右为尊。

太尉：是中央行政机构中的军事首长，协助皇帝掌管全国军事，但他不能发兵、调兵，须有皇帝的虎符，才能有权指挥军队。

御史大夫：是皇帝的秘书长，皇帝的命令、国家的法律，经常由他转交丞相颁布。他负责掌管图书、律令和文书，监察各级官吏。

秦始皇的铜质杜虎符

九卿：为三公之下所设，是具体掌握各方面事务的官吏。

奉常：掌管宗庙祭祀礼仪，兼任皇帝侍从，其属官有太乐、太宰、太祝、太史、太卜、太医等。

郎中令：掌管崔帝的安全保卫工作，其属官有大夫、郎中、谒者。

卫尉：掌管宫门的警卫，是宫殿的警卫队长。

太仆：掌管皇帝使用的车马，是皇帝仆从的官长。

廷尉：掌管司法，是全国的最高司法长官，负责审理全国重大案件。

典客：掌管接待宾客的礼仪，负责少数民族事务。

宗正：掌管皇室宗族名籍。

治粟内史：掌管全国财税收入和财政开支，是全国最高财务长官。

少府：掌管山海池泽的税收以及皇帝的生活供应，兼管宫廷手工业。

三公九卿，都有自己的一套机构，处理日常工作，大事总汇于丞相，最后由皇帝裁决。

地方行政组织方面，共分天下为36郡（后增为41郡）。

地方政府则有：

郡，下设：郡守：最高首长，掌一郡政事；郡尉：掌兵役、军训及刑法缉盗；监御史：由皇帝直接派遣至各郡，监察郡守及郡政。

县：万户以上设县令，不满万户设县长，为县最高首长，综理政务，下设：县丞：主管司法；县尉：主管军事及缉盗。

乡，下设三老：掌教化；啬夫：司狱讼及征收赋税；游徼：巡禁盗贼。

亭（每乡辖十亭）设亭长。

里（一亭十里）设里长，辖百家，并行互相纠举连坐之法。

这一系列措施保证了皇权的实行和中央集权制的贯彻，确保了天下的大权集中于皇帝之手，避免了自夏朝建立以来分封制所带来的权力分散的弊端。可以说，真正意义上的封建制帝国，在这一刻才建立起来。

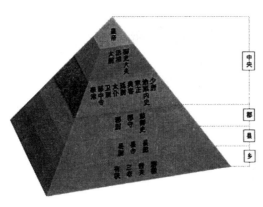

秦朝政府的组织

这是一次史无前例的创举，更是启明后世的一代基业。随后的中国历代王朝，大多沿用了这种政府组织机构，这也是2000多年来，宗教气息淡薄的中华民族没有像西方一样，依靠宗教信仰来维持国家的凝聚力，却屹立了几千年而不倒的原因之一！

同时，在这种政府组织机构中，也可以看出成了秦始皇的嬴政比战国时期的铁血君主更加的强硬，权力已经成为了他生命的组成部分，成为千古第一帝之后，权力的欲望更加膨胀。他不能看着自己辛辛苦苦打下来的江山为他人所窃美，更不能看着大权旁落，只有将权力牢牢地掌握在自己手中，才对得起自己之前的辛苦与努力。

将大权集于一手的秦始皇并没有就此停住脚步，他还缺少一个身份上的象征。一块宝玉走进了他的视野，一方玉玺带来了持续2000多年的传奇！

至尊玉玺的千年传奇

握有大权的始皇帝还缺少一个身份上的象征。之前的各国国君，在发布命令时都要用自己专有的玉玺来盖章，表明该命令确实出自君王之手，而非他人假冒。久而久之，玉玺也就成为了国君的象征。

如今统一了天下的秦始皇自然不能用普通的玉玺来表明自己至尊无上的身份，他的玺，一定要用最好的玉来雕刻，这块玉，就是中国历史上最具传奇色彩的无价之宝——和氏璧！

春秋时，楚人卞和在山中得一璞玉，献与楚厉王。厉王命令玉工辨识此玉真伪，然而老眼昏花玉工认为这不过就是一块普通的石头。厉王大怒，以欺君之罪砍掉了卞和的左脚。等武王即位后，卞和又献玉，仍被以欺君之罪再砍掉右脚。等到文王即位后，已没有脚可砍的卞和不敢再去了，只是抱着玉坐在荆山之下日夜痛哭。

文王挺奇怪：一个残疾人不去想办法谋生，反而抱块破石头日夜干嚎，是何缘故？于是便派人去问他："脚没了就没了呗，你看那些打仗回来的，有几个是完整的？可人家不还是活得好好的，没一个像你这样哭的。你还像个爷们吗？"

卞和回答道："我并不是哭我那双被砍掉的脚啊！我是哭宝玉被当成石头，诚实的人却被说成了骗子！"

一听这话，文王来了兴趣，找来全国最好的玉工，让他把石头剖开，

类似于和氏璧的汉白玉

果然在石头里面发现了宝玉。因为该玉是卞和所发现并进献的，所以将之称为和氏璧。

威王时，相国昭阳灭越有功，威王便把和氏璧作为奖励赐了给他。得到如此贵重的奖赏，昭阳难免要炫耀一番，便在水渊畔大宴宾客，同赏宝玉。

酒宴正酣，忽听有人大喊："水里面有条金色的大鱼！"

这可是难得一见的稀罕事，众人信以为真，全都跑到水边上去看。可看了半天，连个虾米都没见到，更别说什么金色的大鱼了。

回席后，昭阳突然发现和氏璧竟然不翼而飞，方知道刚才那一嗓子是调虎离山。当时听那一嗓子好像是门客张仪的声音，便怀疑是他把和氏璧偷了去。然而严刑拷打下的张仪什么也招不出来，一番仔细地搜查也没有什么发现。受到凌辱的张仪怀恨在心，便一气之下离开楚国跑到了魏国，随后又来到秦国。秦惠文王更元十年（前315），张仪被拜为秦相，以连横策略游说诸国联秦背齐。随后以使节身份进入楚国，瓦解了齐楚联盟。随后秦军拘怀王，克郢都，尽取楚汉中之地，让张仪终于得报此仇。

那块和氏璧究竟被谁偷走了呢？这是中国历史上至今尚未破解的一个谜团。只知道此璧后来被赵国的太监缪贤得到，随即便被赵惠文王据为己有。秦昭王听说后，给赵王写了封信，表示愿用15座城池来换这块璧。随后便上演了"完璧归赵"、"负荆请罪"、"将相和"这一系列世人耳熟能详的历史活剧。

秦王政十九年秦军破赵，得到和氏璧。天下一统后，秦始皇下令将此璧的三分之一雕刻成玉玺（传说有三分之一后来流传到九宫山张道陵张天师处，被他篆刻为天师印，最后落到了乾隆皇帝手中；另三分之一则不知所终），命李斯篆书"受

传国玉玺复原图

119

命于天，既寿永昌"八字，用来作为"皇权神授、正统合法"的信物；并由咸阳玉工王孙寿将和氏璧精研细磨，雕琢成方圆四寸，上纽交五龙的玉玺，这就是最著名的"传国玉玺"或曰"传国玺"。之后的历代帝王都将此玺为视为帝王信物，奉为镇国之宝，得到它就象征着该帝王"受命于天"，失去它则意味着"气数已尽"。凡是登上帝位却没有此玺的，就被人讥笑为"白板皇帝"，显得底气不足而被世人所轻蔑。

传国玉玺自问世后，就开始了它富有传奇色彩的经历。

传说秦始皇二十八年（前219），秦始皇南巡行至洞庭湖时，突然风浪大起，始皇的龙舟眼看就要覆没。无奈之下，始皇帝只得将传国玉玺扔到湖中，用它来祭祀神灵，祈求风平浪静。说来也怪，玉玺刚一没入湖水，便风浪不起，秦始皇一行方得平安过湖。八年后，当秦始皇的使者夜行至华阴（今陕西华阴县）平舒道时，有人拿着玉玺站在道中，对他说："请将此玺还给祖龙（秦始皇代称）。"话刚说完便不见踪影。传国玉玺又回到了秦朝手中。

秦朝末年，战乱四起。刘邦率兵先入咸阳，秦亡国之君子婴将传国玉玺献给刘邦。建汉登基后，刘邦佩此传国玉玺，号称"汉传国玺"。此后玉玺珍藏在长乐宫中，成为皇权的象征。西汉末王莽篡权，皇帝刘婴年仅两岁，玉玺由孝元太后王政君掌管。王莽命安阳侯王舜逼太后交出玉玺，遭太后怒斥，拿起玉玺砸向王舜。王舜一躲，玉玺砸到地上，被摔掉一角，王莽只好用黄金弥补，从此后，传国玉玺又被称之为"金镶玉玺"。

王莽的"新"政权被推翻后，玉玺几经转手，最终落到汉光武帝刘秀手里，并传于东汉诸帝。东汉末年，十常侍作乱，汉少帝仓皇出逃，来不及带走玉玺，后来回宫后发现玉玺失踪。随后在"十八路诸侯讨董卓"时，孙坚部下在洛阳城南甄宫井中打捞出一名宫女的尸体，从她颈下锦囊中发现了传国玉玺，孙坚视为吉祥之兆，于是做起了当皇帝的美梦。不料孙坚军中有人将此事告知袁绍，袁绍听说后，立即扣押孙坚之妻，逼孙坚交出了玉玺。后来袁绍兄弟被曹操战败，传国玉玺复归汉献帝。

汉献帝延康元年（220），献帝被迫"禅让"，曹丕建魏，改元黄初，命人在传国玉玺的肩部刻隶字"大魏受汉传国玺"，以此来证明他并不是"篡汉"，而确确实实是"受禅"，魏元帝曹奂咸熙二年（265），司马炎依样画葫芦，在魏元帝手中夺过江山，称晋武帝，改元泰始，传国玉玺归晋。晋永嘉五年

（311），前赵刘聪俘虏了晋怀帝司马炽，玉玺又归前赵。19年后，后赵石勒灭前赵，得到玉玺。他别出心裁，于右侧加刻"天命石氏"。又过了20年，再传冉魏，后来冉魏乞求东晋军救援时，传国玉玺被晋将领骗走，并派300精骑连夜护送到首都建康（今南京），由此，传国玉玺又重归晋朝司马氏囊中。

到南朝梁武帝时，降将侯景反叛，劫得传国玉玺。不久侯景败死，玉玺被投进栖霞寺井中，寺内僧人将玉玺捞出收存，其后献给陈武帝。隋一统华夏，将传国玺收入隋宫。大业十四年（618），隋炀帝杨广被缢死于江都（今扬州），隋朝灭亡，萧后带着太子元德携传国玺逃跑到漠北突厥那里。

唐朝初年，没有传国玉玺的太宗李世民不愿做白板皇帝，便刻了数方"受命宝"、"定命宝"等玉"玺"，用来装装样子，安慰一下自己。

贞观四年（630），唐将李靖率军讨伐突厥，同年，萧后与元德太子离开突厥部落，返回中原，将传国玉玺交与朝廷。不再是白板皇帝的唐太宗龙颜大悦，将玉玺视为镇国之宝而珍藏起来。

唐朝末年，天下大乱，群雄四起。天佑四年（907），朱全忠废唐哀帝，夺得传国玉玺，建后梁。16年后，李存勖灭后梁，建后唐，传国玺转归后唐。又过了13年，石敬瑭引契丹军至洛阳，末帝李从珂怀抱传国玉玺登玄武楼自焚，传国玉玺就此下落不明。

后周太祖郭威称帝后，四处寻找传国玉玺，但终不能如愿以偿，无奈之下，只好镌"皇帝神宝"等印玺两方，一直传到了北宋。北宋哲宗时，有个名叫段义的农夫在耕田时挖出了传国玉玺，送至朝廷。经13位大学士依据前朝记载多方考证，认定这就是始皇帝所制的传国玉玺。然而许多朝野的有识之士都怀疑这块玺其实是假的。北宋末年的徽宗喜好风雅，增刻印玺10方，当时便有人讥笑他是画蛇添足，其实徽宗真正的目的是要淡化传国玉玺的地位，日后若真的鉴定出手中的这方传国玉玺是个赝品，自己也好圆谎。

宋靖康元年（1126），金兵攻破宋都汴梁（今河南开封），徽钦二帝做了俘虏，传国玉玺被大金国掠走，其后便销声匿迹。

元朝至元三十一年（1294），世祖忽必烈驾崩。传国玉玺突然在元大都（今北京）的市场上出现，并被公开叫卖。权相伯颜得知后，命人以重金买到。传国玉玺至此落入元朝王室手中。

元朝至正二十八年（1368），朱元璋在建康（今南京）称帝，号大明，改元洪武。继而北伐，元廷弃中原而走漠北，继续驰骋于万里北疆。明初，太祖遣派大将徐达深入漠北，穷追猛打远遁之残元势力，其主要目的便是索取传国玉玺，然而最终还是无功而返。传国玉玺从此再也不知所终。

明朝时期，不时便会有传国玉玺现身的谣传出现，然而全都被证明为赝品。例如明孝宗时期，曾有人进献所谓的传国玉玺，孝宗认定其为赝品而未采用。

到了明末，后金太宗皇太极得到一方据说是夺自元顺帝之手的传国玉玺，皇太极因此改国号"金"为"清"。

至清初时，紫禁城藏御玺39方，其中一方即是皇太极得到的传国玉玺。乾隆皇帝对考据学很是喜爱，也有所研究，在对这方传国玉玺研究了半天之后，钦定其为赝品。放在一堆御玺之中以假当真，滥竽充数。由于皇上亲口说它是赝品，其他人也就无法再对此玺评头论足了。

1924年11月，清廷末代皇帝溥仪被冯玉祥驱逐出宫，这方真伪尚未确定的传国玉玺也不见踪影。当时冯玉祥的部将领鹿钟麟等人曾向溥仪追索玉玺，但溥仪两手一摊，鹿钟麟一无所获。虽然关于传国玉玺的下落至今还在搜索、研究之中，但仍未发现蛛丝马迹。

清代的双龙玉玺

秦始皇不会想到，他原本用来当作自己身份象征的传国玉玺会在日后的中国政治舞台上掀起如此轩然大波，因为在他的心中，这方玉玺是要传至二世、三世，乃至万万世的；他更没有想到，这方仅仅是用来颁诏盖章的玉玺竟然成了日后帝王们合法登基的信物，并不惜为此动起刀枪，掀起血雨腥风！

法国的亚历山大大帝曾说过："在我死后，哪管洪水滔天！"秦始皇也是人，活不过百年，更管不了几千年的事，也无心去想那么多。因为刚刚统一的帝国实现的还只是政权上和组织上的统一，要想使国家从战争的创伤中恢复并有所发展的话，还有很多需要统一的地方，其难度，不亚于统一之战！

真正的大一统

　　有了玉玺，还不能让国家变得繁荣起来。在六国的废墟之上建立起来的大秦帝国，留给秦始皇的，不仅仅只是一堆等待重建的烂摊子，更有一大堆乱七八糟、各式各样的制度与标准。由于长期的军阀割据，各项制度极端混乱，这对于一个统一的王朝来说，可是一个很大的障碍。

　　这种情况就好比现在各个国家的政治、经济、文化等各个方面都有所差异一样，最终会在世界大家庭中演化成极不方便的存在。例如：在国际市场上人民币、美元、欧元等货币互相流通，中间的兑换价算起来就是极麻烦的一件事；各国的法律也大不相同，一旦发生国际纠纷，仅是争论适用哪国法律就要吵上个一年半载；语言文字的不同更是尽人皆知的事，就连铁轨的不同也常常会给两国之间的交通问题带来麻烦——早些年我国与俄罗斯之间便有铁路贯穿，但俄罗斯的铁轨是窄轨，我国的是宽轨，每次到中俄边界的时候，还要换车才能继续前进，其中的麻烦可想而知。

　　这样的例子不胜枚举。在当代还好说，科技、通讯、教育以及国际公法私法等都对缩小这种差距起到了很大的作用，但在青铜时代刚刚结束、铁器时代朝阳初升的秦朝，这种情况确实是一道难以弥合的鸿沟。国与国之间的麻烦还好说，仅仅是牵扯到利益问题，对统治影响不大，但要是一个国家内部也出现这种情况，上层建筑的统治者们可就要非常头痛了。而统一之初的秦王朝，面临的就是这样的困境。

　　这种局面也历史上从未有过的。在分封制的诸侯国时代，作为名义上的奴隶主最高阶层，各代的大王们也只是一个象征性的领导人罢了，没有什么实权；真正握有实权的各国诸侯只需自扫门前雪，谁去管别人的瓦上霜？管好自己的一亩三分地就足够了。长久如此，便形成了各种制度与标准相互隔阂的局面。

　　大统一之后，这种局势已经不能再满足帝国统治的需要。因此，秦帝国在统一之初，便着手进行各种制度的统一工作。

　　国无法不立，业无律不兴，法律是一国最重要的上层建筑的组成部分。因此，统一法律成了实施大一统的第一重要问题。作为法家学派的代表人，李斯向秦始皇建议："如今天下已定，法令也应该进行统一了。"在秦朝之前的各国法律制度都有很大不同。秦国在商鞅变法时，基本上采用了魏国李悝的《法经》。李悝的《法经》共分六篇：《盗法》、《贼法》、《囚法》、《捕法》、《杂法》、《具法》。商鞅在此基础上又增加了"什"（十家）"伍"（五家）连坐法，把"法"改称为"律"。在当时可以说是最先进、同时也是最符合新生的封建统治者利益的法律了，于是秦始皇就把秦的法律颁布全国，令全国各个郡县统一执行。

　　归根结底，法律上的统一也是政治上的工作，是保证国家顺利发展的前提条件之一，但真正使国家得到发展的，还应该是经济政策上的统一，其中作为最具有经济意义的货币，成了秦始皇的第一个经济上的统一对象。

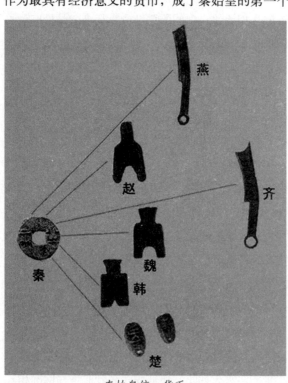

秦始皇统一货币

战国时期的各国货币，不仅形制不同，计量单位也不同。有"刀"币、"布"币、圆钱、铜贝、爰金等几种。计量单位有的国家用斤（16两），有的用镒（20两）。这样的混乱给地区之间的贸易往来带来了极大的困难，当时又没有什么货币汇率，因此在闹市街头上看到两个人为一样商品到底值多少钱而舞刀弄剑的也不是新鲜事。秦始皇统一中国后，立即下令废除六国旧货币，制定新的统一的货币。新币分为两种：黄金为上币，以镒为单位；圆钱为下币，以半两为单位。这给当时的商品交换提供了很大的方便。

货币统一之后，就要统一度量衡了。秦朝之前，各国度量衡制度也非常混乱，不仅大小、长短、轻重不同，单位、进制也不同。以量来说，秦国以升、斗、斛为单位，魏国以半斗、斗、钟为单位，齐国以镒釜、钟为单位。这样就使得两国商人在为价钱动刀子之后，又要为轻重长短来拔剑了。当时有钱者携刀带剑、养几个门客当保镖，恐怕也有为了避免在市场上出现生命危险的原因吧。

统一之后，秦始皇便向全国颁行新的、统一的度量衡制度。规定为：度为寸、尺、丈、引；量为斛、斗、升、合；衡为两、斤、钧、石。用这种方式来规范市场及商品流通，为封建经济的发展起到了巨大的促进作用。

不过这方面的改革却不那么顺利，从秦始皇二十六年公布统一全国度量衡以来，一直到二世皇帝期间，史料上不断出现当时政府法令的诏书在修正着有关这方面的新规定，似乎新的标准在执行上困难颇多，所以一直未能确定下来。即使日后从秦国本土出土的遗物资料来看，民间似乎同时存在着商鞅升和始皇升，可见新的制度似乎一直未受到大家的彻底接受。军事及政治上的统一比较容易达成，但生活文化上的统一，则不是短期内光靠法令的宣布就可以作得到的。

仅有市场规范还不能保证经济的顺利发展，毕竟商品的流通也需要许多后勤保障，交通问题就是其中的重中之重，直到今天，我国的交通问题也是每年人代会上必须讨论的话题之一。而战国时期各国车轨的不一，交通大道宽度的不同，更给统一后的交通带来严重混乱。所以堵车问题不是近代才出现的，早在2000多年前，我国的堵车现象就已经领先于全世界了。为了缓解这种堵车问题所带来的交通压力，秦始皇下令，全国统一车轨，大车的两轮之间皆宽六尺，凡不符合这一要求的车辆一律不准使用，史称"车同轨"。这样，便于在大路上来往。这一措施对交通运输业起到了一定的促进作用。

政治和经济上的隔阂解决之后，文化上的统一行动又开始了。由于长期分裂割据，各个国家各自为政，导致了各国之间语言不同，文字更是相差十万八千里。如果不会外语，两个不同国家的人见面后，只能听对方说鸟语，或者看对方写天书。语言还好说，现在各地方的方言还在使用之中，这也是一

李斯所书的小篆（琅玡刻石明拓本）

种文化遗产，没有将之消除的必要，再加上当时也没有推广普通话的条件；但文字就不一样了，秦统一各国之后，如果没有统一的文字，将会严重影响政治、经济政策的实施和文化事业的发展。为此，秦始皇命李斯主持文字改革工作，下令须"书同文字"。李斯废除了各国的异体字，统一偏旁的形态，固定了偏旁的位置，规定了字体的笔数，全国一律使用笔画简单、书写方便、易于读认的"小篆"，第一次规范了汉字。此后，无论汉字发生怎么样的变化，无论是由繁到简，由异体到常体，其基础仍是秦朝时期的小篆。

统一了政治、经济和文化，并不代表着始皇帝从此可以高枕无忧了。六国虽灭，隐患尚在，还有大量原来六国的旧贵族、官吏、士人隐名埋姓，潜藏在各地，伺机在秦始皇手中重夺六国贵族的身份。在他们的手中，还留有大量的兵器；与此同时，在统一六国的战争中，也有许多兵器流散于民间。这是一种不可低估的潜在的危险因素：这些兵器很可能会被旧贵族们利用起来，进行反秦的军事活动，构成对秦政权的严重威胁！

为了防止旧贵族的军事反抗，防止民间不安定现象的发生，秦始皇下令：全国各地，任何人不得以任何方式私藏兵器，违者严惩；各郡、县官吏，必须采取强制手段，收缴流散于民间和旧贵族手中的兵器。最后，这些收缴的兵器集中咸阳，加以销毁，改铸成12个大铜人，各重24万斤。这就是秦始皇收缴天下之兵，铸12金人的历史渊源。这种兵器不藏于民间的做法，为历代封建帝王所效仿，也是现代各国武器管理制度的一个根本原则。

与此同时，为了防止原有六国的军事设施如城郭、险塞等，被用来作为反秦的据点或屏障，秦始皇命令各地方政府，毁弃国内原诸侯所建长城及军事要塞，只留燕、赵为防御胡人入侵的长城，以防止乱民据用造反，同时铲除交通障碍；掘通各国为军事需要所筑的川防，疏浚以后作为水路交通及农田灌溉水利之用；迁移天下豪富12万户至咸阳，一方面加以监视，使他们不再在本土产生分化作用，另一方面也可充实首都的财富及繁荣。

秦始皇建立的各种统一制度，使中国在2000多年前成为世界上疆域最大，文化最高的统一国家。在此之后的相当长一段时期，中国封建社会的经济、科学、文化迅速发展，并居于世界前列，华夏民族成为举世瞩目的伟大民族。无论后世如何评价这位千古一帝，这份贡献却是谁也不能抹煞的。

但即使秦始皇建立起了一个政权、经济、文化、军事全部统一的大秦帝国，也掩盖不了500多年乱世所遗留下来的种种危机。经历多年磨难的始皇帝心中没有怀柔政策，他也想不到用休养生息的方式来平息人民对新的政治制度的不满。但国家不能不稳定，否则他没办法将地位传到始皇万世，他采取了另一种手段，一种让后人误会2000多年的抚民措施。

第4章

大秦帝国的神秘脚步

始皇巡游的醉翁意

大秦帝国通过连年的战争建立起来，战争带来的伤痛却不是短时期内可以愈合的，原来六国的贵族臣子还沉浸在旧日"占山为王"的自在美梦之中。然而转瞬之间，战火纷飞、铁骑横扫、江山易主、全国一统的现实，不是这些突然由天堂掉到人间的王孙公子们所能接受的。在他们力所能及之处，无时不在鼓动着不知就里的人民从事反秦事业，重入烽火狼烟之中。虽然秦始皇下令收缴天下之兵，但上有政策，下有对策，一旦他们发动起人民，锄头、铜镐也一样可以挖掘大秦的坟墓。这样的形势，不是中央实行几个政策就可以解决的。只有将民心安定下来，才能让那些心怀叵测之人无计可施。

秦始皇出身贵族，自幼身边都是"出入有高官，往来无下层"，在赵国那段不堪回首的日子，带给他的更多是对自己遭遇的仇恨，而不是对生活在社会底层人民的同情。锦衣玉食的他与饥渴交加的底层人民生活在两个世界，所以他无法想像到那里的生活，因此，在他的脑海里，没有"怀柔"二字，先秦历史上也没有经验可循（以休养生息为主的安民政策是由社会底层出身的汉高祖刘邦最先实行的，其后的历代帝王方才有据可依）。但事关国家稳定，秦始皇在群臣的建议下，采用了巡游的方式来安抚民心。

秦始皇二十七年（前220），秦始皇首次出巡。他这次巡游，走的是西北方向，目的是追寻秦人先祖发达的足迹，向列祖列宗报告统一天下大业已经完成；同时，也是为了对原秦国属地的现状有个大概的认识，为都城所在地的防御工作做好准备。

他由咸阳出发，顺着渭河一直向西抵达雍城(现在的宝鸡)。雍城是秦国迁都咸阳以前的旧都，有孝公以前的王墓和宗庙。秦始皇在雍城告祖祭祀以后，继续沿渭水西去，来到陇西郡犬丘一带(现甘肃省天水地区)，秦人的先祖曾经在这里放牧养马。以喜庆告慰牧马的先灵以后，秦始皇由陇西东归回到雍城，再北上进入汧水河谷地区，由汧水上游的回中(现陕西省陇县西北)越过陇山，进入北地郡，抵达泾水源头的鸡头山(现甘肃省平凉市西)。鸡头山这一带地方，是秦人被周王召唤、定居称秦的发祥之地，当然是秦始皇告祭先祖的必经之地。从地理上看，鸡头山是泾水的源头，秦始皇由鸡头山返回，沿泾水河谷东南去，再南下回到咸阳。

在归程途中，秦始皇发现渭水畔风景绝美，于是下令在渭水之南建筑信宫，后又改名为极庙，意为至高无上之宫殿。并由极庙挖通骊山到甘泉建前殿，再筑两边都有围墙的甬道直通咸阳，始皇车马在甬道内行驰，民众都无幸看到秦始皇的龙颜，这样也避免了始皇帝遭遇刺杀的可能。

在这次巡视后，始皇发现道路崎岖难行，于是下令建筑全国的驰道。所需人力除一般服劳力义务的民众外，更大量使用囚犯及原各国的战俘、贵族和工匠。

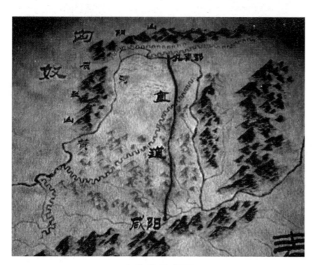

秦驰道示意图

关于秦始皇修建驰道的根本原因，史家基本上认定为是为了顺利出巡，广播皇威。但秦始皇一生出巡过五次，只有这第一次出巡是巡游内陆，其余四次均是巡游海上，沿海路而行。也就是说，驰道建成后，始皇帝再没有利用驰道进行大规模的巡游活动，反而在南平百越、北击匈奴时，通过驰道进行大规模的运兵输粮等军事行动。因此，修建驰道并不像古代史学家所说的那么简单，这从驰道的修建范围就可以看出端倪。

驰道以咸阳为中心，东到燕（今河北、北京一带）、齐（山东半岛及沿海一带），南至吴、楚（今湖南湖北一带），北达九原（今内蒙自治区乌拉特旗），西到甘肃东部，南北东西，四面贯通，全长达数千公里。驰道宽广50步（约合今69米），路面用锤夯打，平坦坚实，道路两旁每隔三丈植树一棵。此外，在今四川、云南、贵州等偏僻地区的崇山峻岭之中，又修筑"五尺道"。这样的驰道布局很明显是为了适应这些地区战争的需要。

驰道的修筑，对于秦王朝控制全国，防守边疆，起到了非常重要的作用。这些驰道，战时便于调兵、运粮，平时便于驿传，在为了军事需要的同时，也大大方便了经济、文化的交流和发展。

按照史家的说法，秦始皇将统一天下的伟业，告祭了西方的列祖列宗后，登泰山封禅就成了他第二次出行的目的。古代中国，泰山是天下的圣山，登泰山封禅，是人世间伟业完成，告祭于天的大礼。

秦始皇二十八年，始皇帝一行由咸阳出发，出函谷关，经过洛阳、荥阳、大梁、定陶，抵达薛郡邹县的峄山

秦泰山刻石

（现山东邹县南），刻石颂功，着手封禅的准备。准备就绪后，秦始皇冒雨登泰山，行了封禅告天的大祭。

由泰山下来，秦始皇兴致勃勃，继续巡游之旅，从而我国古代史上第一次有计划有组织的大规模航海活动开展开来。

他先到渤海湾的黄港、腄港(在今山东邹县境内)，由此傍海东行到芝罘港(今山东烟台)、成山港(今山东半岛成山头)，再南行到琅玡港(今山东胶南南境)。下令从内地向该地移民三万户，免税12年，鼓励移民定居以充实和扩建琅玡港口城市。秦始皇在此留住三个月，亲自布置建港工作。随后在琅玡建台立碑以颂功德，同时派遣方士徐福率船第一次出海远航。继而返回咸阳。

黄海的波涛，琅玡台的奇幻，给秦始皇带来了难以忘怀的欢愉。遥远而不可及的海上仙山，仙山上居住有不死的仙人，仙人们采食着不老的仙草，过

着天长地久的生活，无忧无虑，无病无苦，何等迷人的极乐世界，能不心醉？回到咸阳不到一年，始皇帝再次踏上了东去的行程，开始第三次巡游，第二次巡海。

当巡游车队来到博浪沙(今河南原阳县南)时，原韩国贵族张良为报亡国之仇，令力士持铁椎暗中伏击，结果力士扔出的铁椎砸中了副车，秦始皇有惊无险。这个意外并没有使巡海的行动受挫，他依然继续前行，再次来到芝罘，在此刻石立碑，归途中重到琅玡港。

三十二年 (前215)，秦始皇第三次巡海。此次东巡至渤海北岸的碣石(今河北秦皇岛)，刻石立碑，歌功颂德，并派遣燕人方士卢生出海，"求仙人不死之药"(《史记·秦始皇本纪》)。

三十七年 (前210)，秦始皇第四次巡海。他先南行巡视九嶷(今湖南宁远)，然后顺江东下，过丹阳至钱塘(今杭州)，登会稽山祭大禹陵，刻石立碑，其后傍海滨北上，第三次巡视琅玡港。在此命徐福再次率船出海。又北达成山港、芝罘港，继续沿海西行，至平原津(今山东平原)，染病不起，回程途中于沙丘(今河北广宗西北)病逝。至此，"千古一帝"在巡海的归途上，走完了他波澜壮阔的一生。

秦始皇称帝12年，其间四次巡海。史籍上称他是为了寻找海上神山和不老仙药，这种说法流传得相当广泛，至今还为多数人所接受。但这种言论却是错误的，当时的史学家(主要以司马迁为代表)因科技与知识水平的低下所限，搜集史料时困难重重，难免将一些流传于民间的传闻奇谈揉杂进去；而且，作为最有力的证据，即秦朝的奏折书议，也因秦二世三年 (前207)，西楚霸王项羽领兵进入咸阳大肆抢掠，焚烧咸阳宫，致使极富历史意义的文献资料流佚民间或化为灰烬了。这样，秦始皇真正的巡海目的也就难以知晓了。

现在再结合当时的环境、背景以及秦始皇巡游的路线来看，也许就能领悟到隐藏在帷幕之后的历史真相。

秦始皇第一次巡海是在秦始皇二十八年，也就是完成统一大业之后的第三年。此时统一政权初建，各项改革也初步实施，而对于各自为政数百年的原诸侯国领地，尤其是那些已经沦为落魄子弟的诸侯贵族来说，趁大秦羽翼未丰、立足未稳之际，再起刀戈，重燃战火，恢复其原来的地位，不算是一件难事。尤其是燕、齐、越三国，位于沿海，有交通海外的便利条件，又因

秦云梦睡虎地竹简

距原秦国较远，是最后被平定的地区，因此，这三国是统一后最不稳定的多事地带，严重影响了中央集权国家的统一和稳定。因此，秦始皇便在第一次巡海之时强制迁徙三国百姓至内地，并将内地的囚徒迁往此处屯戍，以防止其他国家或地区的人由海路进入秦朝领土滋扰生事；秦始皇还要求以中原的风俗伦理准则来约束这些地区，以实现稳定海疆、实现真正的统一，达到加强国家中央集权的目的。

秦始皇所巡视的黄、芝罘、琅玡、碣石，都是燕、齐的重要港口。他多次到达，刻石立碑，一是为了"宣耀威德"，精神上对这些地区进行同化；二是加强此处的海防，控制渤海航线，以防止北方匈奴的沿海入侵，并为出兵征战开辟出一条运兵送粮的重要通道。另外，由于海路连接着海外国家，秦朝与之存在着必不可少的贸易往来，自然不能忽视。控制了海上航线，便可广泛地与外国展开贸易，使国家自身的经济从中受益；并且国内的贸易也可通过海路来加速交流，使南北的经济得到平衡的发展。

秦始皇生性阴鸷、多疑，他不放心将事务下派给地方官员去办理，只有亲自巡视方能安下心来，这一点可以从他每天要批阅几百斤的奏疏(秦时无纸。字用刀刻、笔写在竹片上串联起来，称为"简")中看出来。所以秦始皇四次亲自巡海，其动机远不似史家所记的那么简单。

如果说秦始皇的巡海过程并不是像史书上所记载的那样以寻仙求药为目的，那么留下了千年传奇的徐福东渡的目的，今天恐怕就要换个角度去看了！

寻仙还是开疆

秦始皇二十八年，始皇帝在第一次巡游海上时，曾派徐福出海远航。历史上都将这次远航看作是秦始皇派其出海寻仙，求长生不死之药。然而，当我们揭开了蒙在秦始皇巡海真正目的上的面纱之后，徐福东渡的目的也就该重新思考了。

徐福是战国时期齐国的方士。方士大多数来自于劳动人民当中，他们熟知人民的生产技术和实践经验，会一些炼丹术、医药术、占星术、航海术。由于齐国濒临大海，航海技术十分发达，是一个海上强国，所以来自齐国的方士对航海技术更为精通，故《史记》称："燕、齐海上之方士，传其术不能……"意思就是说，这两个国家的那些"算命先生"，把航海技术全都垄断了，使得秦始皇需要进行航海活动时，不得不再去找这些从前的敌人。

据史籍记载，秦始皇首次东巡至琅玡山时，徐福带领一些人拜见秦始皇。上书称，海外有三座神山，名叫"蓬莱、方丈、瀛洲"，是神仙们居住的地方，如果去拜访他们，便可得到长生不死之药。

徐福打出"三神山"这个旗号是有原因的，《史记·封禅书》中说：

我国浙江岱山县的徐福雕像

大秦帝国的神秘脚步

133

"天下名山八，而五在中国，三在夷蛮。"这三座在夷蛮的山就是所谓的"三神山"，战国时期诸侯都对其向往不止，多次派方士前往。一心想要长生不老的秦始皇闻言极为高兴，对徐福的索要无有不允。于是徐福便带了数千名童男童女出海远航。

送走了徐福的秦始皇翘首以盼，深切地渴望徐福携着不老药归来，好让自己这个始皇帝能够永远地统治这片亘古未有的广阔疆土。然而过了数年，直到秦始皇三十七年（前210），徐福才两手空空地只身返回。秦始皇大怒。徐福谎称，自己已到了蓬莱，但是仙人们却嫌秦始皇送的礼物太薄了，不肯给药。秦始皇便问仙人还要什么，徐福又索要了3000童男童女，还有五谷的种子，数百名精通各种技艺的能工巧匠。秦始皇再一次满足了他的要求。

徐福又称，大海中常有鲛鱼出没，对海上航行来说非常危险，一定要派善于使用连弩的射手去才能排除来往的困难。秦始皇也答应了他。

满足了的徐福第二次出海，从此一去不返，再无音讯。秦始皇以为徐福被鲛鱼所害，便命令凡是下海的人都必须携带能够捕捉到大鱼的器具，自己则准备了连弩，等看见大鱼时便将其射杀，也是为了证明徐福所说的鲛鱼确有其事。秦始皇在巡游的过程中，沿海路由琅玡直到成山港，也没有见到一条大鱼；等到了芝罘，方看见有巨大的海鱼在附近海域出没。秦始皇亲手射死一条，至于是不是徐福所说的鲛鱼就无从得知了。

射死鲛鱼并不能换回秦始皇日思夜想的不死药。始皇帝无可奈何，悻悻而归。同年七月，病逝于沙丘平台。

从根据史籍记载所整理出来的关于徐福出海的资料中可以看出，徐福出海的目的是给秦始皇寻求长生不老之药。但事实并非如此！

徐福出海的目的并不是史书中记载的寻仙求药，而是一次秦始皇开疆拓土的探险行为。这么说的理由有以下几点：

其一，刚刚完成统一大业的秦始皇并不信鬼神。在琅玡所立的碑文中，秦始皇说：

> 古之帝者，地不过千里，诸侯各守其封域，或朝或否，相侵暴乱，残伐不止，犹刻金石以自为纪。古之五帝三王，知教不同，法度不明，假威鬼神，以欺远方，实不称名，故不久长。其身未殁，诸侯倍叛，法令不行。今皇帝并

一海内，以为郡县，天下和平。昭明宗庙，体道行德，尊号大成。群臣相与诵
皇帝功德，刻于金石，以为表经。(《史记·秦始皇本纪》，原碑文现仅存九字)

也就是说，他不需要像三皇五帝那样去借助鬼神的声名来维系统治，认
为以自己的治国方略，就可以令国家安定。如果秦始皇信奉鬼神，那么这些
话他是不敢公然刻在石碑上的，因为在信奉鬼神的人心中，"苍天有眼"，若
鬼神看到这些字，便会迁怒于自身。只有用秦始皇不信鬼神这一说法，才能
对石碑上有如此字样给出一个合理的解释。既然他不信鬼神，那么对于求长
生不老，也属于无稽之谈了。至于他日后自称"真人"，祈求长生不老，则是
随着年纪的增长以及对掌握权势的无限欲望而滋生出来的了。

在山东蓬莱出现的海市蜃楼

其二，"三神山"
确有其处，且像《史
记》中所记的那样伫
立于海外。蓬莱，并不
是指今天的山东省蓬
莱市，蓬莱市是当年
汉武帝在此望见蓬莱
山，因此修建的城市，
以"蓬莱"为名。而"三
神山"中所指的蓬莱，
其实是今天的日本北九州。"方丈"，经近代史家考证，是今天韩国南海中的
济州岛。瀛洲，今天的崇明岛。古人之所以将这三座岛看作所谓的"三神山"，
是受当时的科技条件及知识程度所限得出的错误认识。

我们都知道，在海面上，由于光线的折射作用，在某些特定条件下，会
出现"海市蜃楼"的奇观，当航海者在大海上看到原本处于远方的岛屿突然
出现在天空上时，就会以为是仙人居住之处。李白有诗云："海客谈瀛洲，烟
波微茫信难求。"指的大概就是这一点了。明明就在咫尺眼前，却总也觅寻不
到那渺茫的烟波，也难怪李白怀疑它的存在了。

其三，徐福一去经年，回来时两手空空，所带的数千人也不知下落，秦
始皇也没问。然后又要了3000人，还有百谷之种、能工巧匠。仙人不食人间

烟火，要这些何用？而秦始皇见此情形，问都没问，就答应了他。秦始皇是什么样的人，如此自相矛盾的说法岂能瞒过他？所以，徐福出海就不是寻仙求药那么简单了。

有了这三点，我们就可以看出，徐福出海的真正目的，是奉秦始皇之命开拓海疆的，也就是说这是一次大规模的皇家探险活动。

秦始皇统一全国后，多次巡海，已足见其对海疆的重视。开拓海疆，再展国土，是秦始皇的宏愿。另外，《史记·封禅书》中写道，方士把"三神山""争言之于齐、燕"君主，"历时百有余年"，而两国君主也"莫不得而心甘"，这其实也是一种对拓疆的渴望。只苦于当时某个国家势单力孤，无力组织大规模的探险队伍，只能派这些方士零星入海。这样，即使到达了"三神山"，也无力将其收入囊中。

秦始皇统一全国后实力倍增，自然有能力组织这场大规模的开拓行为。所以，刚刚完成统一大业后不久，秦始皇第一次巡海时便派徐福带人出海探险。而第二次，则给到达那里的徐福以百谷百工，再派数千人前往。

而当徐福再去不归，秦始皇开拓海疆之梦为之中断，又怎能不让懊恼萦绕心头？《史记》说，秦始皇梦与海神战。占梦博士说，海神不得见，但可化为大鲛鱼现形。秦始皇命人在海上搜索不得，到芝罘后，还亲自射杀了一条大鱼，以泄心头之愤。由秦始皇这种大无畏的精神，足可见其主宰海洋欲望之强烈。

日本绳纹文化的文物

徐福究竟到了哪里呢？《秦始皇本纪》中没有说明，但在《史记·淮南衡山列传》中所记载的淮南王刘安与谋士伍被的一次对话中透露出来："徐福得平原广泽，止王不来。"

这片"平原广

泽"仙踪何处？历史上众说纷纭。今天的考古成果已经向人们揭开了这片尘封已久的历史的神秘面纱：徐福到达的地方是今天的日本列岛！

在中国的战国时期，日本还处于新石器时代的绳纹文化之中，以采集和渔猎为生，也就是说，尚处于原始氏族社会时期。但到了战末秦初，日本突然开始使用青铜和铁的生产工具，开始了农业生产，尤其是水稻种植技术毫无征兆地凭空出现。日本仿佛在很短的时间之内，便由新石器时代的绳纹文化过渡到早期铁器时代的弥生文化，而且与之前的绳纹文化没有什么传承关系。

弥生文化起自公元前200多年，终至公元后300多年，这段时间正相当于中国的战国末年及秦汉时期，这与徐福出海的时间十分的吻合。

弥生文化的遗址里，还有铜剑、铜镜、铜铎的发现。铜铎以中央日本为多，铜剑、铜镜则以九州为多，后二者被推定与秦式青铜文化有关。日本学者认为，其原料来自中国，在日本再回炉铸成。日本学者八木奘三郎说，中国山东省有类似铜剑、铜镜的器物出土；梅原末治等人说，铜镜之见于日本，是意味着秦汉人的东渡，此外，还有中国古钱、古镜或秦式匕首的出土。这就从历史文物的证据上说明了徐福将秦朝的文明传到了日本。

如今在日本的徐福遗迹不下50处。清代驻日使馆参赞黄遵宪写有"避秦男女渡三千，海外蓬瀛别有天。镜玺永传笠缝殿，倘疑世系出神仙"一诗，并注"日本传国重器三：曰剑、曰镜、曰玺，皆秦制也"。

现在已经基本确定徐福是到了日本，那么他东渡的路线又是怎样的呢？据考证，徐福东渡日本的航路可能是从山东半岛出发，穿过渤海口，抵达辽东半岛，再沿朝鲜半岛附近海域抵达对马海峡，经冲绳岛入日本北九州。徐福率领庞大的船队，沿近海岸航行绕道而抵达日本表明，古代中国人近海远航的技术和知识已趋成熟。由于秦朝存在时间较短(15年)，尚未形成具有自身特色的造船工技，因此可以推测出，徐福东渡所乘坐的船只是在战国时期的基础上，加大规模而制成的。

由于出海携带的人、物较多，我们可以想像出一幅几十艘巨大的海船扬起风帆、浩浩荡荡地向东驶去，一路破风斩浪，过险滩、越激流的宏伟画卷。在那个科技尚属低下的年代，先辈们以大无畏的精神与大海作着顽强的斗争，2000多年以后的今天，仍让人感到心潮澎湃，豪情万丈。

徐福东渡日本，竟促成了一代弥生文化的形成，对中日文化交流起到了巨大的影响，这是当时以拓疆扩土为主愿的秦始皇没有想到的。

　　至于紧随徐福之后出海的卢生，恐怕也是出于同样的目的，只是他没有徐福那样聪明，在任务失败之后反而加罪于秦始皇，最后导致了"坑儒"的历史悲剧。

　　徐福东渡的目的是一个流传了 2000 多年的误会，而统一天下的秦始皇又何尝不是被人深深地误会着。那些自以为替天行道的刺客们和原来六国的贵族们，对秦始皇可谓是恨入骨髓。正面战场上他们对秦军的铁骑无能为力，但"敌后战场"上，他们所使用的一个个隐蔽的手段，却让始皇帝措手不及；而更令他没有想到的是，大秦帝国竟然毁在了他最为信任者的手中！

第5章
天朝奏响落日的挽歌

　　完成最终统一大业的秦始皇逐渐走向了历史的反面，年龄的增长让他痴迷于鬼神之说。在迷信的指使下，秦始皇为自己建下的基业奠定了覆亡的隐患。随着沙丘迷案的发生，一系列官廷斗争终于将大秦帝国推向了万劫不复的深渊！原打算让皇位万世永传的秦始皇没有想到，帝国竟然成了他最昂贵的陪葬品！

不散的荆轲魂

统一了六国，统一了政治、文化、经济、军事的秦始皇，却统一不了原来六国臣民的心。统一战争中的铁血政策，让这个帝王在人们的心目中不亚于一个魔鬼。许多人对他恨得牙根痒痒，但秦始皇居住在戒备森严的深宫内院，就算是把牙齿咬碎，也只能和着怨气往肚子里咽。

然而荆轲刺秦王的悲壮给这些六国的忠臣（忠民）们以启迪：我们没有对抗秦朝大军的能力，也没有与秦始皇单挑的机会；那么，就要创造机会，出其不意置秦始皇于死地！荆轲刺秦虽然功亏一篑，但他的在天之灵仍在鼓舞着亡秦之心不死的人继续前仆后继！荆轲刺秦失败被杀之后，又一个人站了出来。手无缚鸡之力的他想尽办法混到了秦始皇的身边，他要为荆轲、为燕国、为被秦军铁骑踏平的六国报仇雪恨！

秦始皇称帝后，六国的领地尽皆并入秦土。虽然战火带来的硝烟味还未散尽，但在大秦的太阳照耀下，原赵国的人民似乎已经忘却了昔日战争所带来的耻辱与伤痛，燕赵大地上，熙熙攘攘的繁华成了这块土地上最好的表象。

巨鹿郡(今河北平乡西南)宋子城(今河北赵县北)内最大、最豪华的酒楼中，洋溢着一派喜庆的气氛。与往日不同的是，今天的酒楼并不对外营业，掌柜的在自己的酒楼内大宴宾客。一时之间觥筹交错，菜碟如流水般端上端下，比平日里热闹了许多。

酒过三巡，菜过五味，做东的掌柜安排了一个助兴节目——击筑。筑是我国古代的一种击弦乐器，形似筝，有13条弦，弦下边有柱。演奏时，左手按弦的一端，右手执竹尺击弦发音。此乐器为先秦时代的古乐器，源于我国南方，其声悲亢、激越，在民间广为流传。建安七子之一的曹植有诗云："弹棋击筑白日晚，纵酒高歌杨柳春。"可见这种乐器在我国古代十分流行，击筑

长沙河西西汉长沙王后渔阳墓出土的筑(复制品)

成为了当时的时尚。因此，凡是附庸风雅之人都要在聚会之时或自己、或邀人演奏，以此来调节聚会气氛，并借此来展示自己的品位。只可惜，这种乐器自宋代以后便失传了。千百年来只见记载，不见实物。但这一失传之物，于1993年忽然在长沙河西西汉长沙王后渔阳墓中发现。文物界称这一发现为新中国40多年以来乐器考古的首次重大发现，学术界称这一筑为"天下第一筑。"

一个年轻的女子怀抱着筑，来到大堂正中，深施一礼后，轻拨筑弦，一曲慷慨激昂的《易水送别》从她的玉手中流出。

酒席之间的喧哗声小了一些，许多对这种流行音乐有兴趣的人不再言语，在音乐声中持杯慢饮，只有一些没有那么高雅兴的人还在那里大呼小叫。

这时，一个酒保突然放下了手中的菜盘，掩面而出，泪水从指缝中滚滚而下。

另一个伙计发现了他的异常举动，也随着出去。问到："你怎么了？"

酒保擦擦眼睛，勉强笑了一下："没什么。"

"没事就好。赶快上菜吧，要不又该被掌柜骂了。快，掌柜的过来了！"

"还不去干活，在这里聊什么？酒都凉了，赶快换酒去！"见竟然有两个伙计在那里聊天，掌柜不由得怒气冲天。

两人也不说话，低头往里走。

在酒保与掌柜一错身之时，他脸上未干的泪痕被发现了："怎么哭了？"

酒保有些尴尬："听到筑声，忍不住想哭。"

"原来你也是知音，竟感动得哭了！" 掌柜很惊讶。

第5章

天朝奏响落日的挽歌

141

"当然熟了！这是名曲《易水送别》，如今已传遍大江南北，不但用来弹筑，而且也改成了琴、笙、鼓、钟等八音奏的大乐曲。只要有井水处，就听得到有人哼唱，乐坊人家要是不会弹此曲，就会被别人认为不是本行。虽然朝廷下令禁止，可是除了秦地本地外，谁也不理这一套。禁者自禁，弹唱者照样弹唱，这就是音乐感人的地方，曲子好，越禁越流行！"

"行啊，没想到我这酒楼里竟然是藏龙卧虎，还有你这样懂筑的高人！你说说看，她击得哪里好？"

酒保听出了掌柜的弦外之音，但他已经憋了好久了。在这个酒楼里，他足足做了八年，每天重复着同样的工作，低三下四地陪尽笑脸，早就受够了。要不是为性命考虑，他才不会受这份委屈。掌柜的话不禁勾起了他对往日纵酒放歌的回忆。斯人已去，存者偷生，不由得心头生出了惭愧之情。

不能再这样下去了！壮士的悲歌已经唱遍了全国，而壮士的鲜血却已被大秦的黄沙掩盖！他下定了决心，今天，就是云破日出的时候！

"总的来说弹得还算不错，有精彩处，但也有弹错处，最主要的，是她把握不住曲悲壮且义无反顾的感情。"

掌柜一脸的惊讶："你不但是知音，而且是大大的行家！你会击筑吗？"

"小人略知一二，只是怕难登大雅之堂。"酒保谦虚地说。

"今天在座的没有外人，你要是击得好，等于给我脸上增光，我有重赏！"

酒保和掌柜一同返回厅堂，从那个女子手中接过筑，试了试音，调整一下琴弦。

一曲乐毕，满座皆惊！掌柜大喜过望，吩咐赐酒，赏钱。

酒保端着酒杯，心中无限感慨：隐藏了这么多年，还是没有欺骗得了自己的心。再这样

秦朝时期的服饰

隐姓埋名、担惊受怕地躲藏下去，终究不是长久之计！

"请容小人更衣来见。"酒保向掌柜说，并在对在座宾客表示了歉意之后，离开了厅堂。

经过沐浴更衣后，酒保显露出他本来的面目：长相清奇，风度翩翩，尤其高挑瘦削的身躯，罩了一袭大袖宽襟的白色长袍，戴着白色高冠，全身散发着飘飘欲仙的美感。让人们无法将他与那个满身油渍、不修边幅的酒保联系起来。

他向在座的宾客及掌柜深施一礼，然后落座，抱起那把珍藏了十年的筑琴，手指浮过，一片苍凉之声响彻整座酒楼。

> 风萧萧兮易水寒，壮士一去兮不复还
> 探虎穴兮入蛟宫，仰天嘘气兮成白虹

此时，酒楼内鸦雀无声，只听到那慷慨激昂的歌声在酒席之间环绕！

此时的酒保已是泪流满面，泣不成声。他已无心再去掩盖什么了，换装之前，他已想到了这么做的后果。

"荆轲，我来了！"他在心底默默地喊着，"我来迟了。英魂若在，等我一等，我们再一起把酒放歌！"

筑声停了好久了，但在场的听众耳边仍旧回荡着那悲壮的琴音。许久，人们才回过神来，只觉得脸上发痒，伸手一摸，才知道不知在什么时候，每个人的脸上都流满了泪水！

酒保站起身，擦去脸上的泪水，用并不响亮、但却直入人心底的声音说道："我是高渐离！"

十年了，他隐姓埋名，在秦始皇的通缉中苟且偷生，甚至甘愿去做一个猪狗不如、任人打骂的下人！今天，他终于可以恢复本来的面目了！

参加宴会的宾客人多嘴杂，而高渐离又像是今天的流行歌手一样名声在外，这时突然现身宋子酒楼，让很多追星族慕名而来。酒楼掌柜将高渐离看作一棵摇钱树，当祖宗一样侍奉着，一切都随他的心意而行事。高渐离也已经想开了，他不再隐瞒自己的身份，整日里在酒楼把酒击筑。他现在唯一的打算，就是要为荆轲报仇！

　　荆轲刺秦的事虽然已经过去了十年，但秦始皇仍旧耿耿于怀。当年的那一幕仍不时在梦里重演，荆轲的阴魂久久不散，总在最放松的时候将他从噩梦中惊醒。如今，荆轲已死，太子丹的人头成为了牺牲，燕国也被大秦的铁骑踏平。按理说，此仇已报，但秦始皇还是不能安心——昔日里荆轲的一群好友尚在，虽然自己发了通缉令，但始终一无所获。谁敢保证荆轲的朋友之中没有肯舍身忘死、替他报仇的侠客呢？明枪易躲，暗箭难防，只有将他们全部斩草除根，秦始皇才能睡个安稳觉。

　　高渐离现身宋子之事不胫而走，很快便传到了秦始皇的耳朵里。

　　秦始皇闻讯大喜，找了这么多年，终于找到了一个仇家，而且他还是一介文人，手无缚鸡之力，对自己根本构不成威胁。这样一来，就可以通过他顺藤摸瓜，把荆轲的余党一网打尽！

　　高渐离早就不准备再躲藏下去了，他对即将到来的一切都做好了准备。所以当秦始皇派来的卫士如狼似虎地站在他面前时，惊讶地发现，高渐离竟然没有一丝恐惧：那张消瘦、清奇的脸上，有的只是看彻红尘的平静，甚至在他的嘴角间，竟隐约露出了一丝笑纹。

　　秦始皇高坐在咸阳宫偏殿的乐室中，静静地等待高渐离的到来。这些日子，他听高渐离的筑声仿佛已经上瘾了，一天不听就好像缺少了点什么。

　　秦始皇暗自庆幸，若是依照自己本来的脾气，当高渐离宁死不招的时候，肯定让人把他推出去一刀咔嚓了。可那天也不知道自己怎么就动了雅兴，想听一听这个几乎被捧上了天的击筑高手到底用什么样的魅力吸引了一大批的听众，甚至自己的臣子中还有他的追星族。结果一曲听罢，始皇帝不禁暗自感叹，果然是天籁之音，于是动了赦免他的念头。但高渐离终究是荆轲的好友，死罪可免，活罪难逃，挖下他一双眼珠，已经是最轻的处罚了。头还在，心还在，手还在，瞎了的高渐离一样可以继续演奏令人神魂颠倒的音乐。

　　高渐离在宫人们的搀扶下走进了乐室，怀抱的筑琴沉甸甸的。他有些不解，这么长时间来，自己一直在适应着这把经过加工的琴的分量，但为什么今天却有举轻若重的感觉呢？究竟是琴重了，还是自己的心变沉了呢？

　　向秦始皇施完礼后，高渐离坐在殿侧，等候着皇上的旨意。

　　秦始皇点点头，示意他可以开始演奏了。突然又想到殿下坐着的这个人已经是什么也看不见了，连忙下了旨意。然后暗自发笑——竟然连这事都忘了。但也幸好挖去了他的双眼，否则他要是也像荆轲一样，来个图穷匕见，自己恐怕就不会有上次那么好的运气了。

一段《鸾凤和鸣》在高渐离的手中缓缓流出，秦始皇在乐声中闭上了眼睛，他仿佛又回到了儿时无忧无虑的年代。

高渐离抚着心爱的琴，这是他最后的希望了。沉甸甸的琴里灌满了铅，这是他费尽心机才弄到手的，然后再摸索着一块块装入琴中，这一切，只为了那最后一击！

琴声越来越小，似呻吟，似梦呓，渐渐地只能听见一丝缥缈虚无的乐声萦绕在乐室之中。

秦始皇睁开了眼睛："怎么回事？这琴声朕怎么听不清了？"

"禀陛下，"高渐离停止了抚琴，"这后面的音律只能用轻声才能听出韵味，如果声音过大，反而失去了它本应具有的美感。"

"原来如此，"秦始皇点点头，"那你就离朕近一些吧。"

宫人将高渐离挽到离秦始皇三丈之外处，但始皇帝还是听不清，又下令再近些，再近些。渐渐地高渐离上了大殿，来到了秦始皇身边。

高渐离挥筑刺始皇

"嗯，这样朕就能听见了，果然别有风味！"

听到秦始皇的声音，高渐离原本平和的表情突然一变，双手由捧改抱，用力将筑向始皇帝砸去。

沉醉之中的秦始皇猛然听见身边风响，急忙向旁一闪。高渐离双目已盲，仅凭声音难以判断出准确的方位，灌满了铅的筑没有击中始皇帝，却将席案后的玉器摆饰砸得满地皆是，筑身碰在墙壁上发出弦断的声响，竟然似一曲悲歌！

两旁侍卫有了荆轲的经

验，不待皇上吩咐，冲上皇殿，制服了高渐离，拖住他的头发，将他按倒俯伏跪在地板上。

秦始皇怒极反笑，叹口气说："狼子野心，怎么对你们好，都不能改变对朕的仇恨吗？这么做，到底为了什么？"话到最后，已经露出了杀机。

"为了荆轲，为了普天下的黎民！"高渐离挣扎着硬将头仰起，毫无惧色，"嬴政，你应该到民间走走，看看天下百姓如今过的是什么日子，不要只是以胜利者的姿态作什么巡狩！"他那紧闭的双眼仿佛射出了两到精光，直刺秦始皇，至高无上的大帝不奈从心底升起一股寒意。

"拉下去砍了！"秦始皇暴怒起来。

一阵狂笑响彻乐室："嬴政，你杀得了我，杀不尽六国的臣民，杀不尽普天下的正义之士！你是人，你不是神，你躲不开生老病死！黄泉路上，我等着你！"

秦始皇跌坐在龙椅上，看着高渐离被武士拖出去，又看着那颗血淋淋的头颅呈现在他的眼前，高渐离最后的话还萦绕在他的耳畔！从此，他终生不再接近和原诸侯有任何关系的人。

高渐离最后的话改变了秦始皇的一生。从此之后，他开始相信神灵，相信长生不老，相信一些术士的鬼话，甚至为了一句谎言，进行了人类有史以来最大的工程！

四字谎言建起万里长城

　　高渐离的诅咒在秦始皇的脑海里久久挥之不去，随后而来的博浪沙袭击未遂更是火上浇油。数次刺杀事件让他深深地感觉到原六国诸侯的残余势力仍是对大秦的一个严重威胁，但即使自己动用各种措施，也无法彻底消除隐患。从眼下形势来看，六国余孽只是惧怕秦始皇一人，如果皇帝健在，那他们也就不敢大张旗鼓地搞什么反秦行动了，只能偷偷摸摸地做一些地下工作，毕竟在他们的认知世界里，为六国报仇才是第一位，至于如何推翻秦朝统治，他们恐怕还不具备那样的实力。这种卑鄙的刺杀行径虽然防不胜防，但只要加强戒备，还是可保性命无虞的，但只要皇帝一死，后果就不堪设想。秦始皇并不想让辛辛苦苦建立起来的大秦帝国为自己殉葬，他认为，只要自己不死，那些亡国之徒也就无可奈何，大秦帝国就可以万世永传！

　　然而，就算他成了千古一帝，也逃不开生老病死的循环。在那个时代，人们若想延长寿命，只有求得不老仙丹这一条路。秦始皇想起了一件传说：西周穆王曾经在巡视国土时到了昆仑山，拜见了西王母，并在那里得到了长生不老药。药效如何后人无从知晓，因为周穆王并非善终。不过秦始皇却坚信药有奇效，因为穆王继位时已经 50 岁了，在位 55 年，也就是说他活了 105 岁。这在古代可以说是极其的长寿了，若不是他死于非常事件，那现在还可以一起饮酒对弈，交流不死的经验呢。还有一个不死之人彭祖，相传彭祖是黄帝的后裔，颛顼帝的重孙，本名篯铿，以其 880 岁的寿命而流芳至今。尧帝将他封到大彭国之后，世人便以"彭祖"而称之。彭祖善于导引气功养生，也善于烹调，故被民间奉为烹饪鼻祖。屈原在《楚辞·天问》里提到："篯铿斟雉，帝何飨？受寿永多，夫何久长？"就是说彭祖做了一碗野鸡汤，将它进献给天帝。天帝喝得挺舒心，便赐给了他长生不老之身。

147

彭祖山彭祖祠

秦始皇想，这两个人和自己比起来根本不值一提，只不过是机缘凑巧罢了。但自己身为帝王，政务繁多，根本不可能跑到在传说中存在、在现实中找不到的昆仑去；更不可能以帝王之尊去做一碗野鸡汤，然后端着汤到处寻找天帝。

好在他手下能人众多，三教九流无所不有，让他们去为自己寻仙，可谓是一举两得。三十二年（前215），秦始皇在第三次巡海时派遣燕人方士卢生出海，让他去那实为海市蜃楼的仙山上为自己寻仙求药，同时也希望得到仙人的指点，以了解他个人和国家的未来。

卢生虽然对航海技术了如指掌，对神仙、仙岛、天堂也讲得头头是道，但任凭他说得天花乱坠，还是离不开一个"钱"字，毕竟那才是他最终的目的。要是一点好处都没有就让他心甘情愿地跳进大海，那只能说明他姓卢的是个二百五。

卢生出海后自然是一无所获，他也没胆量像徐福那样跑到日本去，只是在近海处钓了几个月的鱼便回来复命。

见到秦始皇后，卢生一通胡说八道，将冠冕堂皇的颂扬和安慰的隐辞巧妙的融到了所谓的仙家乱语里。秦始皇听得不过瘾，但卢生也没办法再瞎编了，否则容易漏出破绽，便以天机不可泄漏为由搪塞了过去。

等秦始皇伸手向他要不死药时，卢生傻了眼：这段日子净钓鱼来着，上哪弄不死药去？总不能把钓上来的鱼当不死药给皇上吧，皇上又不是白痴，连鱼和药都分不清。情急之下，卢生想到了自己的老本行——炼丹，便将平

始皇炼丹图

时炼丹的配方当作仙人的不死药配方交给了秦始皇。然后又胡扯一通，让始皇帝信以为真，将"仙丹"配方珍而贵之地交付宫内方士，令他们按方制药。

卢生虽然"完成"了出海的任务，但秦始皇仍旧不安心，对"仙人"交代的那几句模棱两可的话总觉得琢磨不透，便要求卢生再入海求神仙指示，并下了死命令，让他务必带回关于大秦命运的预言。卢生被逼无奈，只得再次出海。

卢生又在海上钓了几天鱼，终于想出了一个主意：皇上不是要命运的预言吗？光说好听的他肯定不信，只能用些危言耸听来吓唬他一下。不过依照当时的常理，秦皇朝已经统一天下，并且掌管了全国的军队，收缴了全国的武器，国内任何势力自然不可能有所威胁了，因此只有另找替罪羊了。

回朝之后，卢生向秦始皇汇报"钓鱼"的结果："仙人让我转告陛下：'亡秦者胡！'"很巧妙地把可能的危机推给北方的异族胡人。

自春秋时代以来，戎人和狄人长期威胁着华夏文明。他们的力量虽然在中原地区不断的打击下逐渐衰竭，但不久北方又有一个游牧民族兴起。这个民族擅长骑射，机动性极强，更收编了戎狄的残余部落，组成了一个北方游牧民族的联合阵线。这便是所谓的胡人，也是日后大汉帝国的宿敌——匈奴。

早从战国初期起，北方的燕、赵两国便常受到胡人的侵扰。由于游牧民族神出鬼没，驻军防守根本没有用，为了不必分出太多兵力影响中原争霸，两国便采用筑城墙防守的方式。到了秦昭襄王时，胡人也多次威胁秦国北方，为了不分散东战线的兵力，秦国也开始沿山建筑防守用的长城墙。

秦帝国统一中国后，胡人也经常内侵，但规模都不大，忙于推动统一政务的秦始皇，自然没有兴趣关注这件事，因此双方大致还能相安无事。

但卢生这句搪塞责任的"亡秦者胡"的鬼话，使得已对自己统治丧失信心及耐心的秦始皇立刻情绪化地想扑灭北方的敌人，他马上派遣大将蒙恬率领30万大军北征匈奴！

蒙恬的北伐军事行动历时两年，第一年攻略了河南地，第二年更"西北斥逐匈奴，自榆中并河以东，属之阴山，以为34县城"。

30万大军在人数上虽有绝对优势，但胡人机动性极高，长征军补给困难，蒙恬不敢打持久战，只好也选择险要的地方修建长城以防守。他一口气完成34个城池，可见防守线拉得相当长。因此秦始皇干脆下令重修赵、秦、燕、

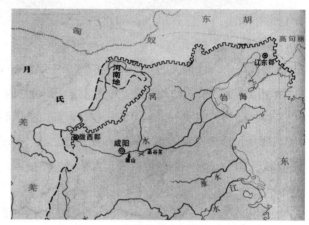

秦长城分布图

魏等国的旧有城墙，将它们完全连在一起，以应付胡人的扰乱战术，这便是所谓的万里长城了。

秦长城西起今甘肃东部，经今甘肃、宁夏、陕西、山西、内蒙古、河北和辽宁等省、自治区、直抵鸭绿江，长达5000多千米，比我们今天所看见的万里长城（明长城）还要长。

蒙恬所筑的秦长城，虽然全系新建，但是很明显，他是在参照战国秦、赵、燕长城建筑的基础上设计的，同时进行了取长补短。例如，他利用山川地形，因其险阻建城筑障。他把长城建于高山之上，尽量利用山脊、峰峦为城，使匈奴骑兵无法越过；尽量利用河流作屏障，尽量把长城建于河流之北，使敌人得不到水源。在丘陵、平原，则筑成高大城墙，或用土石夹筑，或用土夯筑，而把各段长城联结成一条气势雄伟、隔断南北的巨龙，截断匈奴、东胡骑兵进出之路。

除了长城之外，内外制高点还建有烽火台，进行侦察敌情和传递消息，让长城上的驻军做好准备。秦长城的烽火台，较三国长城有了改进，都建于长

城外开阔的山上，而且根据地形，每隔10里、20里、30里就有一座。障城也有改进，在交通路口或谷口，都修建南北两座障城，派军驻守，以加强长城的防御能力。两城都建在长城之南，并与长城紧紧相连，并设有迅速传递消息的通讯网，以便统一指挥和互相支援。

长城的修建虽然有效地抵挡了胡人的内侵，但为了"亡秦者胡"这四个字，秦始皇也付出了重大的代价。据历史文献记载：秦代修长城除动用了30至50万军队外，还征用民夫四五十万人，多时达到150万人。整个秦朝人口只有2000万，除去妇孺老幼，也就只剩800万左右。而且，骊山那边的秦始皇陵也在热火朝天的修建过程之中，所动用的人力也要以数十万计，最多时曾达到72万，咸阳城内的阿房宫更是动用了无数人力来修筑，再除去必不可少的军队人数，那全国剩下的青壮年劳动力恐怕不足百万了。这样的形势无疑会使得人民怨声载道，秦始皇的统治威望进一步跌落！

从另一个角度看，长城的修建也意味着大秦帝国开始走向了衰落。秦国传统的"企业文化"本是勇猛而积极的，从建国始祖的秦仲、庄公、武公时，便常以极少的兵力和戎人周旋到底，并不断采取主动突击的战术，这也才是嬴氏一族的立国精神。但统一后的内外不利局势，使秦国的作战力软化了，他

现存的临洮秦代长城

们无法面对机动式的战法，只好修筑静态的防御城墙，充分显示秦国传统文化的衰退。表面上长城固然可以防止敌人的随时入侵，但也限制了自己的北上发展。秦始皇修筑长城虽然也有他不得已的苦衷，但他对胡人的过度恐惧以及对自己作战能力的丧失信心，都象征着秦国赖以统一中国的活泼文化，已经荡然无存了。

为了卢生的一句鬼话，秦始皇一口气动用30万大军北征，并以70余万的劳力来修筑长城，虽然此举为后世中国留下了令普天下炎黄子孙所为之骄傲和自豪的伟大建筑和中华文明的瑰宝，但对于秦帝国的统治来说，却无异于自掘坟墓！

这一点，秦始皇并没有认识到。因为他不仅要为"亡秦者胡"四字警语忧心忡忡，更要为在国内的统治力而大动肝火。此时的嬴政，就像是一个神经兮兮的人，无论看见什么，听到什么，都觉得是要对他大秦不利。于是，中国历史上第一场文化大清洗运动拉开了黑幕，中华文明也从而遭受了有史以来的第一次重大打击！

中华文明的悲剧

万里长城虽然耗费了大量的人力物力，但在抵御胡人入侵方面还是起到了积极的作用，只是秦始皇没有搞好福利制度，让人民心甘情愿地去完成这一世界建筑史上最宏伟的工程，才留下了不可弥补的遗憾。

来自国外的危机虽然通过长城的修建而解决了，但国内的问题却不是动用人力财力就可以解决得了的。秦王朝虽已统一多年，但旧王国的贵族们还大量存在，拥有大批奴隶的大商人还大量存在，代表这些旧势力的儒生也大量存在。而且，自战国时代开始的百家争鸣学术论潮余波未减，其中很有可能会出现借此推翻秦王朝统治的理论基础。对此，秦始皇很是担忧，但防民之口，甚于防川，他一时也想不出什么好办法。而作为法家代表人物的李斯，却为了自己的私利，向秦始皇提出了一个一劳永逸的建议。

"法家流"的李斯，师学自"性恶论"的荀子，思考模式上倾向理性推论，对于来自东方的儒学，一向便有"道不同不相为谋"的排斥心理。然而他的顶头上司秦始皇却对齐、鲁两地儒士及方士的特别照顾。或许有血脉相传的亲切感，本土派部落领袖对来自祖先所在地的东方学说也特别感兴趣，尤其受邹衍"阴阳五行说"的影响，很多儒生都成了方士。再加上秦始皇着迷于刻石、封禅及求仙等行为，更使李斯对自己的地位和权力有着高处不胜寒的忧虑，这些阿谀迎合的儒生和方士，无疑是他最具威胁性的敌人。为了自己的地位考虑，李斯决定利用自己在秦始皇身上的影响力，对这些"歪门邪说"痛下杀手。现在，他只需要等待一个机会，一个足以让他实施行动的借口。

秦始皇三十四年（前213），由于经济及文化统一政策推动的困难，引发了的不少政治危机。为压制各地方反抗情绪，秦始皇不断展开长途的天下巡幸。但由于他自己经常不在皇宫指挥大局，也使朝廷的行政效率大降。与此

秦代儒生

同时又有北征匈奴、南伐百越、修筑长城、海外求仙等活动，加上修驰道、建宫殿和骊山陵工程，到处都在把钱当水用，使得刚从数百年战乱中稳定下来的秦帝国，难免要国库空虚、民穷财尽了。那些自认清高的儒生对此很是不满，也想找个机会向秦始皇反映一下来自民间的呼声。

为庆祝对匈奴和百越的军事胜利，秦始皇在咸阳皇城大摆酒宴，特别邀请齐鲁一带儒学博士70余人共宴。

这天晚上，秦始皇意外地不谈国事，只是频频赐酒。

酒酣耳热之时，善于拍马屁的主流派的外籍政团主将——官任仆射的周青臣乘机歌功颂德一番："昔日秦国疆域不过千里，全赖陛下神灵明圣，所以才能平定海内，放逐蛮夷。如今普天之下，凡是日月光辉照得到的地方，无不诚心悦服。而且陛下创先所未有的制度，以诸侯封地为郡县，今后得永享太平，无战争的祸患，黔首人人安乐，万世无忧。自古以来，没有任何君王能比得上陛下的威德。"

秦始皇虽明知这不过是一堆废话，但相对于困难重重的政局来说，这些表面上的成就也稍堪安慰了。对周青臣的马屁经，只是微微一笑，不置可否。

博士齐人淳于越看不下去了，起身说道："殷周所以能享国长久，相加起来有1500余年之多，原因是在能广封子弟功臣作为辅助，正如同大树的根一样，向各方向蔓延，占地广阔，树自不容易为风吹倒，也经得起干旱。今陛下拥有海内，而子弟全为匹夫，没有尺土之封，如果权臣中有人心生异志，外有何人能救？"

这句话很明显是冲着李斯来的，而秦始皇一直崇信李斯，听完此话，脸色沉了下来，但淳于越装着看不见，继续说下去："古来制度都是经过长期的

154

考验，能流传下来一定有它的好处。所以有古人说，利不十倍就不要改制，未经过实验的制度骤然实施，乃是件很危险的事。现在青臣不但不劝谏，反而当面歌功颂德说阿谀话，他不能算是个忠臣！"

周青臣气得满脸通红，正想站起来反驳，秦始皇摆摆手，制止住他。

始皇帝紧盯着淳于越看了很久，心里想："废封地，建郡县，制度已行了将近十年，今天你这老家伙还在这里旧事重提，而且态度如此恶劣，简直是在破坏气氛！"

他本想斥责淳于越，但转念一想，他也是为了自己好，才肯这样直言，不应该怪他。看样子这项制度还是有很多人内心不服，尤其是这些书呆子。不如趁现在大家都在，痛快彻底地讨论一下。

"好吧，"秦始皇在脸上堆起了微笑："相信很多人对这种新制度不太赞成，今晚我们彻底讨论一下。"

被淳于越不点名骂了一顿的左丞相李斯早就忍不住了，率先站起来发言："五帝都各有各的制度和行事法则，夏、商、周也各有各的治国要领，并非代代相袭一成不变。这并不是一定有意和前代唱反调，而是因为时代环境变了，制度和治国法则就不能不跟着变。现在陛下乃是创万世以来空前的伟业，要世世代代传之无穷，岂是你们这些食古不化的儒生所能懂得？刚才淳博士说的是三代故事，那三代又能算得了什么？指挥的兵力不过万乘，控制的范围不过千里，怎么能来和陛下比？"

李斯这番话算是捅了马蜂窝，淳于越带领着70位博士纷纷还击，他们之中至少有20位发言，全都是引经据典，侃侃而论； 李斯那边也有党羽助拳。双方你来我往，唾沫飞溅，最后变成了儒家和法家的思想大战，而且双方的措辞都充满了辛辣刺激。

好一场唇枪舌剑！

秦始皇听得津津有味，但始终不参与到其中去。

不知不觉已过夜半，双方的辩论还没有吵出结果。

这些儒生平日里只知道皓首穷经，著书立说，对说话没什么研究。大部分书呆子都是一根直肠子，尤其是齐鲁两地来的博士，更是豪爽得可以，只要他们认为是真理，不经过大脑的思考就脱口而出。他们本以为自己是在攻击李斯等人订立的政策和制度，却不知句句都伤到秦始皇自认是超过三皇五

帝的得意创举。

越往后听秦始皇越不耐烦，心里一直在想："朕花了这么多经费养你们，给你们这样尊贵的客卿地位，原来你们整天研究的就是如何反对朕的新构想，真是一群食古不化的愚儒！"

天色将明，始皇帝打了个呵欠："辩论到此为止，李丞相将这次议论写作对策奏朕。"

意犹未尽的儒生们还想再说些什么，但秦始皇已经离朝而去，也只好揣着满肚子的牢骚回去睡觉。他们没有看见，转身而去的李斯，在嘴角上露出了一丝冷笑！

没过几日，李斯拟好了一封对策上奏秦始皇，内容大致是：昔日诸侯相争，各有其国，争相招贤纳士，所以养成了私人教学和游学的风气。现在天下已经统一，法令从一而出，民应当努力从事农工，士应该学习法令制度和各种刑法。但现在这些儒生所教出来的士人，不学习对当下有用的实际学问，整天只知道钻研古书，乱发议论，妖言惑众，致使黎民百姓对陛下所创的法令制度起了疑心。其为害之大，不是任何罪行可以比拟的。同时，这些人只要说到有新法令颁布，就用他们所学的那套旧经典——驳斥，不但个人在内心不服，而且出外就群聚非议，以批评陛下来成名，以唱反调为高明，哗众取宠，成群结党来专门制造谣言诽谤政府。这种情形要是不迅速设法禁止，就会造成百姓不再信服政府任何行政措施的危机，必须要禁！

接下去李斯在对策上提出禁止的具体办法：凡是非秦国历史的所有史书全予以焚毁，不是掌管图书的官方博士类人员，任何人不得私藏诗书及诸子百家的书，这项命令交由郡守、郡尉等地方官执行查禁，搜出的书简全部加以焚毁。另外，凡是有两人以上集合讨论诗书的，论斩弃市，以古制来批评责难现今制度的灭族，官吏知情不报者同罪。接到焚书令30天内不执行的，无论官吏百姓，一律判劳役四年，谪配北边筑长城。实用学问的书简，如医药、卜筮、园艺等例外，有人想学习政治、刑名法令之学，可由官方办理的学校教授。

李斯在这封对策里面痛陈以古非今的错误，并报告天下各地都出现了这种乱象，尤其以齐鲁两地最为严重。

春秋时期，鲁人孔丘孔老二创建了儒家学说，开始私人办学，三千弟子，七十二贤人，三教九流，无所不有，使得儒家思想深入齐鲁大地的各个阶层，讨论政治不再是士大夫和贵族的专利。再加上孔丘孙子子思的门人孟轲，早些年来游说各国，大事宣扬"民为重，社稷次之，君为轻"的以民为本的理念，深得民心，令齐鲁百姓无不敬仰。

其次，齐鲁大地因为齐国的鸵鸟政策而多年没有在本土上发生战争，和平的环境使得民间富裕，百姓有闲暇和余力来讨论理念和政治，士大夫学术结社品头论足，市井贩夫走卒谈论行政得失，批评官员私德。久而久之，讨论国家大事在民间形成了风气。再加上齐法宽松，历代齐王和宰相都采用无为而治的政策。一旦将严酷的秦法加在头上，执法官员莫不以苛察为名，借执行法令之便，勒索贿赂，讨要好处，给人的感觉就是一群喂不饱的饿狼，让百姓无不恨到心底，更觉得还是古制比今制好多了。

李斯当然不会坦言正是中央政府派出的官员的种种劣迹使得新法不得人心，而是将齐鲁不安的情形全归诸古书以及那些钻研、教授古籍的儒生。

李斯最后的警语是：再不查禁古籍，再不禁止儒生私人办学和结社，很快中央集权的新制度就会遭到质疑和挑战，尤其是孟轲"民为重"的鬼话，更直接动摇皇帝的统治权威。

李斯的奏议正说到了秦始皇的痛处，始皇帝当即颁布圣旨，依李斯的奏议，全国焚书！

从辽东到南海，自东海至临洮，只要是大秦统治权能及的地方，只要是中原文化所流到的处所，这30天内，大地上不分昼夜地升起了青烟。

在炫目的火光下，几千年来先圣、先贤的智慧结晶，无数工匠巧艺体力的付出，全化成飞烟灰烬！

焚书的青烟更为秦朝的天空笼上了一层黑幕：清廉的官吏含着眼泪忍着心痛执行命令，贪官污吏们则正好借此机会大发焚书财。收贿赂可以睁只眼闭只眼，没钱送，目不识丁的人家也可以整个翻过来。更恐怖的是各级政府厉行检举及连坐措施，检举者有重赏，知情不报者同罪。于是邻居检举邻居，同事告发同事已不算稀奇，父亲举发儿子，儿子举发父亲，兄弟互相告发的情形也不能算作新闻了。

大秦帝国，笼罩在一片恐怖之中！

竹帛烟销帝业虚，关河空锁祖龙居。

坑灰未冷山东乱，刘项原来不读书。

　　唐代诗人章碣的一首《焚书坑》，写出了秦朝焚书实为统治力急剧下降的证明。商鞅变法之后的秦国政策，是以中央集权来集结各种力量，使秦国国力迅速增强，进而统一天下。但统一后的秦皇室却因幅员过大，环境太复杂，丧失了执行政策的掌握力，进而造成统治上的无效和混乱。但是作为当事者的秦始皇和李斯，虽感到问题的压力，却看不到问题的核心。以焚书政策来做思想的统一，已充分显示出秦国当权者已经无力对当时的环境作出有效的反应，根本看不到自己的问题，秦帝国崩溃的危机已到了不可挽救的地步。

　　然而，秦始皇对这种危机一无所知。焚书之后，无书可看，无事可干的儒生谩骂成一片。当这些地下的言论传到了秦始皇的耳朵中后，嬴政拍案而起，怒火冲天，一次比焚书更令人发指的行动，彻底将大秦帝国拖入了泥沼！

儒家思想的黑夜

秦始皇的焚书之举激起了普天下儒生的强烈不满，但在朝廷的高压之下，没有儒生敢以身试法，直接面陈反对意见。淳于越原想让秦始皇放弃过于严厉的法治而以封建制度来解决各地区问题，特别是组织结构一向复杂的齐地，没想到却换来了如此严重的后果。如果再有不识相者说三道四，那结果可不敢想像。

但话不吐不快，"书呆子"们虽不敢公开谩骂，背地里却在一泄愤懑。然而他们没想到的是，这种地下活动反而使批评力量传播得更快！秦始皇在民间的耳目众多，这些流言蜚语很快便传到了始皇帝的耳朵中。秦始皇和儒生的关系，也因此而迅速恶化。

秦朝钱币

焚书的第二年，为突显秦始皇在皇室中的地位，决定为正在修建过程中的阿房宫加建"始皇登天台"。由于此事与宗教有关，始皇便再度要求已经不用去钓鱼的卢生为其工作，主持修建登天台。

之前卢生曾被秦始皇派去求取不老丹，但他却将自己炼丹的配方谎称是不老药的配方交给了秦始皇。秦始皇按方炼丹并服用之后，根本看不出有什么长生不老的迹象，白胡子还是一天比一天多，由此对该配方的真实性产生了怀疑。幸好卢生用三寸不烂之舌保住了小命，但秦始皇对他的不满也日益加深了。

这次在阿房宫修建登天台，其用意不外乎秦始皇想站在台上接见前来访问的仙人，而卢生的任务，则是以一个外交官的身份去邀请仙人下凡。这对卢生来说，可是个难上加难的任务：出海寻仙，没有外人跟着，可以随心所欲地去钓鱼，去游玩，就当作公费旅游了；这回始皇帝要亲眼目睹仙人的真容，卢生傻了眼，到哪找仙人去？就算找来一些仙风道骨的人，也不可能让他们跟普通人一样爬着楼梯上台吧？真正的仙人可是会飞的，任卢生再能说会道，也不能把人给吹上天吧。

卢生琢磨了好久，终于想出一个好主意，他先给秦始皇打上预防针，等事情发展到最后，自己也好借着这根救稻草捡回小命。

经过七八年的密切相处，卢生已经能相当准确地掌握秦始皇的心理，对一向缺乏安全感又好疑的皇帝来说，最害怕的便是别人窥视他私底下的言行，于是卢生便抓住这点来借题发挥："臣等为陛下求取灵芝仙药但总是空手而回，是因为有什么东西伤害了仙人，所以他们不愿给。我认为，陛下要经常秘密出行才能驱逐恶鬼，恶鬼避开了，神仙真人才会到来。陛下住的地方如果让臣子们知道了，就会妨害到仙人。真人是入水不湿，入火不伤的，并且能够乘驾云气四处遨游，寿命和天地共久长。现在陛下治理天下，还没能做到清静恬淡。因此，希望皇上日常所居及言行切勿随便为人所知，然后不死的仙药才能顺利获得。"

卢生这些话，秦始皇不见得相信，但正好让他有足够理由来刻意掩饰其私下的言行，同时也可以避开刺客的暗杀。因此对他的这些胡话表示了赞同，并说："朕极其仰慕你所说的那些真人，从此之后，

秦朝玉马车

160

朕自称'真人'，其他人也只能以此来称呼本真人！"

接着，秦始皇按照卢生的说法，命令咸阳四边200里内的270座宫观都用天桥、甬道相互连接起来；把帷帐、钟鼓和美人都安置在其中，全部按照所登记的位置不得移动；他所到的地方，如有人说出去，就马上拉出去砍头！

秦始皇以为，死命令一下，再无人敢犯龙颜了。但令他没想到的是，没过几天，这道杀人旨意真就付诸实施了。

有天秦始皇在新建成的梁山宫山上看到山下经过的李斯的车骑阵容庞大，心中十分不满，便发了几句牢骚。侍从人员便将此事告诉李斯，李斯立刻减少跟随车骑。想不到秦始皇知道这件事后勃然大怒：这说明有人泄露了他私下里的言行，便将当时在场的太监及侍从人员全部处死。虽然这件事所牵连的大多是宫内的奴才们而已，但所有的重臣和近臣都因而大感不安，再也不敢过分地亲近秦始皇了。

最感到害怕的，却是始作俑者的卢生，他和始皇间秘密的事情最多，万一哪天天机泄露，那脑袋肯定就得换个地方安家落户了。因此他和诸儒生商量道："皇上天性刚愎自用，并吞诸侯取得天下后，更是意得欲从，自以为功业冠古今。他重用狱吏及执法人员，虽有博士70人，也只不过是留着备用罢了。丞相等大臣也仅有接受命令、执行命令的权力，一切以皇命为主。皇上还喜欢以刑杀为威，天下人因为害怕犯罪，更想保持禄位，根本不敢真正尽忠。他从未听过批评，所以日益骄傲，下面的人只好以欺瞒掩饰来取得皇上欢心。秦法规定，一个方士不能兼有两种方术，如果方术不能应验，就要处死。然而占侯星象云气以测吉凶的人多达300，都是正直之士，却因为害怕获罪，就得避讳奉承，不敢直接了当地说出皇上的过错。天下事大小均取决于皇上，他每天处理公事要以石（120公斤）计算，日夜不得休息，贪图权势如此，是不可能帮助他求得仙药的。我已经尽了人力，不能再伺候他了！"

这虽仅是卢生逃避责任的借口，但从这里也可以看出，到了晚年的秦始皇，由于受卢生等方士的影响，变得非常孤独；再加上工作量庞大，日夜不得休息，更使他成了紧张兮兮的神经病。在这样的精神状态下，会做出怎么样的事情，已经很难预料了。

卢生这段话，自然很快在儒生及方士间传开，很多人更表示，连最亲密的战友卢生都跑了，始皇帝的确已到众叛亲离的地步了。

得知卢生在骂了自己一顿便逃跑之后，秦始皇勃然大怒："前些日子本真人下令搜集诸子百家书籍，不中用的全烧毁，又召集如此多的文学方术之士到此，主要想让天下能兴盛太平！本真人是何等地礼遇卢生他们，现在却这样诽谤本真人，到处说本真人的坏话！"他马上下旨，"立刻去追查咸阳城内的儒生，哪个和卢生有来往，还有那些口出狂言、扰乱民生的，无论是何方神圣，都马上查办。"

秦始皇派遣御史审问在咸阳的各个儒生。这些手无缚鸡之力，又胆小如鼠的儒生在恐惧之下，相互告密，总共牵引出460余位和卢生有关系的党徒。秦始皇下令，全部活埋坑杀！这便是历史上最有名的惨剧——坑儒事件。

由于秦始皇这时已处在相当不正常的情绪下，因此没

陕西秦"坑儒谷"遗址

有人敢表示任何意见。只有始皇的长子扶苏，基于人道主义立场，向始皇规劝道："天下初定，远方百姓的向心力尚且不够；诸生都是口诵孔子的门徒，真人降以重罪，恐怕会使齐、楚间的百姓更为不安呢！希望真人明察。"

尚在暴怒中的秦始皇自然无法接受扶苏不断地进谏：什么时候老子轮到被儿子教训了？等我死了之后你再来掺和吧！为了避免在眼前看了生气，他下令扶苏到边疆去监督蒙恬的北征军团。

秦始皇是使用如此简单、残暴的举动，而且毁灭了许多珍贵的文化典籍，令许多后代史家对先秦历史无处可查，情急之下破口大骂，令嬴政本人在史籍中声名狼藉。而且此举对当时的政治环境也造成了恶劣的影响，"坑灰未冷山东乱，刘项原来不读书"，章碣的诗正是对焚书坑儒事件最好的诠释。

儒家思想自孔子首创以来，至此跌入了低谷。黑夜直到汉武帝时董仲舒"罢黜百家，独尊儒术"后才渐渐散去。而那时，已经距焚书坑儒事件有74年了。

在司马迁的《史记》中，坑儒悲剧在此告一段落了，但在东汉卫宏的《诏

定古文尚书序》中，秦始皇继咸阳坑儒460多人之后，再次坑儒700余人于骊山！

> （秦始皇）患若天下不从所更改法，而诸生到者拜为郎，前后七百人。乃密令冬种瓜于骊山坑谷中温处。瓜实成，诏博士诸生说之，人人不同。乃命就视之，为伏机。诸生贤儒皆至焉，方相难不决，因发机，从上填之以土，皆压，终乃无声。

这段历史是真是假，至今仍无定论，但也可以试着分析一下。

如果这场悲剧是真实的，那么司马迁不可能不记载于《史记》之中。司马老爷子本来就对坑儒事件极度反感，这次秦始皇竟然坑杀了700余人，数目远超过第一次的460人；而且还是用卑鄙的欺骗手段，这对一直对秦始皇带有偏见（写他是私生子）的司马迁来说，是一个更大的罪证，如不大写特写，怎么能对得起自己的笔刀呢？如果说他并不知道此事，所以没有写进去，那东汉的卫宏又是从何得知的呢？要知道，司马迁生活的年代距秦朝并不遥远，而东汉却和秦朝差了二百五六十年之久。

因此，可以初步认定，这段记载并不是历史事实，而是出于当时政治的统治需要杜撰罢了。

坑儒事件的事实至此似乎已经无可非议了，但近年来又有一些专家提出了不同的观点：秦始皇到底坑没坑儒？

有学者提出，秦始皇"焚书"有之，"坑儒"则无，所谓"坑儒"实是"坑方士"之讹。当时秦始皇主要针对方术之士大开杀戒，儒生被坑杀者虽有，但为数不多。从历史上看，儒家在秦朝的地位，比以往大有提高，秦始皇的"坑方士"行动，对秦代儒生的社会政治地位，并未造成大的影响。因此，当时以至汉初的儒家学者，对这一事件不甚介意，极少有言及者，直至西汉中期才为人们注意，称之为"坑杀术士"。

西汉始元六年（前81），才有桑弘羊最先提出秦始皇"坑儒"这一说法，这时距秦始皇崩逝已有100多年了，而且尚是"罢黜百家，独尊儒术"炒得最热闹的时候。此后，历代儒家学者为了弘扬孔孟仁义之说，都把"焚书坑儒"作为反面教材，进行抨击。即便如此，儒学家中仍不乏持保留态度者。如

唐代韩愈、北宋司马光，对"坑儒"之说采取回避态度，而称"坑杀学士"，或谓"屠术士"。可见，秦始皇的"坑儒"并不是一桩"铁案"，事情的真相到底如何，还有待进一步的考证。当真相大白的那天，我们也许会发现：秦始皇白白地担当了中国学术史上的罪人，承受了2000多年的唾骂。

无论事情的真相到底如何，秦始皇这种简单粗暴的执政措施都让秦朝的统治力进一步下降，他在百姓心目中的暴君形象也进一步深化，最终达到了一个不可收拾的地步：一个个关于大秦帝国即将灭亡的诅咒，像阴魂一样在秦始皇的身边挥之不去，甚至躲无可躲！

埋葬帝国的沙丘平台

　　焚书坑儒之后的秦始皇在人民心里已经是一个十足的暴君，人们莫不希望他赶快一命归西。但刺杀行动在多次失败之后已经让秦始皇万分戒备，故技重施也只能是徒劳无功，反而会激得秦始皇再次大开杀戒。但他们又不甘心就这样成为鱼肉。既然行动不能威胁到你，那么就从心理上摧毁你的防线。你秦始皇不是怕死吗？那我们就偏诅咒你死。灵不灵是次要的，就像是癞蛤蟆上脚面，咬不死你也要恶心死你。

　　秦始皇三十六年（前211），天现异像：火星侵入心宿（心宿二，天蝎座的主星，全天第十五亮星，红色。中国古代又称大火，属东方苍龙七宿的心宿，用来确定季节。传说中国在4000多年前颛顼时，就设立了火正的官职专门负责观测这颗星。因此它在星相学中被看作是皇帝的象征），这种天象象征着帝王有灾。秦始皇因此而变得忧心忡忡。现代人都知道，这不过是天体的运行规律而已每隔一段时间就会出现，跟上天示警根本扯不上。但在那个科技水平极其低下的时代，天人合一的说法占据了主导地位，人们更愿意相信这是上天的预警，更何况已经对鬼神之事深信不疑的秦始皇了呢？

　　火星侵入心宿之事尚未过去多久，就有一块硕大的陨石从天上掉到东郡（治今河南濮阳西南）地区，也不知道是谁，偷偷地在这块陨石上刻上了"始皇帝死而地分"几个字。这明摆着是在诅咒秦始皇离死不远，而且死后统一的帝国将分崩离析。对这种事极为忌讳的秦始皇听说后怒火冲天，令御史前去挨家查问，搜出来刻字者马上宰掉。事关生死，况且还有连坐制度，一人犯罪，连街坊邻居都要遭池鱼之殃，所以不管御史如何盘查，就是找不出蛛丝马迹。秦始皇怒不可遏，下令将居住在陨石附近的人全部处死，并将陨石销毁！

真实的陨石

这件令人极不愉快的事发生后，秦始皇吃不好、睡不香，一天无精打采的，就想着那句恶毒的话，更惦记着那个缺了八辈子德的刻字混蛋究竟死没死在那场大屠杀之中。他倒是不怕多死几个无辜的人，就怕该死的没死，日后又说不定在哪块石头上刻上乱七八糟的东西来吓唬自己。

见皇上抑郁了，宫里那帮以伺候皇上、哄皇上高兴为主业的太监们高兴了——这回他们又有机会立功了。经过一番策划，他们找到一个侥幸逃脱坑杀的儒生，让他写了一篇《仙真人诗》（该诗著录于《汉书·艺文志》，但失传已久），进献给秦始皇。已经自诩为真人的秦始皇看到这篇拍马屁的巅峰之作后非常高兴，命乐师为其谱曲，日后再巡游时，每到一处便让一群歌手弹奏演唱。

但一首《仙真人诗》即使唱得耳朵都生出了茧子也不能换来秦始皇在人民心目中的尊贵地位。既然刻石头不行，那就借用鬼神的名义来诅咒秦始皇。你始皇帝本事再大，也不敢、更不能对鬼神怎么样吧！

同年秋天，秦朝使者从关东（今辽宁一带。秦时关东并不是指今天的东北三省，这一说法是在明代出现的。明代的关特指山海关）返回，夜行华阴平舒道时，遇见一个自称是沧海君的人，手持被秦始皇丢在洞庭湖中的传国玉玺。将玉玺交给使者之后，他又说了一句话："今年祖龙死！"说完就不见了。

使者将玉玺交还给秦始皇后，自然也将此言原原本本地转告了皇上。秦始皇沉默了好一会，方才说道："山里鬼怪本来不过只能预知一年的事罢了。"当时已是秋季，也就是说今年的日子已不多，这话未必能应验。

但对鬼神深信不疑的秦始皇虽然嘴说不信，但心里还是有些忌讳，始终

166

无法从中解脱来。身边最受宠的宦官赵高最会察言观色，对此解释道："'祖龙'是指人类祖先。那个叫沧海君的意思是说人类的祖先活不过今年罢了。"

这是一句非常明显的谎言！虽然那个时代达尔文还没有出世，谁也不知道人的祖先是猴子，但在当时的中国人眼中，人的始祖是女娲，这种说法在战国时期非常流行。赵高这么解释，不就是在说今年女娲死吗？且不说女娲是神，没有死的可能，就算她也只不过是个普通人，那8000多年前出生的她也不可能活到现在才死。秦始皇对赵高的这种解释并不相信，但好歹也能得到心理上的一些慰藉，也就不再多说什么了。

而赵高也对自己说的话明显不信，安慰完秦始皇之后，他私下里对太子胡亥（秦朝太子原为长子扶苏，焚书坑儒事件之后，扶苏被废黜，次子胡亥被立为储君，赵高也想学学吕不韦那"奇货可居"的伎俩）说："'祖龙'是指皇上。神鬼有信，看来皇上活不过今年了！太子要做好准备！"

京剧中的赵高脸谱

"做什么准备？父皇的陵寝不是即将竣工了吗？"弱智的胡亥根本不明白赵高说的是什么意思。

赵高故作神秘地一笑："一切全由老奴安排，太子只需按老奴的意思行事。"

心情不佳的秦始皇很长时间都打不起精神来，在赵高的安排下，他卜了一卦，得到的卦象是出门巡游大吉大利。秦始皇也想出去散散心，就让赵高准备出巡事宜。

那时的皇上出巡不像现在这么简单。我们今天要想出门旅行，只需把目的地定好了，然后买张飞机票或火车票就可以动身了。而秦始皇要想出巡，必须事先计划好出游路线、规模，甚至在某地做某事都要有一个周详的安排；然后还要派使者沿着出巡路线先行一步，在勘查该路线安全性是否符合要求的同时，还要通知当地官员："近期，有可能是今年或明年，也可能是后年，皇帝要来你这视察。该怎么做自己明白。把那些不太老实的家伙都给我看好了，别出来找不愉快！"忙完这些之后，使者再跑回去复命。负责皇帝出巡事宜的大小官员们便开始制定具体的计划，安排出巡时间。

皇帝的出巡时间问题可是大有讲究的。作为负责人，必须要事先计划好到某地要在哪个时间，比如说皇上要巡海，就不可能让他在冬季到达海边——要是把皇帝冻坏了，那自己的脑袋也就别想要了。而且，还要事先对国家的局势有个预测，否则当皇上不在家时，国家却发生了动乱，或出现了宫廷叛变，那可就不好办了！

因此，秦始皇有随时心血来潮、想要出行的权利，但什么时候实现这个愿望就是另一码事了。

当年十月癸丑日，始皇外出巡游。左丞相李斯奉命跟随，右丞相冯去疾留守京城。在赵高的示意下，胡亥也向秦始皇表达了想一同去巡游的愿望。秦始皇琢磨了半天。他知道这个儿子没什么理国的本事，让他留守只能给冯去疾添乱，说不定还会趁自己不在家，在后宫闹出点什么丑事；让他跟着也能长长见识，免得日后成为废物一个。

这是秦始皇第五次出巡，同第四次一样，他还是选择了巡海。他巡视了九嶷、会稽山、琅玡港、成山港、芝罘港等地。

巡视之后，秦始皇踏上了归途。时值五月，中原地区天气炎热，年已51岁的秦始皇病倒在平原津（今河北盐山县南）。

重病后的秦始皇对"死"这个字分外反感，不管是谁，只要在他面前说出这个字或带有这个字意思的言语，都会激得他暴跳如雷，就连胡亥、赵高、李斯都被他臭骂了一顿。先时还好说，骂两句就完事了，随着病情逐渐加重，秦始皇也越来越忌讳，再有侍卫不小心说走了嘴，就直接拉出去砍头！以后侍卫也学乖了，在他面前，能不说话就不说话，闷声保命最重要。

秦始皇也心知自己命不久长，开始为身后事做准备了。在他心里，自己的儿子之中，能够撑起大秦天空的只有扶苏而已；至于胡亥，脓包一个，根本没什么治国的能力。于是他修书一封，告诉扶苏，你爹我已经见你爷爷去了，你麻溜地回咸阳去，把老子的丧事办了，边疆那里就让蒙恬自己拾掇吧。言外之意就是让扶苏回朝继位。

秦始皇教导太子扶苏治国之道

信写好后，秦始皇将之密封起来，盖上御印，存放在中东府令赵高兼掌印玺事务的办公处，赵高私自将诏书扣下，没有立即交给使者送过去。

出巡车队行至沙丘平台(今河北广宗西北)时，已是七月时光，秦始皇陷入了弥留阶段。

在赵高的主使下，随行的普通官员已经很难见到秦始皇一面，有什么需要启奏的，都要交给赵高，由他转告始皇帝。

秦始皇三十七年（前210）七月丙寅日，秦始皇驾崩在沙丘平台，享年51岁。曾经那横扫六国、统一天下的千古大帝，在远离国都的沙丘平台走完了他传奇的一生。

左丞相李斯怕秦始皇死讯传出将会使得皇子们和各地乘机制造变故导致天下大乱，于是秘不发丧，造出始皇帝尚在的假象：秦始皇的棺材放置在既密闭又能通风的辒凉车中，让信得过的宦官做陪乘，每走到适当的地方，就献上饭食，百官像平常一样向皇上奏事，只不过在辒凉车中降诏批签的已经不是秦始皇，而是一些宦官了。秦始皇死后的保密工作做得很好，只有胡亥、赵高和五六个曾受宠幸的宦官方才知道秦始皇已经驾鹤西游了，其他人都还蒙在鼓里。

宦官赵高曾见始皇遗诏，知其欲立扶苏为帝，而自己却与胡亥相交深厚，便想篡改遗诏，立胡亥为帝。胡亥那头好说，早就对皇位产生了野心，赵高也没多废话，就说服了胡亥。关键是李斯，这个人手握重权，他不点头，谁也不敢轻举妄动。于是赵高找了个机会密见李斯。

赵高低声对李斯说："现在陛下已经龙驭上宾，印玺都在胡亥那里，写给扶苏的信也在我手里，还没有发出去，你看谁即位更好一些呢？"

李斯勃然变色道："这难道是你该说的话吗？谁做皇上先皇早有安排，你

这样不守人臣之礼，岂不是要亡国吗?"

赵高知道李斯是个贪恋权位的人，把官位看得比命都重要，要想说服他，只有从官位上下手，于是问道:"丞相想一想，在才能、功绩、谋略、有惠于百姓及与扶苏的关系这五个方面，您哪一方面能高过蒙恬呢?"

李斯愕然，只得据实回答说:"我哪一样都赶不上他!"

"那好，既然您知道赶不上蒙恬，扶苏一旦当了皇帝，您的丞相位置还保得住吗?"

李斯默然不语。

见李斯已经心动，赵高就继续说:"大公子扶苏刚毅果断，威望很高。他一旦即位，势必任用蒙恬为丞相。就我所知，秦朝的官吏凡免官的只有一个结果，那就是被找个借口杀掉。您能逃脱这个结局吗?"

李斯还是继续保持沉默。

赵高又说:"我做胡亥的老师，已有多年，从未发现过胡亥有什么过失。胡亥为人忠厚，聪明伶俐，能礼贤下士，全国之中恐怕找不出第二个比他更好的人了。让胡亥即位，不是很好吗?"

李斯毕竟是读书人出身，虽然视官位如命，但到底还是怕胡亥即位会祸乱国家，他对赵高说:"我本是上蔡的一个百姓，蒙先皇垂青，得以效劳于先皇，我做侯爵，子孙也都做了大官。陛下把如此重大的责任交付给我，我怎么能辜负他呢?况且前车可鉴，春秋战国时期，晋国废了太子申生而立奚齐为君，结果弄得三代不安，混战长达20年;齐国的齐桓公与公子纠争位，结果公子纠被杀。殷朝的纣王杀了比干，结果落得国破家亡!上述都是亲人相残以至香火断绝的例子，秦国怎么能效法呢?"

见李斯还有些犹豫，赵高就进一步晓以利害:"世事是变化无常的，前朝的例子在今天不一定都完全适用。当今之事，如果能上下一心，就可以长久，如果能内外协力，事情就可成功。您如果听了我的话，就可世代封侯，传之久远，您本人也会有孔子、墨子一样的声誉。如果不按我的意思办，您必定会祸及子孙。会办事的人可以因祸得福，不会办事的人会因福得祸，事到如今，您怎么还不明白呢?"

李斯沉吟良久，终究官迷心窍，舍不得丢掉手中的权力，思来想去，也只有赵高的提议可以让自己保住位子，于是只好顺从。

关于秦始皇之死，历史上是一个疑点。有人以《史记·李斯列传》、《蒙恬列传》等记载为据，认为秦始皇死得蹊跷，是古史上的谜案。其理由是：秦始皇并不像历史上有些封建帝王那样体弱多病。查诸史籍，未发现他患有暗病宿疾的记载，他的身体一向健壮。突出的例子是，荆轲行刺时，他在惊慌中还能挣脱衣袖，绕着柱子逃跑，始终没让荆轲追上。秦始皇第五次出巡时，才50岁，并不算衰老。在平原津得病，又走了140多里到沙丘；在沙丘平台养病时，还能口授诏书给公子扶苏，说明他当时思维清晰如故，似非患有致命急病。总之，以秦始皇的体质与当时的情况看，还不至于在沙丘一病不起。值得注意的是，沙丘宫四面荒凉，宫室空旷深邃，相传原是殷纣王豢养禽兽之处。战国时，赵武灵王因庇护叛乱的长子章，被公子成和李兑包围于此，欲出不能，又不得食，最后活活饿死在沙丘宫中，可见其地与外界隔绝的程度。在这种环境之中，发生不测的可能性是很大的。

另一种说法是，根据种种迹象推测，宦官赵高弑君的可能性很大。赵高原本是赵国贵族，当年秦赵长平一战，秦将白起坑杀40万降卒。赵高从此沦为奴隶。他的父亲兄弟皆战死沙场，母亲被卖到秦国做奴婢后受尽屈辱而死。他则幸运地被送入秦宫做最低级的苦役。

这对儿时享尽荣华富贵的赵高来说，刺激是何等巨大。在秦宫，他受尽了各种欺凌，遭受了很多非人的磨难。从这时起，他的心里，就已经暗暗植下了灭秦大志。

但要灭强秦，谈何容易！六国合纵也不过大败而回，何况他只是个秦宫杂役，手边既无一兵一卒，也无任何关系可依仗。如果是一般人，在牢骚一番后，也就放弃了这个念头。但赵高不是普通人，长期在磨难中长大，他很早就懂得怎样利用自己的聪明机灵去察言观色，阿谀奉承。很快，他就摆脱了杂役工作，转到文书部门处理文字事宜。他开始了解秦国历史，并读了很多关于秦王朝的书籍。尤其对于秦国的法律，几乎能背得滚瓜烂熟。当然，这一切都是为他将来的复仇做打算。

由于他的能干，不少人对他另眼想看。他在秦宫中名气渐响。然而，这样的生活乐并不能减少赵高对秦朝的仇恨。报仇就是他的生命，他的一切。他时时刻刻小心而又执著地等待复仇的机会。可是像他这么一个奴隶升上来的小文书，是根本没任何机会接近秦宫的最高权力机构。如果不能进入这个圈

子直接和秦始皇打交道，复仇是根本不可能的事情。赵高只能等待。但他不是消极等待，而是更为积极。他在秦宫中的工作越发努力，获得了上上下下的一致好评。

也许是赵高能干之名确实很大，秦始皇开始注意到这个崭露头角的年轻人。此时六国尚未统一，秦始皇对人才的聘用还是比较开明的。于是，便有用他之意。但听说他是来自长平战役的赵国幸存者，很有些放心不下。就放出风声，大意是除非赵高肯做宦官终身事秦，否则永不录用。在当时，只要做了宦官，那就表示和以前的关系全部断绝，等于重新做人一样。

这下，摆在赵高面前只有两条路，一是如要进入秦宫最高机构，必先引刀自宫；二是珍惜身体，继续安享悠闲生活。为了报仇，赵高选择了第一条路！

接下来的 20 年里，赵高充分利用自己的能力和对秦始皇表面上的无限忠诚，坐上了宦官之首的位置。

这段历史记载在清代赵翼所著的《陔馀丛考》卷四十一《赵高志在复仇》中：

> 高本赵诸公子，痛其国为秦所灭，誓欲报仇……卒至杀秦子孙而亡其天下。则高以勾践事吴之心，为张良报韩之举，此又世论所及者也。

此外，赵高与蒙恬、蒙毅兄弟有宿怨。据说，赵高曾犯大罪，蒙毅按律定罪，判其死刑，后因秦始皇过问方得赦免。当时，蒙恬威震匈奴，蒙毅位至上卿，一为武将任外事，一为文臣主内谋，不仅深得秦始皇信任，还为公子扶苏所倚重。一旦扶苏即位，蒙氏兄弟的地位必将更加巩固。因此，赵高对蒙氏兄弟既恨又怕，如要摆脱来自蒙氏兄弟的威胁，必须设法阻止扶苏即位。这样，赵高惟有投靠秦始皇最宠爱的第十八子胡亥，因为胡亥是除扶苏外最有可能继承皇位的人。以胡亥来对抗扶苏，这是赵高蓄谋已久的。为了自身的利益，他时刻都在寻机除掉扶苏和蒙氏兄弟。

始皇在沙丘养病，给赵高提供了一个谋杀的机会。秦始皇病重后的诏书已经摆明了是想要扶苏继位。赵高明白，此事有关自己的生死荣辱，须当机立断。当时秦始皇身边仅丞相李斯在侧，而李斯私心重，容易控制，其他侍从均是赵高安插的同党。还有，以赵高当时的处境看，也只能出此一招，别无选择。

秦始皇这次出巡，上卿蒙毅也在随行之列。蒙毅是蒙恬的亲弟弟，为皇帝的亲信，可是当秦始皇在途中病重时，蒙毅被遣"还祷山川"。这可能是赵高的计谋。因蒙恬当时正领兵30万随公子扶苏驻防上郡，从秦始皇的身边遣走蒙毅，也就是去掉了扶苏的耳目；加之赵高曾被蒙毅治罪而判死刑，后因秦始皇赦免，赵高才恢复官爵，赵高对蒙毅恨之入骨，发誓要灭掉蒙氏一族。赵高遣走蒙毅，也为自己后来计谋的实施清掉了一个绊脚石。

秦始皇口授诏书给扶苏时，赵高参与其事。诏书封好后，赵高却扣压未发，欲找机会说服胡亥和李斯，矫诏杀扶苏。但诏书不能扣压太久，万一始皇病情有起色，得知诏书未发，赵高就获死罪。万一秦始皇弥留不死，李斯又未被说服，反而向秦始皇告发，赵高也要被杀头。所以，只有在劝说李斯之前杀了始皇，才能万无一失。始皇一死，就不怕李斯不就范，也不会有人追问诏书的事了。可见，赵高在扣压诏书的一刻起，就如同箭在弦上，不得不发了。

秦始皇之死，疑云重重，连司马迁也不能轻下定论。在《史记·李斯列传》中，司马迁借赵高之口说道："沙丘之谋，诸公子及大臣皆疑焉"。

然而秦始皇真的是死于赵高之手吗？从情理上分析，赵高弑君的可能性与必然性都存在，而秦始皇是自然死亡的可能性更大。

历史上的秦始皇并不像有些人说的那样身强力壮，从史籍中对他相貌的记载我们就可以看出来："蜂准"、"挚鸟膺"、"豺声"，这就是说秦始皇长着马鞍形的鼻梁、鸡胸脯、还有严重的气管炎，这些都是在当时来说足以致命的疾病，所以体质较弱。他在生活上荒淫无度，为人又刚慎自用，事无巨细都要亲自裁决；每日批阅文书120公斤，工作极度劳累；加上出巡中七月高温，以上诸因素并发，促使他在途中生病，导致暴死。

至于荆轲刺秦时，秦始皇表现不俗，也可以给予合理的解释。当时的他年仅34岁，正是春秋鼎盛之时，再加上人在危急之中，往往会激发出身体的潜能。就如同前些年被媒体炒得沸沸扬扬的母亲救子事件：当小孩在六层楼的窗口落下时，做母亲的从100多米外冲到小孩将要摔到的地方，牢牢地接住了孩子，事后再重复这一动作，却怎么也做不到了。当时的秦始皇和这位母亲的处境一样，更何况还是为了自己的性命！

秦始皇沙丘驾崩时确实是年仅51岁,按现在的平均寿命来说,51岁正是壮年时期,谈老是会被人笑话的;但在那个医疗条件极其替下的时代,51岁可以说是高龄了。据统计,当时的人们平均寿命只有40来岁(自然死亡)而已。另外,中国历代皇帝的平均寿命分别是:秦朝帝王36.5岁;汉朝帝王37.1岁;晋朝、南朝(宋、齐、梁、陈)帝王37岁;隋唐五代帝王47.7岁;宋元帝王46.5岁;明清帝王46.5岁;换句话说,我国自秦朝到清朝的帝王平均寿命只有39岁!而秦始皇51岁崩逝,已经高出这个平均值了。综以上因素来看,秦始皇自然死亡之说也是在情理之中的。

那么赵高有没有弑君的可能呢?也可以通过分析来加以判断。当时的秦始皇已经陷入弥留之境,身边的御医、宦官以及服侍者肯定不是少数,赵高没有弑君的机会。当时的他只不过是个秘书,手中没有实权,不可能将这些人全部灭口。但只要有一个人看见,赵高弑君的阴谋就必将败露,如被扶苏、蒙毅或蒙恬得知,别说富贵、复仇之类的事,就连脑袋也无法保住。赵高是个聪明人,他不敢如此铤而走险!

至于诏书扣押不发,则很可能是出自秦始皇的授意。当时秦始皇只是病重,什么时候会死他自己也不清楚,一旦诏书交到了扶苏手中,在蒙恬、蒙毅的帮助下,他很可能会先自己一步赶回咸阳,继位称帝,到时自己这个老子的地位往哪摆?秦始皇疑心极重,自己儿子也不敢相信。等到弥留之时,秦始皇已经是口不能言了,因此给赵高留下了篡改遗诏的机会。

由此来看,秦始皇自然死亡之说的可信度更高一些。

秦始皇病逝沙丘,赵高、李斯二人将昏庸混账的胡亥推上了帝位,大秦帝国的坟墓,就在这里被赵、李二人联手奠基;大秦帝国的太阳,就在这里走向了西山!

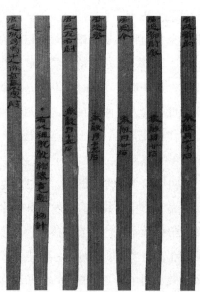

秦代的诏书

大秦帝国的黄昏

说服了李斯之后，赵高篡改了秦始皇的遗诏。伪诏责备扶苏在边地没有建功，反而多次上书直言诽谤皇帝用民太苛，并因不能归朝重当太子，日夜有所怨言，赐剑自裁。蒙恬与扶苏日夜相见，应当对扶苏的怨言有所知晓，但他既不纠正扶苏的错误，也不将扶苏的言语上报给陛下，为臣不忠，赐死，大军交由裨将王离率领。之后，用上传国玉玺后把诏书封好，让胡亥的门客到上郡交给扶苏。

侍者到达上郡后，扶苏和蒙恬开中门迎入，摆设香案跪听诏命。

宣读诏命已毕，使者将诏命交与扶苏，三人交谈了一会儿，扶苏含着眼泪送走使者，派人安顿他及从人到驿站休息。

使者临行神情严肃地说："希望公子能善以自处，让下官可以早日复命。"

扶苏还没说话，蒙恬却在一旁说了："末将奉诏将兵权交裨将王离，交接得花一段时日，贵使奉命代护军一职，也得费点时间向公子请益，诏命既已送到，扶苏公子和我自会善自了断，贵使不必急在一时。"

听蒙恬如此说，使者当然知道他是在拖延时间，想跟扶苏商量。他虽然感到生气和不耐，但是赤手空拳进入他们的势力范围，也不敢发作。只

绥德扶苏墓

能故示大方地说:"那下官就静待听取公子和蒙将军的回音了。"

走进内室,扶苏放声大哭,准备拔剑自刎。蒙恬连忙夺下剑,劝说道:"皇上在外,派末将带领 30 万大军守卫边疆,公子担任监军,这是将天下的重任委托在公子与末将的身上了。现在只有一个使者捧这一份真假莫辨的诏书,万一是假,公子却依诏自尽,能对得起陛下吗?希望您再请示一下,有了回答之后再死也不晚。"

扶苏长叹一声,对蒙恬道:"你不用劝我了,'君要臣死,臣不死不忠;父要子亡,子不亡不孝'我既是子,又是臣,如今父皇有命,还要请示什么?"

话毕,扶苏面向咸阳拜了三拜,随即横剑自刎。

蒙恬抱着扶苏的尸体号啕大哭,连使者来到面前也全然不知。

使者看了一眼扶苏的尸体,冷冷地说:"扶苏公子已经上路了,蒙将军还不抓紧时间吗?"

蒙恬站起身:"诏书真假难辨,恕蒙恬不敢从命!"

"这是皇帝的玉玺之印,难道蒙将军连这个也不相信吗?我看,传说中英勇无敌的蒙大将军也是个怕死鬼啊!"

蒙恬勃然大怒:"我蒙某人一生浴血,纵横沙场,鬼门关里也走过几个来回,难道还会怕死?我死也要死个明白,决不能死得糊涂!"

见蒙恬动怒,使者心底顿时升起一股寒意。他不敢逼着这员虎将自尽,只能将他交付法吏,关押在阳周(今甘肃东南正宁)。

得知扶苏已死,蒙恬被拘,亡秦三人组兴奋异常,当即抓紧时间归国,扶胡亥登基称帝。

出游车队从井陉(今河北井陉西北)到达九原(今内蒙包头西北)时,已是酷热难当。那时又没有今天的太平间制冷技术,秦始皇的遗体很快就腐烂了。一阵热风吹过,尸臭味连患上热伤风的人也闻得清清楚楚。但按照李斯的计划,现在还不是为始皇举丧的时候,皇帝驾崩仍是秘密。为了掩盖冲天的臭气,赵李二人假传圣旨,说秦始皇想吃鲍鱼,买来一石放在秦始皇的辒凉车中,借鱼的腥味来掩盖尸臭。旁人虽然心有怀疑,但还不知道秦始皇已死,一想起皇上那副阴狠的嘴脸,也只能把怀疑憋在肚子里,捂着鼻子继续赶路。只苦了赵高、李斯、胡亥以及"伺候"秦始皇的那些宦官了,真不知道在尸臭味和鱼腥味掺杂在一起的辒凉车中,这些人的日子是怎么熬过来的。

八月，赵高等人的苦日子终于熬到了尽头。车队从直道回到咸阳，正式发丧，举国戴孝。胡亥随即继位，是为秦始皇二世，后人简称为二世。

九月，秦始皇被安葬在骊山陵中。

秦二世继位后，赵高被任命为郎中令（为天子近侍的高级官职，九卿之一。其下属为大夫、郎、谒者及期门、羽林宿卫官等，主掌守卫宫殿门户，管理车、骑，并内充侍卫，外从作战。其权势类似于金庸先生的《鹿鼎记》中那个当上了御前侍卫首领的韦小宝所掌握的权力），掌握了朝中大权。

毁掉大秦帝国的皇帝秦二世胡亥

秦始皇在位时虽然残暴，但并不昏庸，他所制定的政策也对维护统治起到了积极的作用。然而二世就不一样了，昏庸无比，唯赵高的话是听。赵高说上东，他脸不敢朝西；赵高说去打狗，二世就不敢去撵鸡。赵高是一个宦官，生理上的缺陷导致了他人性上的残缺，如今大权在握，就好像一个常年受人欺凌的弱者手里拿了一把枪，不好好地发泄一下才怪呢。

次年春，二世效仿秦始皇巡游天下，到碣石、会稽，刻了一大堆的石碑，宣扬自己的德行，然后北巡至辽东后返回咸阳。

秦始皇的巡游活动蕴含着政治深意：始皇帝在位时，六国初灭，政策新施，政局动荡，民心不稳；秦始皇在巡游活动中不仅是用刻碑颂德的方式来制造舆论攻势，更多的目的是亲自到各地区视察，针对该地的具体情况采用具体统治策略，以确保统一大业的延续。正是如此，秦始皇方能使用残暴的手段维持了统一局面达11年之久，虽然其间反秦的烽火从未熄灭过，但并不具有多大的影响力（当然，原六国的实力在统一之战时尽数被摧毁，短时间内无法恢复，也是秦始皇时期相对来说比较稳定的客观因素之一）。

秦二世就不一样了。在出巡之前，他对赵高说："朕年纪轻，刚继位为帝，

百姓还不顺从。先帝巡视各郡县，显示他的强大有力，威势震服海内。现在朕整天躲在皇宫里，不出去走走，就会让人以为我无能，没有办法统治天下。"

从中可以看出，二世压根没能理解他老子巡游天下的深意。他只是以为，出去走走看看就能提高自己的威望，就能治理好国家了。他学到的只是秦始皇的皮毛，却忽略了最不应该忽略的精髓！因此他的巡游活动带来的只是空耗民力财力的结局，收到的只是人民日益不满、忍无可忍的效果！

返回咸阳的途中，谋权篡位、做贼心虚的二世对自己的皇位很是不放心，暗中与赵高谋划道："大臣都藐视朕，对朕心怀不服；地方官吏仗有地方残余势力，也不太听话，而诸公子见朕无父无母又无兄弟，互相结党营私，想与朕争位，你看这该如何是好？"

赵高一听，正中下怀——我正想找机会发动，你自己倒送上门来了。狡猾的他心里虽这么想，但表面上还是装出忧心忡忡的样子，用同情的口吻说："臣早就看出这些，只是想讲而不敢讲罢了！"

"这里只有你我二人，但讲无妨。"

"实际上臣的境遇比陛下还惨，先帝遗下的一些大臣，全是天下累世都知名的贵族世家，历代先祖都是建过汗马功劳或特殊功勋的。赵高本是贱仆之子，先逢先帝恩遇，再蒙陛下不拘一格地拔擢，才能居此显位，管领中枢政事。那些大臣表面对臣恭敬，其实阳奉阴违，背后骂臣不知骂得多难听，臣为了报答陛下知遇之恩，也只有认了。"说完，赵高用力挤了挤眼睛，让几滴泪水滚了出来。

二世拍案而起："有朕在，看他们敢把你怎么样，今天就要让他们尝尝我们的厉害！"

"不错，"赵高借此机会怂恿二世，"陛下要思振作，展开反制行动。臣以为：第一，乘陛下出行之便，先整肃地方官员，除掉那些不听话的，重新安插对陛下忠诚的人。第二，是对付那些结党想和陛下争位的公子和公主。"

听了赵高的话，二世面露难色："他们都没有罪证，如何绳之以法？"

赵高心里暗自发笑——嬴政一生英明，怎么最后生出你这种白痴儿子！当然这话他是不敢说出来的，只是低声说道："欲加之罪，何患无辞？陛下说他们结党成群、图谋不轨，就是最好的罪名。同时，公子公主大多与诸大臣有姻亲上的关系，李斯几个儿子都和公子们交往密切，而他几个女儿也都嫁的是公子。只要先铲除掉这些想谋位的公子和公主，就可利用连坐制度进行追究，严办这些大臣！"

在赵高的协助和配合下，二世沿途展开了一连串的血腥大清洗。

首先，他逮捕了随着出巡的九位同父异母兄弟，罪名是怨怼诽谤，图谋不轨，其中六名立即在杜城（今陕西省长安县东南杜曲）处斩。

然后将公子将闾同母兄弟三人囚于内宫议罪。这主要是顾虑将闾统率卫卒已久，怕卫卒会发生动乱，但逮捕以后，发现卫卒并没有动静。于是派使者传诏给将闾："公子不臣，罪当死，著派使者监督执行，公子善自处理！"

接过诏书后，将闾不服地向使者问道："在朝廷之上，我从来不敢僭越为臣的礼仪；在廊庙祭祀，我从来没失去节制；主上问话，我向来小心应对，从未说错过话，怎么能说我不臣呢？死不足畏，就怕死得不明不白，只希望能见到确切的罪证和恰当的罪名。"

"这不关我的事，我只是按诏书奉命行事！"

将闾仰天大叫："天哪！我没有罪！"

兄弟三人互拥痛哭流涕，全都拔剑自刎。

在杜城一地，二世和赵高就以莫须有的罪名，处死了九位同父异母兄弟，十位公主也遭到赐绫缢杀。

借此机会，赵高大事株连相坐，有罪的宗室、大臣及地方官吏越来越多，人人自危，只有看赵高的脸色行事。

四月，二世一行回到咸阳后，又有12名公子被杀戮于市，财产全部被没收充公。

二世和赵高再循线索连坐牵连，被清洗的大臣和宗室不计其数。宗室和大臣全都惊恐不已，平民百姓看到这种情形也感到人人自危——对王族宗室及国家忠臣都如此心狠手辣，那寻常百姓还哪来的活路？

对这一切，昏庸无能的二世毫无知晓，已确保帝位无忧的他，将国家大权全部交到了宦官赵高的手中，自己则想方设法地去寻找乐子。大秦帝国的朝政，在赵高的掌控下日益黑暗，终于点燃了难以熄灭的反秦烈火。秦始皇辛辛苦苦建立起来的基业，在农民起义的烽火中，告别了历史的舞台。

烧毁帝国大厦的烽火

一场宫廷大清洗运动让赵高获得了他梦寐以求的权势，从此之后，秦廷之中为赵高独尊，连功勋卓著的李斯也只能甘拜下风。一时间，朝野之中只知道宦官赵高，而不知道皇帝胡亥。

但赵高并没有满足，他还要皇帝更为昏庸，这样他才能从中获取更大的利益和权势。在他的建议下，二世又继续修建骊山陵和阿房宫，同时沿用秦始皇的策略，征召五万身强力壮的兵丁守卫咸阳，教习射箭，还要饲养供宫廷玩赏的狗马禽兽。这些人畜所需粮食很多，咸阳仓里的粮食不够他们吃的，赵高就从下面各郡县征调运来粮食和饲料，让转运人员都自带干粮，咸阳400里之内，任何人都不准吃这些粮食。

二世的残暴荒淫

秦末农民起义图

终于冲破了人民所能忍耐的极限。当年七月，阳城(今河南登封县)人陈胜、吴广打着"王侯将相宁有种乎"的旗帜，高喊"大楚兴，陈胜王"的口号，用已被赐死的秦始皇长子扶苏和楚将项燕的名义号召群众反秦。

起义军迅速攻下蕲县（今安徽宿州南）。当义军进据陈县（今河南淮阳）时，已拥有步兵数万。陈胜自立为王，国号张楚，任命吴广为假（代理）王，率军西击荥阳，命武臣、张耳、陈馀北攻赵地，邓宗南征九江，周市夺取魏地。

张楚政权的建立，促进了全国范围内反秦斗争的高涨，各地百姓久苦于秦政，纷纷杀秦长吏，响应陈胜。六国贵族的残余势力，也在各地反秦力量的著名首领刘邦、项梁、项羽、英布等人的率领下，纷纷起兵反秦。

吴广率领起义军围攻荥阳不下，陈胜另派周文为将军西击秦。周文的队伍在进军咸阳途中不断扩大，到达函谷关时，已有兵车千辆，战士几十万，起义军进抵距咸阳百来里的戏（今陕西临潼东北），秦二世令少府章邯把修建骊山墓的数十万刑徒和奴隶编成军队迎战。起义军接连受挫，周文自杀。

此战之后，起义军的内部发生了矛盾，陈胜、吴广相继被害。但倒秦的烽火并没有因为张楚政权的失败而熄灭，各地的反秦起义依旧如火如荼。在名将项燕的孙子项羽和小吏出身的刘邦二人的分别指挥下，起义军势如破竹，步步逼近咸阳。

身在咸阳宫内的二世面对来势汹汹的起义军束手无策，只会一个劲地催赵高去想办法。而赵高压根没把国家的生死存亡放在心上，揽得朝政大权才是他根本的目的。在他的眼中，掌管国家政治大权的左丞相李斯才是自己最大的敌人。于是，赵高将导致农民起义发生的原因推在了李斯的身上。

二世本是糊涂虫一个，赵高说什么他都听着。当赵高拟好一份问罪诏书后，二世也没细看，就盖上了玉玺。

诏书大意是："古时尧舜的宫殿，梁木的树皮都不刮掉，屋顶盖的茅草都不修剪，台阶只有三级，还是由泥土所堆成。而禹王治水，亲自操劳，连小腿上的毛都磨掉了。但此一时彼一时，先帝为天子，天下已定，四夷臣服，所以作宫室以彰得意；今朕继位两年，群盗并起，君不能禁，反而议论起先帝所为，又欲罢先帝开创的建设，真是上不能报先帝，次不能为朕尽忠效力，凭什么要霸住权位不放？"

李斯接诏后，多次想见二世解释，赵高不予通报，只是说二世不愿见他。接着将李斯逮捕下狱，另找罪名要逼李斯自尽。

然而李斯自认为功大，没有去伺候秦始皇的意思，只想等机会解释，让二世回心转意。

负责审讯的廷尉是赵高的人，按照他的意思对李斯施以各种刑罚，强安的罪名是他的儿子三川守李由通盗，因为起义首领陈胜正是李斯的老乡。

李斯受不了酷刑，只得屈打成招。但他唯一的希望是，按照秦朝的律法，丞相身为大臣，皇帝必须在廷尉定罪后亲自派人复验，他希望在那个时候能得到平反，所以他一直忍耐着不肯自裁。

李斯的打算早就被赵高猜得清清楚楚，他派些心腹御史、侍中装成代表二世复验的使者前去问案，李斯一想翻供，伪装者就露出真面目来，命刑卒狠狠揍他一顿。挨打的次数多了，李斯也被打怕了，最后二世派来的真正使者复审，李斯也不敢翻供，于是通盗罪名成立，判决腰斩弃市，灭三族！

赵高将审判结果及判决禀奏二世，二世大为高兴地说："假若不是赵卿，朕给丞相卖掉还不知道！"

二世二年（前208）七月，李斯身具五刑（墨——在脸上刺字、劓——割鼻、刖——剁足、宫——阉割、大辟——处死），腰斩于咸阳市！

这个为大秦帝国的建立操劳一生、令后世毁誉参半的中国封建王朝第一任丞相，就这样惨死在一个宦官的手中！

李斯死后，赵高官拜丞相，权力无限扩张，俨然成了凌驾于秦二世头上的太上皇。在他的"统治"之下，已经是病入膏肓的大秦帝国只能在苟延残喘中挣扎。

赵高的胡作非为很快就给大秦带来了毁灭性的打击。当年十二月，项羽率军进抵漳水南岸，欲与秦军主力决战于巨鹿。即委派英布、蒲将军率两万人为前锋，渡过漳水（一说黄河），切断秦军运粮的甬道，分割秦将平叛主力王离与章邯军之间的联系，使王离军陷入缺粮的困境。接着，项羽本人亲自率领主力渡河跟进，并下令全军破釜沉舟，规定每位将士只许带三日干粮，以显示全军上下一往无前、义无反顾、与秦军决一死战的决心。

破釜沉舟完毕，项羽立即率领部队进至巨鹿城下，将王离军团团包围，以雷霆万钧的气势，迅雷不及掩耳的行动，向秦军猛扑过去。将士们奋勇死战，将王离麾下的秦军杀得溃不成军。章邯率部援救，也被项羽军英勇击退。项羽指挥部队连续作战，不给秦军以任何喘息的机会，九战九捷，终于大败秦军。这场惊天动地大鏖战的结果是，秦将王离被俘虏，秦军副将苏角身首异处，另一名副将涉间走投无路，被迫自焚而死！

此役一举歼灭了秦军主力，对于推翻秦王朝腐朽黑暗的统治，奠定了最为坚实的基础！

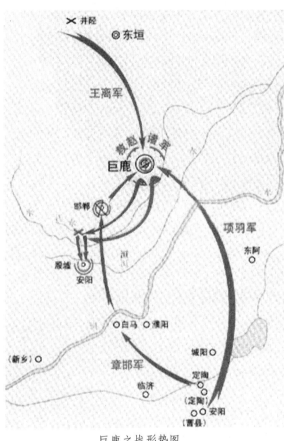

巨鹿之战形势图

眼见农民起义军的烽火即将烧到咸阳，二世急得如同热锅上的蚂蚁。为了安慰皇上，赵高故意大言不惭地说："那些小小毛贼又有何能耐？有我在，根本不足为惧。"

二世也没主意，只得听从赵高的鬼话，继续在后宫享受着奢靡的生活。

但随后发生的一切让二世对赵高所言产生了深深地怀疑：巨鹿之战后，燕国、赵国、齐国、楚国、韩国、魏国都自立为王；从函谷关往东，官吏全部背叛了朝廷而响应诸侯；诸侯趁势率兵西进；刘邦率领几万人攻破武关（今陕西西安东南），直逼咸阳。

见局势已经到了不可收拾的地步，赵高害怕了。面对二世的咄咄逼问，赵高只能装病不出。见此情形，平日里受赵高欺压的百官们总算捞到了报仇的机会，纷纷添油加醋地向二世数落赵高的不是。二世耳根子软，一下子怒火

183

冲天，当即就要拿下赵高问罪。

消息传到赵高的耳朵中后，老家伙马上慌了神，忙找来他的女婿（赵高在当宦官之前生有一女）咸阳令阎乐和他的弟弟赵成商议。三个家伙密谋的结果是：先下手为强，后下手遭殃。既然皇上已经有了处分赵高的意思，那还莫不如让先干掉皇上，再立一个听话的继续做傀儡。

密谋议定，阎乐随即率领咸阳城卒2000多人，闯入二世所居住的望夷宫，将所有胆敢阻拦的侍卫和宦官全部乱刃分尸，直逼到二世驾前。

见来者不善，二世惊慌失措，环顾左右，只剩下一个小宦官侍立在旁。

"你知道是怎么回事吗？"二世还是感到摸不到头脑，问这名宦官。

"陛下不用问也应该明白，是赵丞相反了！"

"赵丞相造反？"二世不相信。

"赵高阴谋造反很久，已不是一、两天的事，连郎中令和部分郎中都换了他的心腹，这在宫中人人皆知。"

"那为什么不早告诉朕，乃至演变成目前这种情形？"

"臣不敢说，要是早说，头早就被砍掉了，哪还能活到今天！"

这时阎乐带着兵卒踢门而入，威风十足地走到二世书案前，立而不跪，他不称二世为"陛下"，而称对一般人的"足下"："足下骄恣淫逸，诛杀无辜，如今天下人都反对你，希望足下善以自处！"

"我想见见丞相可以吗？"在阎乐的威胁下，二世居然也不敢自称"朕"而称"我"。

"不行！"阎乐回答得很干脆。

"我甘愿退位，只要封给我一郡为王就好"。

"不行！"

"那让我当万户侯也行。"

"不行就是不行，不要罗嗦那么多！"

"那就让我和诸公子一样，带着妻子做平凡百姓。"

"我是奉丞相命来诛杀足下，以报天下人，你说再多，我也是不敢回报丞相的。"阎乐脸都不转地向身后城卒喊，"来人，动手！"

"我毕竟还是个皇帝，您就给我留一点尊严吧。不劳您动手，我情愿自尽！"二世仰天长叹，挥剑自裁。

接到阎乐的回报后，赵高立即下令诸大臣公子在朝殿集合，他先宣布诛杀二世的经过，然后说道："今本相为天下诛杀暴虐不道的二世，当然有责任为秦立主，但秦本来就是王国，因始皇灭六国统一天下才称帝，现六国都已复立，秦地只剩下原来的领土，空自称帝，名不副实，没有什么意思，因此，本相宣布，秦复为王国，皇帝复称为秦王，而立公子婴为秦王，大家有什么意见？"

"丞相英明！"

"胡亥暴虐无道，不得称帝，他的遗体宜以黔首之礼，葬于杜南宜春苑中，不得归葬祖陵，各位有什么意见？"

"丞相英明！"

散会后，赵高立即将"宗室及大臣会议"的决议书和子婴当选秦王的消息连同国玺一起派人送给公子婴，并要他斋戒五日后，进行告庙就任典礼。

赵高本以为子婴是个软柿子，可以随便处置。然而没想到的是，子婴是一个类似于扶苏的男人，绝没有甘心受制于他人的想法。在接到赵高送来的继位通知后，他与两个儿子秘密商定，要在就任典礼当天为大秦帝国报仇。

是日，子婴装病，不去参加告庙就任典礼。赵高派人去请，子婴置若罔闻。赵高实在等不及了，亲自前去。

赵高踏进房门禀奏道："闻得陛下龙体欠安，老臣赵高探病来迟，还望恕罪。"

躺在床上的子婴声音微弱："丞相不必多礼，请上前谈话。"

赵高坐下后又问："告庙就位大典乃社稷重事，不知陛下为何不去？"

"朕只想等你来！"话毕，子婴掀开帷帐坐了起来。

看到事情不对，赵高口中大喊来人，手上忙着拔剑，只听到门外惨叫一声，他明白那个剑术高超，能够敌对数十人的亲信随从已经遭到暗算，而他的剑还未拔出，一道冰凉的剑锋已经贴在他的颈子上。

"赵丞相，你逼死先帝、处死忠臣、败坏我大秦朝纲的事不会这么快就忘了吧？"子婴面带冷笑。

"嬴子婴，我赵高今天算是栽到你的手中了。但你也别想有好日子过！秦国现在已经彻底完了，我忍辱负重了多少年，如今心愿已了，黄泉路上，老臣为你带路！"

第5章

天朝奏响落日的挽歌

185

子婴咬牙听完赵高的话："好，赵高，那你就先到先皇那里去谢罪吧！"宝剑随手一挥，一手颠覆大秦帝国的旷世奸臣的人头便滚落在地。

第二天，子婴按照预择的良辰吉日告庙继位。由于原来的六国又各自独立，秦王朝名存实亡，所以子婴不称始皇帝三世，改称为秦王。

接下来他在朝殿中宣布诱杀赵高的经过，大赦天下，并不追究众大臣与赵高勾结的经过，以免株连太多，又得兴起大狱；罪魁祸首赵高（遗体）及阎乐被判车裂，诛灭三族。

登基后的子婴胸怀大志，一心想要恢复秦始皇所创下来的基业。但赵高和二世给他留下的不是一个烂摊子，而是一座即将倒塌、无可重修的危房。就算是子婴是一根出色的栋梁，但也难撑起大秦的祖庙。46天之后，大秦帝国在这个本应有所作为的皇帝手中作了最后的谢幕！

最后的谢幕

诛灭奸臣赵高及其党羽之后，继位的子婴开始了独臂擎天的努力。然而秦始皇使用残暴手段夺取并治理的江山，根基本身就先天不足，再加上二世和赵高两条蛀虫对帝国从内到外的蚕食，导致了这棵看似茁壮的大树由皮烂到了心，在狂风骤雨面前毫无抵御之力。即使胸怀大志、为人刚毅果敢、又素怀仁爱之心的子婴有补天之材，在这样的局势面前也是有心杀贼，无力回天，只能徒呼奈何了。

但既然坐在了这个火炉上，就不能尸位素餐，毕竟下面还有不少的文武大臣正等着皇上拿主意呢。子婴只有尽自己最大的可能去调兵遣将，抵御即将进犯咸阳的起义军，试图将刘邦率领的几万部队赶出武关，给自己留一些喘息之机。但这只不过是子婴的一厢情愿而已，起义军的形势及动机已经确定了大秦灭亡的时间表。

陈胜的张楚政权失败之后，实力最强的起义军当属原楚国名将项燕之子项梁所拥立的楚怀王了。楚怀王手下有两支战斗力极强的队

西楚霸王项羽

伍，一支是项梁的侄子项羽所统帅的项家军团，另一支就是由出身沛县小吏的刘邦所指挥的刘氏军团了。

秦楚定陶一役，项梁死于秦将章邯的夜袭中，数十万楚军主力在一夜之间完全消失，起义军的士气大为受挫。为了鼓舞楚军在项梁失败后颓靡不安的士气，楚国诸长老主张有系统地向秦军展开反击，以夺回主动地位，希望能将士气提升到直接攻击秦王朝的大本营——关中地区的地步为实现这一目的。楚怀王与诸将相互约定，先入关中者为关中之王！

关中是渭水、泾河、洛河等冲积而成的黄土盆地，生产力丰富。由于以农立国的周王室曾以此为根据地，因而水利建设完整，生产力庞大，秦王朝也在此建立他们征服全国、统一天下的大本营。当前，关中是所有想逐鹿天下的野心家们最心仪的"梦中情人"了。

不过这位"美女"可不容易占有，因为这个盆地四面八方均被险恶的丛山峻岭包围着，只有西方的函谷关、西南的武关及南方的散关可以进得来。

如果以行军的速度而言，西面的函谷关外地势平坦，较易掌握，只是函谷关外的洛阳盆地及荥阳等粮仓，一向是章邯军团的大本营，除非能击溃章邯军，否则想由此攻向函谷关比登天还难。

由于痛恨章邯杀害项梁，项羽一直急着想报仇。他之所以听从范增建议，退居次将位置，便是为了在取得实际率军攻打章邯的机会，因此他独持异议地主动建议争取这条路线。

但这条战线，势必先和章邯军团对决，是用硬碰硬的策略，因而尚需派出一支别动部队，由武关威胁关中地区，分散秦军防卫，也可减轻和章邯决战时的压力。

楚国的长老们商议，楚国的主力大多属项梁统辖，包括英布和蒲将军的游击部队，都明显有亲"项家军"倾向。而其他真正能动用又具有独力作战能力的将领和军团并不多。

正在伤脑筋的时候，突然有人灵机一动提到了刘邦。

在楚怀王周围长老的心目中，刘邦属亲"项家军"派。他投奔项梁后，接受编组成副军，后因表现良好，常奉命随同项羽打先锋。但说到底，他还不能算是"项家军"嫡系，而且个性温和，能够协调，本身立功又多，在楚军中声望还不错，因此拉拢他来对抗项羽，未尝不是好办法。再加上刘邦出身

刘邦像

不高，就算"养"大了，对楚国贵族也不会有太大的威胁。因此他们联名向怀王建议道："项羽为人剽悍，个性残忍，以往他攻打的地区，都因残杀过重，而在秦国军民心目中是个凶残的恶棍形象。况且西征所经途中，过去均是楚秦会战的重要战场，陈胜和项梁在这地方也遭严重反抗而失败，如再派项羽前往，势必会遭到更顽强的反抗，造成不必要的伤亡。为今之计，不如派遣一位有长者风度的将领，以'义理'的形象主导这场战争，并以此向秦国父老兄弟宣示楚国治世的态度。秦国父兄长久以来，对他们君王过分严苛的执政方式，早已深受其苦，此时若是有位心怀仁义的长者前往，不以侵暴的行为对待他们，反而比较能松懈他们的反抗心，也比较容易攻得下来。以这种标准，项羽绝不可派遣在这条西征战线上。综观诸军团将领，只有刘邦一向宽大温和，正合乎此形象，宜任命他为西征军统领！"

楚怀王于是正式下令，项羽北上去对抗章邯，攻打巨鹿，刘邦则出任西征军总司令，向西收编陈胜和项梁失败后残留在各地的军团，并汇集力量，准备入侵关中。

从两军的实力对比来看，在楚国占有绝高地位的项羽军团明显占有优势，而刘邦所部的军团则属于残兵余勇型。虽然任务已定，但实力强大的项羽终究不能忘了楚怀王所许下的先入关中者为关中之王的承诺，他认为，以自己的实力，即使去对抗章邯，也肯定会比刘邦的杂牌军先一步到达关中。

然而令项羽没有想到的是，刘邦采用了避实就虚的策略：他先率军北上，为他的杂牌军补充足够的粮食和兵力；随后跟在项羽的屁股后面，收编被击溃的秦朝军队，之后再踏上攻打咸阳的征途。

途中，他绕开秦军重防的城池，将军队带向稍南方的颍川一带，并占领颍川郡治翟阳，随后回避章邯军把守的函谷关，改道攻打武关。当项羽在巨鹿凿船砸锅与章邯进行决战之时，刘邦的西征军团已经攻进武关，直接威胁到咸阳城！

项羽闻讯后大怒：我这堂堂正规军在巨鹿浴血奋战，你个刘邦竟然领着杂牌军抢了我的胜利果实，天理何在？你先进了关中称王，我的位置往哪摆？

此时巨鹿之战已经结束，秦朝内部赵高与二世的矛盾也正到达了不可调和的地步，虽说将在外君命有所不受，但章邯的心里还是惴惴不安：以前打了胜仗也没见上面有什么嘉奖，更何况此次惨败呢？项羽抓住章邯进退两难的这个时机，及时地向他抛来了橄榄枝。章邯左思右想，也没有第二条出路，只得接受了项羽的招降。

章邯投降，项羽不再有任何阻碍，率军火速攻向关中盆地的东边大门——函谷关。

然而刘邦比项羽更快了一步。他率领杂牌军主力，绕过峣关（今陕西商县西北），越过黄山，由蓝田关(今陕西蓝田县西)下，在关南大破秦军防卫主力，并直追过蓝田关口，在关北再度将秦军最后的防卫部队彻底击溃。

秦二世三年（前207）冬十月，刘邦军进至灞上（今陕西西安东）。咸阳城已完全丧失了防卫力！

刘邦并没有直接进入咸阳城，而是约秦王子婴到霸上投降。

事实上子婴不是不想抵抗，而是和当年秦军入侵齐国一样，连御前作战会议都召开不起来——文臣武将全都跑光了。在毫无选择余地的情况下，他只有按照刘邦规定的时间和地点去请降。

那天一大清早，子婴就素车白马，颈子上套着象征锁链的白布条，穿着单薄的白袍，跪候在轵道（位于西安市东北灞水西岸的一条大道上）地方的道路旁，等着刘邦的驾临。 他手上捧着的是沉重的传国玉玺，象征着至高无上的皇权，旁边则是有一包兵符和派遣使者传令的节，代表着大秦帝国的军权及外交权力。

作为胜利者的刘邦骑着马，带着随从走过来。他没有按照应有的礼节下马来向子婴表示慰问，只命从人从他手中接过玉玺，收拾起地上的符节，没有跟他说一句话，反而转头问身边的随从："怎么处置他？"

"杀掉算了。"一名武将说。

"不错，留下总是个麻烦。"旁边很多人附和。

刘邦看了看旁边一位书生模样的文臣，后者摇了摇头，于是他说道："怀王所以派遣我先入关，乃是因为我度大能容，现在人家既然已投降，还要杀人家，不是好事！"

说完话，刘邦看了一眼子婴，策马向咸阳城奔去。

做了 46 天秦王的子婴，则被收进咸阳廷尉大牢。

汉祖西来秉白旄，子婴宗庙委波涛。

谁怜君有翻身术，解向秦宫杀赵高。

——唐五代·胡曾·《轵道》

自从秦嬴在西戎建国以来，秦皇室延续了 600 余年；自从秦始皇统一天下之后，大秦帝国屹立了 15 年。这一切，就在刘邦从子婴手中接过传国玉玺后，宣告了结束。秦嬴子孙，从此走下了历史的舞台！

大秦帝国就此结束了，但秦始皇遗留下来的历史传奇直到今日还为人们津津乐道。那座已经屹立了千年的秦始皇陵，迄今还是一个未解之谜！

第5章

天朝奏响落日的挽歌

第6章
千年秦陵的千年谜

秦始皇的基业断送在二世手中，又由走投无路的子婴作了最后的谢幕。作为一个政权，大秦帝国告别了历史的舞台；但作为一个传奇，秦始皇仍在2000多年后的今天考验着人们的想像世界。2000多年来，或真或假的传说给这些历史的证明披上了一层层神秘的面纱，直到今天，人们也难见到庐山真面。但随着科学及考古学的进步，真相大白的那一天，已经不远了！

三百里阿房成焦土

出身低微的刘邦进入咸阳后，就如同今天山里的孩子初到北京，看什么都是新鲜。依战国时代的习惯，只要攻陷城池，大事掠夺便是对战胜者的犒赏。这种习惯一直到三国时代还仍然存在。除了几位治军严谨的名将为了政治号召及未来统领的需要而禁止强夺外，洗劫敌人的降城一般是不违反军纪的。何况刘邦的西征军团大多是合并的杂牌军，即使想要严加管理，其他将领也不见得会买他的账。

所以一进入咸阳城，谁也管不着谁了，各军团将领纷纷指挥其部属，全力抢夺秦国宫中、国库、官员家中及民间的金帛财物，就地分赃。此时刘邦自知管不了，也实在不想管。因为他也早被咸阳城的金碧辉煌迷花了眼。

咸阳博物馆

> 受降临轵道，争长趣鸿门。
> 驱传渭桥上，观兵细柳屯。
> 夜宴经柏谷，朝游出杜原。
> 终藉叔孙礼，方知皇帝尊。
>
> ——唐·魏征《赋西汉》

魏征这首诗虽然写的是刘邦登基为帝之后的事，但谁又敢下断言进入咸阳城不会让他心中萌发出称帝之意呢？从前的他只不过是一个被后人侮辱为流氓的无赖，即使在拉起队伍之后，也一直在项羽的手下当个跟班，哪里敢动起称帝的想法呢？

得知刘邦已经率先进入了咸阳，还在向函谷关进军路上的项羽不禁怒发冲冠。虽然他一向没有在关中为王的想法，但比刘邦晚到，他面子上是绝对挂不住的。而刘邦也没给他留什么台阶，而是派兵封锁了函谷关，挡住了项羽进军关中的必经之路。项羽暴跳如雷，下令先锋军猛攻函谷关。

刘邦自知打不过项羽，也没怎么抵抗，便放项羽入关，之后便是鸿门宴项羽放虎归山的故事了。

项羽火烧咸阳

鸿门宴放走刘邦后，项羽被亚父范增一顿臭骂，他自己也知道事情办得太不地道，只能把火窝在心里。

率军进入咸阳城后，项羽终于找到了撒气的机会。对敌人一向残酷的他立刻下令大肆抢夺。所有皇宫、贵族的官邸和富商的巨宅全都被劫洗一空，普通百姓的生命财产也得不到应有的保障。而已经投降、被关押在廷尉大牢的秦王子婴同秦嬴宗室一并死在了项羽的屠刀之下。

项羽似乎没有统一中国、或用一种新的制度来规划天下的野心，他仍将自己的思路局限于楚国式的联盟国家体制。于是见城内的金银珠宝被劫掠得差不多了之后，便下令火烧咸阳城！

这场大火足足烧了三个月，使秦皇室统一天下后辛苦建立的所有档案全毁于一旦！更为严重的后果是，秦始皇焚书只将民间的文物毁于一炬，除了少数隐藏起来的以外，几乎所有的书籍都保存在咸阳城的府库中；如今这些典籍又被项羽粗野地一把火给烧光，于是先秦华夏文明数千年的记录几乎全完了！

传说中，项羽所烧的是秦始皇所修建的阿房宫。"火烧阿房宫"的故事在

今天已被众多传媒炒得沸沸扬扬，小说、戏曲、影视剧，都将摧毁阿房宫的帽子戴在了项羽的头上。但近年来又有许多专家学者开始为纵火犯项羽翻案，各种考古学证据也在逐渐解开阿房宫被毁的谜团。

历史上对阿房宫的记载并不多（大多数记载都被项羽烧掉了），我们也只能从《史记》中的只言片语去推测了。

关于阿房宫的修建原因，民间流传着这样一个传说。

秦始皇在做秦王的时候爱上过一个美丽的民间女子，芳名阿房，但这段美丽的爱情终究没有换来美丽的结局，为了纪念这位他深爱过的女子，秦始皇不惜耗费巨大的人力物力修建了极度奢华的阿房宫；数十年后，项羽入关推翻秦朝暴政，听说爱妾虞姬被擒，一时恼怒移恨于物，竟一把火烧掉阿房宫，大火烧了整整三个月，方圆百里尽成灰烬。如同美女般风华绝代的阿房宫，就这样结束了它来去匆匆而又凝聚着无数血泪和情愁的生命。

传说是美丽的，但毕竟不是历史事实。根据史籍整理出来的资料显示，秦始皇统一全国后，国力日益强盛，又没有了战争对人口数量的损耗，因此咸阳城内人口增多，宫内的服务人员也随之而呈现几何数的增长。为了缓解这种居住压力，同时也为了能够更好的享受皇位所带来的奢靡，秦始皇三十五年（前212），在秦惠文王于渭河以南的上林苑中所营造而未完成的朝宫基础上，进一步大规模扩建，即阿房宫。

阿房原来只是朝宫前殿的名字，秦始皇本打算在整座朝宫建成之后再给他起个好名字。由于宫殿规模实在太大，虽然每天都有十几万苦役参加营建工作，但一直到秦朝灭亡时，此宫仍然没有竣工。后来，秦末起义军项羽率部进入咸阳，项羽的部下"烧秦宫室，火三月不灭"，朝宫化为一片焦土。这样，人们就它称为

金碧辉煌的阿房宫

阿房宫了。那么，"阿房"这一古怪的名字究竟代表着什么意思？对此，历代记载分歧，说法不一：

第一种观点认为阿房一名是由于宫址靠近咸阳而得名的。"阿，近也，以其去咸阳近，且号阿房。"

第二种观点认为阿房一名是根据此宫"四阿旁广"的形状来命名的，阿，在古意中亦可解释为曲处、曲隅、庭之曲等。阿房宫"盘结旋绕、廊腰缦回、屈曲簇拥"的建筑结构就体现了这种"四阿房广"的风格和特点。正是由于阿房宫建筑的这种风格，在《史记·秦始皇本纪》索引中解释此宫为何称阿房宫时说："此以其形命宫也，言其宫四阿旁广也。"

第三种观点则认为此宫之所以被称为阿房宫，是因为上宫宫殿高峻，若于阿上为房。这一观点出自《汉书·贾山传》，传中的注释曰："阿者，大陵也，取名阿房，是言其高若干阿上为房。"这就是说，阿房宫是由于宫殿建筑在大陵上而取名。从考古发掘来看，这种说法也是言之有理的。西安市郊约 15 公里的阿房村一带是古阿房宫的遗址所在地，从发掘的遗址可以看出，当年的阿房宫坐落在地势高峻的丘陵上，这里至今还残存着宫殿的高大地基。在阿房村村南附近，有一个宫殿遗留的大土台基，周长约 31 米，高约 20 米；在村西南还有一个据考证是阿房宫前殿遗址的高大夯土台基，东西长约 1200 米，南北长 500 至 600 米，最高处约有 8 米。阿房宫就建在这些高峻的台基之上，恰如《汉书》所言"高若干阿上为房"。

以上几种观点都是论有所据，言之成理，并又都能自圆其说。因此在没有发现更新的确实有说服力的材料以前，谁也不敢轻下断言。所以，对于这座千古留名的著名宫殿当时究竟为何取名阿房，阿房的真正含义又是什么，至今只能说仍是个没有定论的历史之谜。

阿房宫的工程及其浩大，据《史记·秦始皇本纪》记载：阿房宫前殿，东西 500 步，南北 50 丈，殿中可以坐 10000 人，殿下可以树起五丈高的大旗。四周为阁道，自殿下直抵南山。在南山的峰巅建宫阙，又修复道，自阿房宫渡过渭水直达咸阳。

秦代一步合六尺，300 步为一里，秦尺约 0.23 米。如此算来，阿房宫的前殿东西宽 690 米，南北深 115 米，占地面积 80000 平方米，容纳万人自然绰绰有余了。

相传阿房宫前殿大小殿堂共 700 余所，一天之中，各殿的气候都不尽相同。宫中珍宝堆积如山，美女成千上万，就算秦始皇一生巡回各宫室，一天住一处，到死时也不能把宫室住遍。如今在陕西西安西郊三桥镇以南，东起巨家庄，西至古城村，还保存着面积约 60 万平方米的阿房宫遗址。可见，阿房宫宫殿之多、建筑面积之广、规模之宏大，甚至超过了今天的故宫，是世界建筑史上无与伦比的宫殿建筑。清代文学家曹雪芹也在名著《红楼梦》写道："阿房宫，三百里，住不下金陵一个史。"虽然这其中主要是应用对比的手法，但也可以看出阿房宫的规模之大。

如此宏大的规模所耗费的民脂民膏可以想见，当时民间便流传着一句童谣："阿房阿房亡始皇！"可见在百姓心目中，阿房宫的修建为人民带来了多大的伤害。

秦始皇在位时，阿房宫只建成一座前殿。秦始皇死后，秦二世胡亥继续修建，直到项羽火烧咸阳城！

历史上对阿房宫的评价极多，其中最有名的当属唐代文学家杜牧的一曲《阿房宫赋》了。

六王毕，四海一，蜀山兀，阿房出。覆压三百余里，隔离天日。骊山北构而西折，直走咸阳。二川溶溶，流入宫墙。五步一楼，十步一阁；廊腰缦回，檐牙高啄；各抱地势，钩心斗角。盘盘焉，囷囷焉，蜂房水涡，蠹不知其几千万落。长桥卧波，未云何龙？复道行空，不霁何虹？高低冥迷，不知西东。歌台暖响，春光融融；舞殿冷袖，风雨凄凄。一日之内，一宫之间，而气候不齐。

妃嫔媵嫱，王子皇孙，辞楼下殿，辇来于秦。朝歌夜弦，为秦宫人。明星荧荧，开妆镜也；绿云扰扰，梳晓鬟也；渭流涨腻，弃脂水也；烟斜雾横，焚椒兰也。雷霆乍惊，宫车过也；辘辘远听，杳不知其所之也。一肌一容，尽态极妍，缦立远视，而望幸焉；有不得见者三十六年。燕赵之收藏，韩魏之经营，齐楚之精英，几世几年，剽掠其人，倚叠如山，一旦不能有，输来其间，鼎铛玉石，金块珠砾，弃掷逦迤，秦人视之，亦不甚惜。

嗟乎！一人之心，千万人之心也。秦爱纷奢，人亦念其家。奈何取之尽锱铢，用之如泥沙？使负栋之柱，多于南亩之农夫；架梁之椽，多于机上之工女；钉头磷磷，多于在庾之粟粒；瓦缝参差，多于周身之帛缕；直栏横槛，多于九土之城郭；管弦呕哑，多于市人之言语。使天下之人，不敢言而敢怒。独夫之心，日益骄固。戍卒叫，函谷举，楚人一炬，可怜焦土！

呜呼！灭六国者六国也，非秦也。族秦者秦也，非天下也。嗟夫！使六国各爱其人，则足以拒秦；使秦复爱六国之人，则递三世可至万世而为君，谁得而族灭也？秦人不暇自哀，而后人哀之；后人哀之而不鉴之，亦使后人而复哀后人也。

阿房宫遗址

这曲《阿房宫赋》是千古名篇，至今在我国的中学教材中仍是学生课外阅读的首选。

在此文中，杜牧提到："楚人一炬，可怜焦土！"就是说是项羽一把大火将阿房宫给烧了个干干净净，这就是火烧阿房宫最早的出处，而后人也一直将它当作历史事实。然而随着近年来的考古发掘，专家们对此提出了不同的意见。

2005年10月，阿房宫考古工作队展开了对阿房宫遗址的首次大规模科学发掘工作。经过一年多的发掘，考古工作者在这里取得了一批重要收获。

在阿房宫前殿遗址上，考古工作者发现了一个东西长1270米、南北宽426米、夯土面积达541020平方米的夯土台基，这是迄今所知的中国乃至世界古代历史上规模最宏大的夯土基址。以此可见《史记》中记载的阿房宫的规模所言不虚。

除此之外，他们还发现了前殿遗址的北部边缘结构，在发现的宫墙附近发掘出土了一批时代应为秦和西汉早期的板瓦、筒瓦等建筑材料，出土了两枚铜镞。这些板瓦有表面中绳纹、表面粗绳纹两种，内素面；筒瓦有泥条盘筑、模制两种，表面都是绳纹，有的内留麻点纹。瓦片上有的戳印有陶文"左

阿房宫遗址中的砖瓦

司"或"左宫"。

在"前殿"遗址夯土台基的南部边沿一带，考古工作者还发现了距现代地面2.8米的秦代地面，发现一条现长285米的东西向壕沟，从中出土了大量汉代板瓦和筒瓦残片以及三枚唐代的开元通宝。据推测，这条壕沟应该是后世所挖的防御设施。因为据文献记载，前秦和唐代都曾在阿房宫前殿遗址上面驻扎过军队。

在发掘之前，考古工作者针对阿房宫毁于项羽一炬的说法进行了大量的工作准备，如果能够找到当时留下来的、被火烧过的痕迹（即红烧土），便可以证明阿房宫确实是葬身于茫茫火海。

应该说，考古工作者的准备比较充分，发掘采取的方式也很先进：在20多万平方米的范围内，考古队员每平方米打下五个探杆，探眼打到原来台基的夯土地面，却没有一点红焦土的痕迹！这就说明从目前来看，项羽当年放火焚烧阿房宫尚缺乏考古学依据！

另外，专家还举出了历史记载上的证据。在《史记》中，只说项羽烧秦宫室，火三月不灭，可没说项羽烧的就是阿房宫，考古已经发现烧的"秦宫室"其实是秦咸阳宫；而且当时秦朝在关中修建的宫室别馆有二三百处，谁能仅凭这句记载就断定项羽烧的是阿房宫呢？同时，历代史传中除了《史记》外，关于阿房宫的记载还见于《三辅黄图》、《水经注·渭水》、《汉书·贾山传》等，但其中都只是说到了阿房宫的大小，并没有项羽烧阿房宫的记载。因此我们只能认为，火烧阿房宫一事，其实是出自杜牧的想像。

《史记》中的记载是在秦之后100年，司马迁的说法应该是可信的。杜牧是唐代诗人，《阿房宫赋》作为文学作品，允许有浪漫的想像，但不能将之看作历史事实。杜牧在《阿房宫赋》说项羽火烧阿房宫反映的是他的历史观，是借历史而表达自己的观点。如同《三国演义》虽然描写了三国时期军阀们的相互征伐，但其中真正符合历史事实的情节并不多一样，这类文学作品的面世都是要为当时的政治环境所服务的，或借古讽今，或宣传封建王朝的统治策略。如果将文学家的浪漫想像当作了历史事实，那只会让他们的在天之灵偷笑。

既然阿房宫不是项羽所烧，那么它究竟毁于何人之手呢、又是怎么被毁掉的呢？这在历史上没有记载。现在只能认定，阿房宫毁于当时的战火之中，很有可能是在楚汉争霸之时变成了历史的尘埃。

> 高秋咸镐起霜风，秦汉荒陵树叶红。
> 七国斗鸡方贾勇，中原逐鹿更争雄。
> 南山漠漠云常在，渭水悠悠事旋空。
> 立马举鞭遥望处，阿房遗址夕阳东。
>
> ——唐·刘兼《咸阳怀古》

已经不复存在的阿房宫对于中华文明来说是一个巨大的遗憾，这座汇集了无数先人们智慧与心血的宏伟宫殿，即使在今天重建起来，也再难找回当年的气势与辉煌。中国历史上，毁于战火的文明已经太多太多，我们只能希望，历史在今天、在未来不会重演！

阿房宫不在了，但不能代表着秦始皇留下来的辉煌也随之而去。骊山脚下的秦始皇陵中，长眠的秦始皇正在用无声的语言，向今天讲述着他当年的风采！

第6章

千年秦陵的千年谜

201

秦始皇的地下王国

如果说阿房宫的修建是秦始皇为了在活着的时候享受千古一帝的奢华，那么骊山陵的破土就意味着始皇帝在身后还要继续让这份权利陪伴自己，直到永远。

始皇帝登基为秦王时便开始了营建陵寝的工程。由于其间有更为重要的统一之战，所以从秦王政元年（前246）到秦始皇二十六年（前221）这26年间，虽然骊山脚下一直热闹非常，但工程也只不过是初步完成了选址、策划及奠定工程的规模和基本格局。

灭掉六国之后，天下一统，属于秦政权的人口猛然间增加了五六倍；再加上所俘获的六国士兵以及奴隶，秦始皇手中已经有了足够的劳动力去修建陵寝。李白有诗云："刑徒七十万，起土骊山隈。"这不是诗人的夸张，据史载，最多的时候，有72万劳动力在骊山脚下挥汗如雨。

完成统一大业的当年，秦始皇便派李斯主持修建皇陵。李斯能力超群，再加上人手充足，财力雄厚，10年之间就已经基本完成了秦陵的主体工程。秦始皇暴死沙丘之后，二世继续修建。但二世二年爆发了一次波澜壮阔的农民大起义。起义军领袖陈胜、吴广的部下周文率兵打到了

远观秦始皇陵

距陵园不足数千米的戏水(今临潼县新丰镇附近)附近。面临大军压境、威逼咸阳之势，秦二世这位未经风雨考验的新皇帝惊惶失措，情急之下召来群臣商讨对策，他一副丧魂落魄的样子，向群臣发出了"这可怎么办"的哀求。一阵沉寂之后，少府令章邯建议："盗匪已经来了，人多势众，临时征发附近各县的军队是来不及了。现在在骊山修建皇陵的徒役很多，希望陛下能够赦免他们，发给兵器，去抵挡那些流民。"

惊魂未定的二世皇帝当即拍板决定由章邯直接率领修陵大军回击周文起义军。至此尚未完全竣工的陵园工程不得不被迫中止。之后秦朝内忧外患，无力他顾，秦始皇陵也便成了一座个没有完全竣工的烂尾工程。好在二世在位时主要是从事收尾工程与覆土工作，因此后人也就能得以瞻仰这座世界上最豪华墓室的基本风貌了。

修建结束后的秦始皇陵极其宏伟，据《史记》记载："坟高五十余丈。"以当时的尺值折算其高度在115米左右。到了1961年，当地文管局测量的高度为43米，1982年再用新技术进行测量时，得到的确切高度为55.05米。可见2000余年来的水土流失，使封土高度比原来下降了二分之一多。

秦始皇陵墓近似方形，顶部平坦，腰略呈阶梯形，东西长345米，南北宽350米，占地120750平方米。

根据初步考察，陵园分内城和外城两部分。内城呈方形，周长3000米左右，北墙有2门，东、西、南3墙各有1门。外城呈矩形，周长6200余米，四角各有门址一处。内、外城之间有葬马坑、珍禽异兽坑、陶俑坑；陵外有马厩坑、人殉坑、刑徒坑、修陵人员墓葬400多个，范围广及56.25平方公里。最新考古勘探资料显示，秦始皇的墓室东西长80米，南北宽50米，空间高度15米，墓底距离封土顶72米。墓室或墓道的顶部可能为青石结构，这种石材明显不同于陵墓南侧骊山上的石质，也不同于封土堆中夹杂的自然石块，却与距秦陵六七十公里外的渭北诸山一带的石灰岩相同。晋人潘岳在《关中记》中的记载得到了验证："骊山无此大石，运取于渭北诸山。故其歌曰'运石甘泉口，渭水为不流。千人唱，万人相钩。'"但人们现在还无法想像墓顶宽达50米的跨度当年是如何解决的。要知道根据兵马俑陪葬坑中使用的青砖表明，当时的工匠尚不清楚两砖之间需要错缝这一关键技术，至少错缝技术还没有成为每个工匠都必须掌握的基本常识。

通过考古钻探发现，幽深而宏大的地宫为竖穴式。那么它究竟有多深呢？《史记·秦始皇本纪》说其"穿三泉"。《汉旧书》中对秦始皇陵的描述有"已深已极"、"深极不可人"之语。有人认为，秦陵地宫不浅也不深，书中提到的"三泉"无外乎人们经常提到的"九泉之下"之类。据《吕氏春秋》记载："浅则狐狸扬之，深则及于水泉"，即最浅的连狐狸都能刨开，最深的则一直抵达到泉水。在古代由于受技术限制，要在泉水下施工实为不易，并且如果地宫位于地下水位之下，地下水长期渗透，定会使地宫遭受"浸"害，秦始皇及其皇陵的设计者不可能不考虑到这一点。

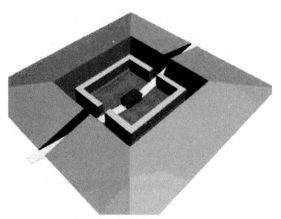

秦始皇陵结构想象图

建国初期，有人根据当时的科技手段推测出秦陵地宫深度为500至1500米，现在看来这一推测近乎天方夜谭。假定地宫挖至1000米，它超过了陵墓位置与北测渭河之间的落差。那样不仅地宫之水难以排出，甚至会造成渭河之水倒灌秦陵地宫的危险。

尽管这一推断悬殊太大，但却首开了利用现代科技手段探索秦始皇陵奥秘的先河。

国内文物考古、地质学界专家学者对秦陵地宫深度也作了多方面的研究探索。根据最新钻探资料，秦陵地宫并没有人们想像的那么深。实际深度应与芷阳一号秦公陵园墓室深度接近。这样推算下来，地宫坑口至底部实际深度约为26米，至秦代地表最深约为37米。这个数据应当说不会有大的失误，这是依据目前勘探结果推算的。但是否如此尚有赖于考古勘探进一步验证。

然而秦陵地区的地层中存在有多层自东南向西北流动的地下潜水，因此在地宫修筑过程中遇到的最大一个困难，就是当下挖至潜水层以后如何排导多层的地下水，而且还要考虑地宫建成后的防水措施。但考古学家勘探出的一套地下阻排水系统，让所有的难题都迎刃而解，也让全世界所有的工程专家都叹为观止。

这组地下阻排水系统随陵园的自然地势而精心布设，可以看出当年的设计者和施工者对陵区地质状况的了解已达到相当程度，并具备极为高超的测量技术。将近绕陵一周的阻排水渠，环行在高低不平的地貌上，渠底的水平掌握需要测量得非常精确。勘探表明阻排水渠的底面高差在一米左右，这样则保证了渠中的水能够按照设计意图流向一处，排出陵园。后来选用青膏泥作为前段下层的封堵材料也十分高明，而且所用的青膏泥之多、夯层之厚，确乎超出想像。仅此一个秦陵地下阻排水系统，就足以充分说明秦代大型工程的设计和施工技术已臻化境。

这一系统的功效让人十分满意。地宫的建成本身就说明了排水系统的成功。而阻水系统，更是经历了2200多年的时间检验。此次物探中，利用自然电场法和核磁共振法测出，在所推断的墓室和地宫范围内为不含水区，而阻排水渠外侧(南段之南)的相同深度为含水区，从而证实这个地下阻排水工程迄今仍然在发挥着作用。

与之呼应的是地上排水系统。在陵园内不论是墙脚楼旁、封土周围，均列有整齐的排水管道，形成一整套纵横交错的地表排水设施。它们能将生活用水、地表雨水迅速排到地势低洼处，并引向陵园外。陵园外的防水工程乃是骊山山麓前筑就的防洪大堤，以防范源自山间的洪水对陵园的破坏，时至今日它依然高高隆出地面，长久以来被当地人称为"五岭"。

考古学的发现揭开了一个谜，但另一个谜又随之而来。当初开挖的墓圹(坑穴)主体东西长170米、南北宽145米，开挖范围和墓室均呈长方形；在墓圹边沿建造有一圈巨大而且精细的夯土宫墙，高出地面竟达30米，顶部距封土表面最浅处只有1米左右。这一围绕墓室筑就的细夯土墙，在所有其他陵墓中从未发现过，无疑是秦始皇陵的一个创举。更令人惊奇的是外墙面的9级台阶上(每级宽两米)，都钻探出残瓦碎片———难道埋入土下的墙侧台阶上，竟然还修建了9圈长廊？这么庞大的地宫如何布置在封土下面？

据民间传说，秦始皇陵地宫的洞室其实在现在人造封土以南直达骊山中心主峰望峰之下，这样说其实也是有史籍依据的。《史记》记载：秦始皇三十七年（前210），丞相李斯向秦始皇报告，称其带了72万人修筑骊山陵墓，已经挖得很深了，好像到了地底一样。秦始皇听后，下令"再旁行三百丈乃至"。"旁行三百丈"一说让秦陵地宫位置更是扑朔迷离。民间曾传说秦陵地宫在骊山里，骊山和秦陵之间还有一条地下通道，每到阴天下雨的时候，地下通道里就过"阴兵"，人欢马叫，非常热闹。考古学家根据这个传说曾作过很多考察，但却一直找不到这个传说中的地下通道。等到近年来专家们用遥感和物探的方法分别进行了探测，发现其实地宫就在封土堆顶台及其周围以下。

另外，一个有趣的现象也间接证明了地宫的位置。2000年元月初，秦始皇陵区气温降至零下12摄氏度，封土堆上的石榴树正常开花结果，而在封土堆南墙外的石榴树却冻害严重，不能正常开花结果，差别特别明显。这是因为墙外的土壤未经扰动，而封土堆土壤的结构和含水量则已发生改变，又因为墙内地下存有地宫，才使得土壤相对温度较高，从而造成植物长势的差异。

从墓外要经由墓道进入地宫，根据西汉以前陵墓的考古经验和"端门四达"的理念，只有至尊身份的人才使用四条墓道，过去所有专家都相信秦陵地宫至少有四条墓道，而且每侧还不止一条。但经过遥测和考古钻探确认，地宫只有东西两侧各一条墓道，而南北两侧尚未发现类似结构。这一结果完全出乎我们的预料，因为最有资格使用四墓道的秦始皇陵，竟然只有两条。这其中的奥妙所在，还在等着人们进一步去考证。

两墓道的发现让人们头痛不已，另一个问题也随之而出，那就是秦陵地宫当年建造了几道墓门呢？

2002年9月17日，世人通过电视直播目睹了考古学家探测金字塔内部空间的过程。当考古学家从第一道石门洞口将机器人放进去之后，想不到机器人又碰上了一道石门。举世瞩目的金字塔考古工程只好搁浅。金字塔地宫可能不只两道门。人们不禁联想到，只有两条墓道、被誉为东方金字塔的秦皇陵，其地宫也绝对不会只有一道门。

其实《史记》中早就有了这个问题的答案。《史记》清楚的记载："大事毕，已藏，闭中羡，下外羡门，尽闭工匠藏，无复出者。"就是说，棺椁及随葬品全部安置放在中门以内。工匠正在中门以内忙活，突然间"闭中羡门，下外羡门。"工匠"无复出者"，也成了陪葬品。这里涉及既有中羡门，又有外羡门，其中内羡门不言自明。地宫三道门似乎无可辩驳

值得注意的是司马迁中羡门用了个"闭"字，外羡门则有了个"下"字，说明中羡门是可以开合的活动门，外羡门则是由上向下放置的。中羡门可能是横向镶嵌在两壁的夹槽中，是一道无法开启的大石门；内羡门可能与中羡

206

门相似。三道羡门很可能在一条直线上。

目前考古勘探表明，秦陵地宫为竖穴式。墓内可能有"黄肠题凑"的大型木椁。如果是竖穴木椁墓，墓道及木椁上部都以夯土密封。这样一来，墓室内外严严实实，不会再有空间。然而，陵墓主持者之一李斯则说："凿之不入，烧之不燃，叩之空空，如下无状。"

李斯这段话如果记载无误，那地宫明显有个外壳。按理这段话不会有假。因为李斯曾以左丞相身份亲自主持过陵墓工程，对地宫的构造了如指掌。加之这段话是当面向圣上汇报的，应该说不会有掺假嫌疑。如果按李斯所言可以推断秦陵当是一座密封的、真空的大地堡式地宫。不然，怎么会"叩之空空"？又怎么会"烧之不燃"？

按文献记载推理地宫是空的，且有较大的空间，但由于考古勘探尚未深入到地宫的主要部位，所以地宫内部究竟是虚是实目前还是个谜。

在今天的高科技面前，秦始皇地宫那神秘的面纱似乎正在一点点地被掀开。然而它的庐山真面目到底如何，也许跟我们今天所知道的完全不同。一切，要等待地宫重现天日的那一天。但就如同古代婚礼一样，新郎根本不知道新娘子长的是什么样子，也许在结婚之前也曾有过许多猜测，然而直到洞房花烛夜，掀开新娘头上的红盖头之后，才发现自己之前的猜测全都是白想。

运用高科技可以推测秦陵的构造，但有一个问题却是科技手段所无法解决的。那就是秦始皇陵的方向问题。

据考古勘探以及对墓道兵马甬位置的判断，专家认为陵墓的朝向为坐西向东。这是一个奇特的布局。众所周知，我国古代以朝南的位置为尊，历代帝王的陵墓基本上都是坐北朝南的格局，而作为第一位封建帝王，秦始皇为什么愿意坐西向东呢？

有人认为，秦始皇生前派遣徐福东渡黄海，寻觅蓬莱、瀛洲诸仙境，并多次亲自出巡，东临碣石，南达会稽，在琅玡、芝罘一带流连忘返，这一切无不昭示其对仙境的迫切向往。可惜徐福一去杳无音讯，秦始皇亲临仙境的愿望终成泡影。生前得不到长生之药，死后也要面朝东方，以求神仙引渡而达于天国，大概这就是暮年秦始皇的最大愿望。基于此，秦始皇陵也就只能坐西向东了。

这种说法具有明显的漏洞。秦始皇在刚刚继秦王位时便开始修建了陵寝的修建工作，那时的他只是一个年仅13岁的小孩子，哪里知道什么神仙鬼怪、长生不老的事？退一步说，就算他知道，也不可能预测出自己将来会求仙寻药而无果吧？

有人认为，秦国地处西部，为了彰显自己征服东方六国的决心，秦王嬴政初建东向的陵墓；并吞六国之后，为了使自己死后仍能注视着东方六国，始皇帝矢志不改陵墓的设计建造初衷，所以我们看到的陵墓只能是东西朝向。

跟上一种说法一样，13岁的秦始皇不可能知道自己将来会统一六国，因为在那个混乱的年代，一切都存在着巨大的变数。今天你把别国灭了，说不定明天就会惨死在乱兵之下。这是连很多在乱世中混迹多年、已经成精的政客都难以预料的，更不用说一个孩子了。因此这种观点也根本站不住脚。

其实，秦始皇陵坐西向东，与秦汉之际的礼仪风俗有关。根据有关文献记载，当时从皇帝、诸侯到上将军，乃至普通士大夫家庭，主人之位皆坐西向东。秦始皇天下独尊，为了保持"尊位"，陵墓的朝向可想而知。

据考察，陕西境内已发掘的917座秦墓，绝大部分都是东西向。秦公陵园的32座大墓，也全部面向东方。秦人葬式的这一特点，越是早期越为明显。是什么原因让秦人采取这东向的葬式呢？坚持秦人起源于东方的学者认为，由于东方是秦人祖先曾经劳动、生活过的地方，他们对东方怀有特殊的感情，然而东西悬隔，路途遥远，其间又强敌林立，"叶落归根"的希望非常渺茫，因而采用朝向东方的葬式，以示不忘根本。相反，坚持秦人起源于西方的学者认为，秦人采用"头朝西方"的葬俗，是想彰显他们来自中国西部。但如果头西足东的葬式表示秦人来自西方的话，那么华夏诸族流行的北首而葬之俗，是否说明他们来自北方呢？现代文化学与民俗学研究者提出了新的见解，认为秦人流行的西首而葬之俗和他们曾流行过的"屈肢葬"一样，与甘肃地区的古代文化或某种原始宗教信仰有关。比如"白马藏人"对本民族盛行的西首葬的解释是，日落归西，人亦随太阳走。秦人对他们的葬式，可能也有着本民族特有的解释，只是我们今天已经无缘知晓了。

另外还有一个疑点，在我国古代，皇帝死后，都要与皇后合葬一处，以示永不分离。而秦始皇陵之中，只孤零零地躺着秦始皇一个人，他的皇后墓何在？

事实上，终秦始皇一生，这位千古大帝从未立过皇后。对于这一谜团，专家认为，立后关系到秦王朝的政权建设，但根本原因在于秦始皇的个人性格及家庭环境之影响。

中国古代帝王有多个夫人及众多妃嫔，后妃制度中"第一夫人"又称皇后，皇后是太子之母，立后制遂与储君制相互表里，成为中国古代后宫制度乃至君主政治的重要组成部分，并演出了一幕幕的政治活剧。

秦人在秦孝公以后对于立后和立太子之事已制度化，秦国在发展壮大过程中，各种国家制度已臻完善，秦统一中国后更全面建立了各种制度，并定出了皇帝的正妻为皇后、母亲为皇太后的制度。但是秦始皇帝始终没有设立皇后，这成为令人费解的千古之谜。由于秦宫档案的记载已经不复存在，所以今人只能靠推测来揭破了。

秦始皇13岁即位到22岁亲政，中间有九年的太平天子时间，也正是古代男子要娶妻的时间。即位三年，他便有资格立后，但前后九年都未立后。22岁到39岁的17年是其自己掌权、统一六国的时间，国事繁忙，但立后也费不了多大的事。从39岁到50岁时，秦始皇多在巡游路上，但是立后以"母仪天下"也花不了多少时间。

秦始皇在有机会立皇后的时间内未立皇后有许多原因，但主要原因是很复杂的。除性格多疑恐皇后掣肘外，还跟秦始皇追求长生不老和后宫美女过多有关。正是有长生不老的厚望和六国佳丽充斥着后宫，一定程度上延迟了秦始皇立后的进程。

另外史载，庄襄夫人闹出的丑闻也使秦始皇在思想上受害甚深，可谓是终生难忘的伤痛。由怨母而仇视女人的心理阴影，使秦始皇长大后在婚姻能力上未能健康发展。宫中众多女人，仅仅是为满足他的生理需要。由母亲行为而形成的心理障碍，也是秦始皇迟迟未立后的重要因素之一。

秦始皇统一六国后，东方六国的佳丽尽充后宫，要选一个名门之后的贤淑女子也是一个难题。何况秦始皇自认功德超过了古代的圣王——三皇五帝，皇后的标准难定，选定皇后就更难了。因此，秦始皇只能自己在地宫之中长眠了。

如此庞大的宫殿，相当于一个地下王国，独自长眠在其中的秦始皇会不会感到寂寞？答案是否定的。因为在这个王国之中，秦始皇不是孤独的，无数的奇珍异宝，无数的奢华设施，都在陪伴着秦始皇度过永恒的长夜！

富可敌国的陪葬品

秦陵地下建筑的面积相当于今天五个标准的国际足球场那么大，其地宫的深邃可想而知。如此巨大的皇陵如果只有秦始皇自己长眠在其中，岂不是一种浪费？除了秦始皇的灵柩外，地宫内还有什么呢？

几千年前的贝壳陪葬品

在古代，人们认为死后就会去到另一个世界，因此，便会把死者生前所用或所喜欢的东西和他一起下葬，这就是陪葬品。古时不仅皇帝死后要有大量的奇珍异宝陪葬，就连一个穷人死后，亲人也会把他生前所用的东西与他埋在一处，哪怕是一只碗，一双筷子，好让他能在另一个世界继续在世时的生活。

厚葬习俗由来已久，最早可追溯到夏商时期，于秦汉时期达到全盛。比如汉代制度规定，天子即位一年，就以天下贡赋的三分之一"充山陵"，修建帝王坟墓。即使史称"简约"、在遗诏中明令不许厚葬的汉文帝，其霸陵在晋代被盗时，也"多获珍宝"。厚葬习俗根源于中国传统的礼治观念，与古人相信灵魂不灭的迷信思想有直接关系。中国古人讲尊君、讲孝道，又很要面子，厚葬就可满足这种种心态。《吕氏春秋·节丧》记载，当时人们往往用一些能显示身份、地位的专用品及大量的生活资料和珍奇完好之物随葬，其后人也以此为荣。正所谓"欲侈其葬，则心非为乎死者虑也，生者以相矜尚也"。

而秦始皇作为第一个统一天下的帝王，在生前有权利享受帝王的尊贵，死后自然也有权利去继续拥有帝王的特权。因此，与秦始皇一同安葬在地宫之中的奇珍异宝不计其数。

《史记》记载，地宫"穿三泉，下铜而致椁，宫观百官，奇器异怪徙藏满之。以水银为百川江河大海，机相灌输。上具天文，下具地理，以人鱼膏为烛，度不灭者久之。"由此可以看出，那座巍峨的封土之下，其实是一处巨大的宝藏。

根据现代考古学对研究结果来看，司马迁所言不虚。秦陵的外藏系统由地宫之内各层台阶上的陪葬坑、地宫外封土下的陪葬坑、内外城之间的陪葬坑、外城之外的陪葬坑四个层次构成。

以陪葬坑的形式构成秦始皇陵园的外藏系统是秦人的首创。先秦时期的外藏仅仅以车马坑或车马器为其主要内容，加上玄宫中的礼乐重器、生活用具，反映的埋葬观念不过是形而下之的贪婪占有；而到了秦始皇陵园，形式上看似与之没有质的区别的陪葬坑，反映的埋葬观念却有了质的、形而上的创新。秦始皇对他一手创设的皇权之下的中央集权官僚政体充满自信，他明白忠实于帝国及帝国皇帝的各级官僚和他们所统属的机构，不仅是帝国万世基业的保证，也是维系皇帝死后能继续拥有至高权利的条件。

秦帝国时期中央政府最重要的中枢是三公九卿，它所代表的"百官"权利来自皇帝，在皇帝生前为帝国鞠躬尽瘁，贡献着忠诚；在皇帝死后，它们仍然一如既往地为帝国皇帝尽忠。陵园内城西南角的一个陪葬坑中出土了八个文官俑，从伴出的青铜钺及俑身佩挂的刮削竹木简的陶削，可推测这是三公九卿中主管监狱和司法的"廷尉"，也就是史记中所说的"宫观百官"。帝国的政权机构以陪葬坑形式出现在始皇的陵园中，这是秦帝国辉煌时期帝国心态、帝国形态、科技文化现时态的集中再现。

从司马老爷子的话中我们还能得到另一个信息，"下铜而致椁"，就是说秦始皇的灵柩是铜制的。但这一说法遭到了专家们的质疑。以史料记载来看，秦始皇未必使用的是铜棺。《史记》、《汉书》明文记载，"冶铜锢其内，漆涂其外"，"披以珠玉，饰以翡翠"，"棺椁之丽，不可胜原。"这里"漆涂其外"、

"饰以翡翠"的棺椁恐怕只能是木质的了，如果是铜棺或石棺肯定用不着土漆涂其外，而只有木棺才可能使用土漆。

从先秦及西汉的棺椁制度考察，使用"黄肠题凑"的大型木椁是当时天子的特权。自命功劳大过三皇五帝的秦始皇不可能放弃"黄肠题凑"的木椁而改用其他棺椁。

秦地宫内还有哪些珍贵的陪葬品？千百年来由此引发了许多神奇的传说故事。地宫飞雁就是一个十分迷人的传说。

《三辅故事》记载，楚霸王项羽入关后，曾派 30 万人盗掘秦陵。在他们挖掘过程中，突然一只金雁从墓中飞出，这只神奇的飞雁一直朝南飞去。几百年之后的三国时期，一位在云南做太守名叫张善的官吏，一天收到别人送给他的一只金雁，他立即从金雁上的文字判断此物乃出自始皇陵。

秦代金雁

这个神奇的传说有没有历史依据？近年来有的学者指出：这虽然是个传说故事，但说明秦陵内的文物曾经流失于外，并且远达云南以南。至于说金雁制作精巧，不但好看，而且还能飞，这也是有可能的。因为在春秋时期，著名工匠鲁班已经能制造出木雁，在天空中飞翔，直飞到宋国的城上。几百年后，秦国的工匠能制造出会飞的金雁，这是可信的。那么，这个传说故事究竟可信不可信？

在中国这个历史上不甚看重科技的国度内，假若在 2200 多年前就能制造出会飞的金雁，这在中国科技史乃世界科技史上都是一个罕见的奇迹。然而，金属飞雁的可信程度确实令国人捏把汗。假若仔细推敲一番，立即就会看出这个传说的破绽之处。试想一个金属物体在空中飞翔并不像放风筝和氢气球那样简单易行。后者由于质量轻，借助于自然界的风力就可以在空中飞翔，然而对于一个金属物体来说，如果没有机械动力单靠自然界的风力，不要说空中飞行，恐怕连起飞这个基本的难题也无法解决。2200 年前的中国何以能解决金属物体的飞行动力问题呢?

再进一步分析,假设秦代有能力制作会飞的金雁,那么金雁埋入地宫之后将会不停地自动飞翔,一直在地宫内飞行了近1000个日日夜夜。当项羽打开地宫的墓道时,这个自动飞翔的金雁又沿着地宫的墓道顺利地飞出地面,然后又越过秦陵南侧数千米高的山峰飞往遥远的南方。如果这个奇闻不是闲聊文人编造出来的,那么,金雁的控制与指挥系统恐怕连今天的电脑也望尘莫及了。所以,可以肯定地说秦陵金属飞雁的传说没有丝毫的可能性。

金雁传说的辨误问题到此应该结束了。然而进一步来说古代文人编造的这个传说故事在历史文献上有没有一点蛛丝马迹呢?在司马迁和班固的记述中有一句:"黄金为凫雁"的文字,显然两位史学大师记载的是墓内有用黄金制作的"凫雁",而古代文人很可能由此又演义和"创作"了飞雁传说的故事。

在《史记》明文记载的陪葬品有"金雁"、"珠玉"、"翡翠"等,其他还有什么稀世之宝谁也不清楚。不过80年代末考古工作者在地宫西侧发掘出土了一组大型彩绘铜车马。车马造型之准确,装饰之精美举世罕见。之前,考古工作者还发掘出土了一组木车马,除车马、御官俑为木质外,其余车马饰件均为金、银、铜铸造而成。地宫外侧居然珍藏了如此之精美的随葬品,那么,地宫内随葬品之丰富、藏品之精致是可想而知的。

地宫中的奢华不是我们今天仅凭想像就能够猜测出来的。秦陵地宫"上具天文"的构造则是另一种豪华的体现。

据专家推断,"上具天文"应当是指在墓室顶绘画或线刻日、月、星象图,可能仍保存在始皇陵中。"近年来,西安交大汉墓发现了类似于"天文"的壁画,象征天空的日、月、星

秦代翡翠

象。

而据民间传说,秦始皇墓中的日月星辰其实都是由价值连城、大小不一的夜明珠雕刻而成的,在机关的驱使下,日月星辰能够依照天体的运行规律

东升西落。

以当时的科技水平来推断，这种说法倒也有实现的可能。春秋战国时期的百家争鸣出现了墨家一派，而墨家学说除了我们所熟知的"兼爱非攻"外，更注重的是在科技领域的研究，在他们的努力下，一大批科技发明相继问世，只是汉代董仲舒的"罢黜百家，独尊儒术"的治国理念付诸实施以后，墨家学说式微，他们的科技成果也便不传于世了。不过在秦始皇时期，墨家思想还是具有一定的地位的，因此，始皇帝要想让夜明珠雕刻而成的日月星辰运转起来，也不是什么难事。

但这也只不过是一种推测，地宫中的"天文"究竟是什么样子的，还要等待考古学家们的进一步探索。

司马迁在"上具天文"之后又紧跟了一句"下具地理"，并说"以水银为百川江河大海，机相灌输"，在《汉书》中也有类似的文字。这说明地宫的下部则是以水银代表的山川地理，与上方的日月星辰遥相辉映。在这座有着象征天、地的地下"王国"里，秦始皇的灵魂照样可以"仰观天文，俯察地理"，统治着这里的一切。然而，史籍的记载是否真实，陵墓中究竟有没有水银，2000多年来始终是一个谜。

现代科技的发展为验证秦陵地宫埋水银这一千古悬案提供了必要的前提条件。地质学专家先后两次来始皇陵采样。经过反复测试，发现始皇陵封土土壤样品中果然出现"汞异常"。相反其他地方的土壤样品几乎没有汞含量。科学家由此得出初步结论：《史记》中关于始皇陵中埋藏大量汞的记载是可靠的。现代科技终于解开了地宫埋"水银"的千古谜案。

至于地宫为何要埋入大量水银？北魏学者郦道元的解释是"以水银为江河大海在于以水银为四渎、百川、五岳九州，具地理之势。"意思是说以水银象征山川地理，与"上具天文"相对应。

但，秦始皇的用意仅仅如此吗？这个中华第一帝王留给了我们太多的谜，以至于我们不敢轻易相信他每一个举动的表面意义。与其他事件一样，地宫中的水银也向我们讲述了秦始皇和他的大秦帝国的另一个秘密。

地宫水银的幕后交易

《史记》中"以水银为百川江河大海"的记载引发了2000多年的争议，在20世纪末，随着美国国家考古队的介入，这个谜团终被破解。考古专家在地宫表面检测出大片强汞区域，结论是：地宫里隐藏着大量水银。而且分布为东南、西南强，东北、西北弱。如果以水银的分布代表江海的话，这正好与我国渤海、黄海的分布位置相符。水银的分布走向，分明就是一幅大秦帝国的疆域版图！

2003年，中国考古队再次对秦始皇陵进行勘查。经过周密的分析，专家们得出结论，地宫中里的水银正如司马迁描绘的那样：以百川、江河、大海为蓝本，构成了大秦帝国的疆域版图。

这幅版图的存在真的像郦道元所说的那样，只是为了和穹顶上的日月星辰所对应吗？如果真是那样的话，秦始皇为什么不使用其他物质而偏偏选择水银呢？要知道，水银即使在今天也是稀有的液体金属，并且含有剧毒，制作流程十分危险，因此在当时的价格甚至超过了黄金。如果秦始皇真要想营造出那种恢弘的气象，大可以使用黄金白银或其他金属，虽说它们不是液态，但即使

秦始皇陵地宫中存在着上百吨的水银

215

是水银，也无法在没有源头与出口的人工河道中流动。所以仅仅这样解释用水银来绘制版图的动机并不全面。

众所周知，水银具有一定的防腐作用，因此古人常将水银放入死者墓中，以求死者尸体不会腐烂。秦始皇在陵墓中使用水银，更有保尸的意图；另外，水银含有剧毒，由于蒸发而产生的硫化汞气体更是能在很短时间内置人于死地，所以又有防止盗墓贼入侵的作用。春秋战国的贵族墓冢以"水银为池"并不鲜见。但是，在地宫里用水银象征"百川江河大海"，却是始皇陵所独有。

秦朝疆域辽阔，以水银来构建一幅可以与日月星辰相辉映的版图，其用量必然十分巨大。据保守估计，秦始皇的地宫中，至少有100吨水银！

上百吨水银，即使在今天看来，也是个令人瞠目的数字！

水银是珍稀的液态金属，上百吨的水银从哪里来？谁向秦陵地宫供应了这么多水银？答案在史料的角落里。

《史记·货殖列传》中记载到，秦代的巴郡（今四川）有个名叫"清"寡妇，数代垄断丹砂开采的生意，秦始皇曾为她修筑了一座豪华的纪念碑——怀清台，以表彰她的贞节。《史记》又说："江南"出丹砂。以硫化汞为主要成分的丹砂，在古代，除了用作书写、绘画和化装的颜料外，另一个主要用途是用于医药或提炼水银。由于天然水银非常稀少，当时水银的主要获取渠道，就是用丹砂提炼。

《汉书·食货志》也说，巴寡妇清，其家族数代垄断丹砂经营，成为巨富。秦始皇将其奉为上宾，并为她修建"怀清台"，表彰她为"贞妇"。明代散文家归有光则说：巴寡妇清坐拥丹砂矿，做成天下第一的大生意。

丹砂矿

但史书只是记载巴郡的寡妇清经营丹砂水银，并没有提到她与始皇陵的关系，如何认定秦陵地宫的水银来自巴郡或者巴清呢？

先秦古籍《逸周书》中记载了西周时

巴人向周成王"献丹"的事实。周武王攻克商王朝之后，于第二年去世，其子成王召开诸侯大会。此时，生活在三峡地区的濮人（被巴国征服的土著部落）就曾向周王室进贡丹砂。《华阳国志·巴志》说，涪陵郡出茶叶、丹砂……东汉学者许慎在《说文解字》里这样解释丹砂——丹砂，巴（巴郡）与南越（今广东、广西一带）之红色矿石。由此看来，上古时代丹砂的主产地很少，主要集中在巴郡和南越两地。魏晋时期的刘琳引述《续汉志》对这这项记载作注释：涪陵出丹砂，主要产于涪陵、丹兴（今黔江境）二县。魏晋时代的涪陵郡，就在秦朝巴郡的范围内。

贵州丹砂矿占据全国重要地位，渝东南地区的丹砂矿属于贵州汞矿脉的延伸，具有开发价值。而广西的丹砂资源相对没这么富有。西南地区应是当时丹砂的最大供应地。

因为丹砂原产巴地，而巴郡又是距咸阳最近的一个丹砂产地，所以秦陵地宫的水银很可能是由巴寡妇清提供的。

仅仅以关中平原与巴郡间的距离为根据，恐怕还不能令人信服。破解这个谜团的关键，是要看2200年前究竟是谁有这个实力提供如此庞大数量的水银。而当时在水银业拥有如此实力的，正是巴清！

2000多年来，对巴寡妇记载最明确、详细的是司马迁的《史记·货殖列传》，但这个记载也非常简单："巴寡妇清，其先世获得丹矿，数代擅其利，家财之多难以计量。"

《史记》、《汉书》等正史的都记载到，巴寡妇"用财自卫，不见侵犯"、"礼抗万乘"，也就是说，巴寡妇用她无法计量的财富豢养了一支庞大的私人武装，以保护其遍及全中国的商业网络，甚至到到了与大秦帝国以礼相抗的地步！

《华阳国志·巴志》说，巴寡妇清是巴郡枳县人，死后葬于长寿县千佛场龙山寨。《长寿县志》对她的记载则有更多的信息，说巴清家族的仆人上千、徒附（既指豪强地主土地上的依附农民，又指豪强豢养的私人武装家丁）和私人保镖上万。巴清家族的所在地枳县（包括今长寿、涪陵、武隆、南川、彭水、垫江、綦江、黔江等地），在当时全县人口总计不到五万人，而巴清家族的徒附家丁竟占据枳县人口五分之一。这可以从侧面看清巴清势力的庞大，即使保守估计，巴清也应当拥有一支数千人的私人武装。

如果保守设定巴清的家兵规模为2500人，按现有最低生活标准计算，每

第6章

千年秦陵的千年谜

人每天支出6元生活费，2500人每天的生活支出就是1.5万元，月耗45万元，年消耗540万元。如果按人平月工资800元计，那么2500人的月工资需要200万元，年工资总计就是2400万元。再看保镖装备消耗，按每人每月折旧消耗50元计，那么年消耗又是150万元！今天养这样一支保镖队伍的年支出是3290万元。如果再加上一些非常规的费用，每年花在保安上的费用至少是4000万元！

然而，秦始皇兼并天下后，立即收缴了天下兵器，运到咸阳加以熔化，铸造成编钟，又铸造了12个重三万公斤的铜人安放在宫廷里，这表明秦始皇对民间武装的忌讳之深。同时《秦律》也明文规定：天下兵器，不得私藏。那时的环境，就连私藏一把残戈钝剑，都要受严厉的惩罚，更别说拥有私家武装。因此在一个严禁民间私藏兵器的时代，巴清竟拥有自己的武装，可见其个人势力的庞大。而这种势力，显然是以她庞大的产业实力为基础的。

巴寡妇"清"成了历史上第一位女富豪。她几乎垄断了全国的丹砂水银行业，组建了庞大的私人武装以护卫她遍及全国的商业触角。但这一事实却与当时的环境存在着矛盾，令人十分疑惑。

从战国时的商鞅变法，到秦始皇建立统一的中国，秦国和秦朝都奉行着鲜明的重农抑商国策。这个国策，被历代封建专制王朝保持了2000多年，它是保障专制权利不断延续的根本。而在以专制著称的秦朝，却有一位女商人豢养着一支庞大的私人武装。她不仅没有受到《秦律》的惩处，反而受到秦始皇的一再表彰！

如果她聚敛的财富有用于始皇帝，但秦朝的专制王权可以无条件剥夺任

封建道德下备受压迫的妇女的象征——贞节牌坊

何人的财富，秦始皇为什么要违背重农抑商的根本国策，对寡妇给予如此的恩宠呢？

另外，许多史志记载，巴清早年丧夫，终生守寡不再嫁。秦始皇誉巴清为"贞妇"，为表彰其贞节，不仅命令巴郡的郡守在她生前为她修建了"怀清台"，还邀请她到都城咸阳安享晚年。

然而根据秦汉以前女性伦理中的贞节观念，并没有被作为一种根本的国家意识形态加以倡导，女性再嫁是寻常的事情。国家对"烈女"大张旗鼓的表彰，是宋明理学兴起以后的现象。秦汉以前中国的两性关系一直很"开放"，秦始皇的母亲就是一个性乱的典型。就算贞节观在儒家思想中很早就诞生了，而事实上，秦朝的立国思想是法家而不是儒家。

表面上看，在巴清与秦始皇之间架上桥梁的，是水银和提炼水银的丹砂。但始皇陵要获得水银，并不需要通过对商人的极端恩宠来实现，这个办法对国家大政方针的冲击是显而易见的，一个杰出并拥有无上权力的政治家，不太可能轻易犯这样的错误。

因此，巴寡妇必定有着不寻常的身份，她与秦始皇还有许多不为人知的秘密！

在当时，丹砂与水银的代名词，是"不死之药"。而丹砂的主要产地恰在川东南一带，峡江的巫山又是上古神话中的神山———灵山，那里是中国巫文化的发祥地，是"灵山十巫"的飞升处，也是"不死之药"的主要产地。而巴清，正在这里经营着当时全国最大的丹砂生意！也许，巴清就是一个继承了峡江巫术的智者。

《山海经·大荒西经》关于"灵山"和"十巫"的记载，有助于人们了解作为宗教概念的巫山："有灵山，巫咸、巫即、巫盼、巫彭、巫姑、巫真、巫礼、巫抵、巫谢、巫罗十巫从此升降，百药所在。"

《山海经·海内西经》则记载了关于灵山六巫用"不死之药"救治契窳之尸的传说，而且说明这"六巫"的位置就在"开明之东"，即古蜀国开明氏（鳖灵）的东面。在先秦神话中，正是"死而复生"的鳖灵西迁到川西平原开创了都江堰。那时，距离后来的巴寡妇不过400余年。因此，西晋的郭璞认为，"天帝神仙药"和"不死之药"其实就是丹砂。

另外，三峡地区以"丹"命名的地方很多，至今仍有丹山、丹穴、丹阳、丹水等七处。古籍中的巫山，应该是指大宁河沿岸诸山和大巴山南麓的巫溪、巫山等范围以内的"大巫山"，而这一带的矿藏资源正是丹砂。

古人认为，红色能通神升天，所以往往死后在墓中撒入红色的丹砂，这早已被考古发现证实。丹砂的特性不同于草木，用火烧能转变成水银，水银掺入丹砂，又能还原为丹砂。这种神秘转化生生不息的特性，致使古人以为丹砂能制成长生不老的仙药。事实上，被誉为远古智者的巴人巫师，很早就了解丹砂这种特性，开始了漫长而神秘的丹术之路，并以此拥有了峡江流域无可争议的通神力量。而巴清，正生活在这里！

《山海经》为我们提供了许多重要信息。比如，巫山是十巫活动的中心；巫山是巫师上天通神的"天梯"；巫山出产"帝药"等等。在上古神话中，巫山更是脱离了商朝势力控制范围的神秘之地。被成汤斩首的"夏耕之尸"之所以逃入巫山，其目的只有两个：一是能得到巫人的庇护；二是这里有通神的巫师可用不死之药医治他的"无首"之伤。从巴清的所在地和从事的"丹砂"行业看，巴清很有可能是远古巫师的传人，而更关键的是，巴清的家族，数代控制着丰富的丹砂资源！

什么人可以成为峡江地区能够成为最有影响力、最权威、最灵验的巫师？答案只能是：拥有最多"不死之药"的人。

而巴清正是这样一个人。她的家族数代控制丹砂产业，她很可能就是一个著名的巴巫家族的传人！而且，她应当是峡江地区巫师群体中最具权威的巫师！对秦始皇来说，巴清，正是第二个巫山神女！

终秦始皇一生，都对神仙方术抱着疯狂的幻想，这也是秦汉时代几乎所有帝王都没有摆脱的梦想。他在就迷上了长生药和"真人术"之后，为了达到修仙的目的，在炼丹方士卢生等人的鼓动下，秦始皇甚至把皇宫搬进咸阳地宫，足不出户地呆在里面，一面批阅奏章，一面"接引"神仙，不许外人打扰。而他以水银为陵墓地宫的江河湖海，也很可能暗示着他到死都深信，丹砂水银对帮助他死后继续统治这个"万世"江山有着神奇的魔力。

事实上，巴清在更早的战国末期，就已经接管其家族经营的庞大丹砂水银帝国了。而她掌握的神仙方术，也很可能在这个时候就进入了秦始皇的视野。

这个推论并非毫无根据。清人沈德潜的《古诗源》收录了先秦至隋朝700

余首诗歌，其中有一首《巴谣歌》唱道：

神仙得者茅初成，
驾龙上升入太清，
时下玄洲戏赤城。
继世而往在我盈，
帝若学之腊嘉平。

此歌谣的意思是劝皇帝学仙，沈德潜将其列于"汉诗"之前的"古逸"一卷中，并在序言里说明：始秦始皇三十一年九月，茅盈高祖白日升天，此前有《巴谣歌》便这样唱道。秦始皇听到之后问其中的含义，父老都回答说："此为仙人之歌谣，劝帝求长生之术"。始皇帝于是"欣然乃有寻仙之志"，开始了炼丹求仙的荒唐之路。

中国的炼丹活动起源于公元前三世纪。东汉魏伯阳所著《周易参同契》是现存世界上最早的炼丹术理论著作，书中提到当时的炼丹家有《火记》600篇，可见当时火法炼丹已积累了大量经验。晋代炼丹家葛洪的《抱朴子》，对汉晋以来的炼丹术作了详细记载和总结。但真正的炼丹术却起源于秦始皇。当时炼丹的目的有两个，一是求不死之药，二是求炼金之方。

按照五行生克学说中"土生金"的说法，先秦人有一种理论：丹砂200年后变成青，再300年变成铅，再200年成为银，再200年化成金。但人没那么长的寿命，只能想办法加速这种变化，于是就产生了"夺天地造化之功"的思想，企图利用高温能做到"千年之气，一日而足；山泽之宝，七日而成"。于是，有人在

秦代帛画《升天图》

第6章 千年秦陵的千年谜

鼎中放入以丹砂为主的各种药物，封闭后加以烧炼，企图炼出贵重的金银来。炼丹术或炼金术就在战国末期萌芽了。巴清丹砂产业的鼎盛时期，恰好是那个时代！

虽然在秦文化的潜层中，蕴藏着一种持续不断的创新机制，这也许可以解释巴清在当时社会可以创造奇迹的缘由。但在变革求发展的思想刺激下统一了中国并还在膨胀万世帝国梦想的秦始皇，为一个女商人筑"怀清台"，就让人感觉异样。而且，他晚年还将巴清接到咸阳养老，更不符合秦始皇的性格，也有悖于他的政治主张。秦始皇年轻时候的经历养成他行事具有强烈功利性和目的性的特点，假设他与巴清之间没有别的不为人知的关系，怎么也说不过去。这不是仅仅因为巴清能提供足够多的丹砂水银，就需要将她接到咸阳居住、并大加表彰的原因。

巴清的丹砂水银完全可以无条件服从于秦始皇的意志，但她有一样东西，是秦始皇无法通过强取豪夺真正获得的，那就是她头脑中掌握的"不死之术"！

在秦始皇的眼里，这个峡江巫师一定是个最具"专业"功力的"巫山神女"，他需要她全心全意为他实现永生的梦想奉献智慧，他需要她来指导他的神仙家团队。但这个理由却又摆不上台面，一个重农抑商的政权，怎么能如此看重一个"商人"加"巫师"的女人呢？所以，巴清必须以某种冠冕堂皇的身份出现，这个身份，就是"贞妇"！

但其中还有一个问题，一个门前是非多的寡妇，如何能支撑一个财富"难以计量"的商业帝国的运行？经营触角遍及全中国，她是如何保持这个商业帝国的信息畅通的？她如何将她的丹砂水银从大山阻塞的巴郡运销到全国各地？为什么她可以在一个以专制著称的政权下拥有一支强大的私人武装？在那个兵荒马乱的先秦时代，她又是如何维持其跨国商业的运转的？

秘密还隐藏在秦陵之中！

据推测，秦陵上百吨的水银来自川东南。如果这些水银是巴清所产，那么她要跨过长江，溯嘉陵江北上，穿巴山，涉汉水，经千里栈道，最后到达关中平原，其困难及艰险可想而知。而且昂贵的水银、丹砂足以诱惑所有不法之徒铤而走险！

秦统一后，就在全国范围内大修驿馆，建立了一套控制全国的驿道网络。

巴清很有可能利用了这套"国道"网络。

如果从秦始皇急于利用巴清的神仙方术这点来看，可以设想到，巴清与秦始皇之间达成了某种地下交易的默契。况且，她还要为郦山陵提供水银。

秦始皇的永生梦想几乎让他陷入了疯狂，他完全有理由为巴清的丹砂经营提供一切必要条件和庇护，包括允许她使用国家专用的"国道"，并拥有一支维护商业安全的私人武装。这一切看起来像是对一个"贞妇"的特别恩宠，其实不过是 2200 年前一桩利益驱动下的地下交易：巴清向秦始皇提供优质的丹砂水银和炼丹技术，并主持运行一个庞大的宫廷炼丹机构，而秦始皇则向巴清提供最强大的权利支撑。为此，他精心策划了一个表彰"贞妇"的"怀清台"，将这个难登大雅之堂的秘密隐藏了 2000 多年！

这不是毫无根据的猜测，宋代学者刘攽有《女贞花》一诗写道："巴妇能专利丹穴，始皇称作女怀清。此花即是秦台种，赤玉烧枝擅美名。"从中可以看出，他已经隐约地察觉到巴清为始皇炼丹的秘密。

宋仁宗时的中书令夏竦则在《女怀清台铭》里批评巴清："妇越闺户，预外事，是非贞也；图货殖，忘盥馈，是非孝也；采丹石，弃织纴，是非功也；抗君礼，乖妇仪，是非德也。"又指责秦始皇表彰巴清是"妇非所表而表之，表贪竞也；台非所筑而筑之，筑祸乱也"。他已经进一步地怀疑表彰"贞妇"其实是欲盖弥彰，他甚至推定，秦朝之所以迅速灭亡，也始于"怀清台"的修建！

秦始皇地宫中的水银隐藏了太多的秘密，甚至要追溯到上古时期去探求根源。然而神秘的面纱却将真相蒙得严严实实，我们本以为，掀开了一角便可以窥见真相，没想到里面还有更厚的一层。而眼下所作的推测，很有可能并非历史的真相。秦始皇陵中那些未见天日的奇珍异宝，那些超出世人想像的豪华布置，不仅吸引着我们探求历史真相的目光，更考验着那些盗墓者的耐心与勇气。

盗墓者的传说

秦始皇陵地宫中的水银除了具有保护尸体、祈求长生的作用，更为直接的用意当在于防止陵寝的被盗。盗墓现象在我国由来已久，历史文献中也可以看到盗墓行为的累累遗迹。历史上有记的被盗最早的墓是商朝第一代王商汤，距今3600年，盗掘事件最早出现在2770多年前的西周晚期，有人从掘开的古墓中得到一个玉印，上有十字，没有一个人能够认出上面写的到底是什么。

唐人颜胄诗所谓"群盗多蚊虻"、"白骨下纵横"、"田竖鞭骷髅，村童扫精灵"、"试读碑上文，乃是昔时英"等等，便是盗墓现象的真实写照。通过考古工作的实践可以得知，大量古代墓葬都曾经遭到盗掘。这种现象就是我国古代厚葬习俗的附生物。

陕西凤翔秦公一号大墓发掘时，考古专家们发现了密密麻麻的土色土质均与四周夯土显著不同的247个盗洞，真切感受到历代盗墓活动之惊心怵目。这座大墓是迄今所知盗洞最多的一座墓葬。盗掘的时间表自汉代一直延续至唐、宋。这座大墓发掘的最后阶段，有十数个盗洞竟然一直打到椁室。

干盗墓的人可分成两种，一种是

盗墓者的盗洞

官盗，像董卓以及民国时的孙殿英等。他们动用大批士兵，明火执杖地干；还有一种是民盗，分布各地，人数众多，集中在河南、陕西、湖南长沙周边一带。

专业盗者平常是两个人合伙，多人团伙是少数，独干的更少，因为一个人顾不过来，需要一个人挖，另一个人放风和清土，以后一个进入墓室，另一个人在上面接取物品。两个人合作，可以是朋友，可以是亲属，但父子合作的却很少，因为一旦出了危险，家中就没有男人了。在找合作伙伴的时候需要很小心，防止有人见财起意。

这些人长期以盗墓为职业，有很丰富的经验，善于伪装，并对防盗机关很有办法。他们在确定目标后，如果小墓不会费多大功夫，用几个晚上挖开，取出物品走人；如果是大中型墓，便一是以种地为名，在周围种下玉米高粱等物，以青纱帐掩盖其一个两个月的盗掘活动，二是在墓边搞个房子掩人耳目，然后从屋内挖地道通向墓室内，从外面看是什么也看不出来的，三是在古墓边修建一座假坟，同时在暗中掘一条地道，通入墓内盗掘财物。

在我国，盗墓可以说是一种历史悠久的"产业"，针对盗墓行动也发明了许多"专业"性的工具，其中最具代表者当属"拐钉钥匙"和"洛阳铲"。

拐钉钥匙的由来已经无从知晓，这种工具在我国已经失传已久，直到1957年5月，我国考古学家在开启明代万历皇帝的定陵时，方让拐钉钥匙的仿制品浮出水面。

1957年，定陵地宫发掘在玄宫大门前受阻，最终"拐钉钥匙"帮了大忙

找到定陵的地宫大门之后，如何进入这道坚固的石门成了当时的考古工作者的难题。石门是从里面被顶门石封住的，考古队既要将石门打开，又不能损坏文物，就连顶门石也要完完整整地保存下来，当然不能像孙殿英盗东陵那样用炸药炸开。

此时，专家们想起了史籍上曾记载：当年为把吊死的崇祯帝和周皇后埋进此前已死的田贵妃的墓中，曾使用过一种叫"拐钉钥匙"的工具。于是，新

225

的"拐钉钥匙"开始实验。

一名有经验的师傅将一根一米多长的铁丝一端拴上绳子，又准备了五六根一米来长的竹板，然后将铁丝弯成半圆，立着从石门缝儿送进去，再转过来，套住顶门石腰部，再将铁丝边弯边往里送，等进入门内的铁丝头儿转出来，再用钳子将两头拧死，形成一个"拐钉"。

"拐钉"装牢后，一名队员拽住拴在铁丝圈上的绳子，其他人将竹板从门缝里伸进顶门石上端，边顶边推门，门缝越来越宽，直到可容一人侧身钻进，就派出一名队员进入，抱住顶门石将其扶直。

一阵"嗡嗡"的声响后，尘封了300多年的定陵地宫的秘密被考古队员们推开。在又用"拐钉钥匙"打开另一道石门后，万历帝后三人再次"重返人间"。

而洛阳铲，则是现在考古工作者一直使用着的挖掘工具。传说在洛阳邙山马坡村，有一个从小就以盗墓为生的人。有一天，他到十几里外的一个县去赶集，有个来自偃师县马沟村的人熟人正在搭棚子。他见这人用一把筒瓦状的短柄铁铲在地上挖了一个竖起的小坑，以便放入棚柱。这人用此铲往下一插，提上来时带出不少土，一下子触发了他的灵感：这家伙比铁锨省事，特别是能带上原土，可以判断地下不同地层的情况。于是找了张纸，贴着铲画出了一张原铲图样，回家后找人按图打造，一试果然得心应手，效果不错，于是得到了推广。

除此之外，盗墓者还各自有各自的专用工具，有专用连体服装（行话叫作"老鼠衣"，上面布满各种"装备"），而且有的发掘工具相当先进：例如有一种工具选用锋利的铧犁叶片的一部分做"掘进器"，"三片装"，很像螺旋桨，后部紧连着螺旋状的"排土"装置……如此一来，不但能够将土掘出、排出，而且能够打透墓砖，简直就是现代打隧道的掘进器的迷你版！

与国家有组织的保护性挖掘相比，盗墓者是极其隐蔽的。

国家发掘不存在"违法"，因此工作细致，甚至用刷子干活。方式上几乎全都是"大揭顶"（地宫庞大的明清墓除外），不存在"技术"问题。而盗墓者不然。因为历朝历代对盗墓行为都在法律上给予严惩，现代更是如此，所以，其"时间"概念很强、"隐蔽性"很强。实际上，并不是那些庞大的墓盗不开，而只是受制于时间罢了！

而且，盗墓者一般看重轻便易携而又价值昂贵的金属器，对于大件的陶器有时会因无法从狭窄的盗洞中搬出而进行恶意毁坏。另外，他们对墓葬的方式等风俗、宗教文明毫不在意。这无疑是对我国古代物质文化遗存的严重损害！

人们不得不对秦始皇陵是否被盗而产生了深深地忧虑，而历史上的记载，更让人们对此产生了恐惧的心理。

当秦始皇陵的收尾工程尚在进行之际，中国历史上第一次农民起义爆发了，陈胜吴广揭竿而起，关东各地纷纷响应。由周文率领的一支浩浩荡荡的起义军不久便打到戏水附近，距陵园不足10里。这时数十万修陵人员只好遵命放弃未完成的陵园工程，跟着少府令章邯阻击起义军，摇摇欲坠的秦王朝在挣扎中维持了不足一年的时间便告覆灭。随着秦王朝的覆灭，秦始皇陵的厄运也就降临了。

最早光顾秦始皇陵园的是楚霸王项羽。关于项羽盗掘秦陵的情节和盗掘程度史书记载不尽相同，甚至前后出入较大。

司马迁在《史记》中记载项羽掘始皇陵一事是极其严谨的。在他所有涉及陵园的记载中只字未提项羽近代陵一事。只是在刘邦与项羽在战前对骂时，刘邦列举了项羽的十大罪状，其中一条就是"掘始皇帝冢"。此话出自项羽的对手刘邦之口，是否确有其事连司马迁撰写《史记》时也无法断言，只好客观地引用了刘邦的原话。

后来班固在《汉书》记载此事时也是比较慎重的：

> 骊山之作未成，而周章百万大师至其下矣。项籍焚其宫室营宇，往者咸见发掘，其后牧儿亡羊，羊入其凿，牧者持火照求羊，失火烧其藏椁。自古至今，葬未有盛如始皇者也。数年之间，外被项籍之灾，内离牧紧闭之祸，岂不哀哉？

班固这段话同样也不是他本人的发明。这段话出自汉成帝的大臣刘向的上谏书中。当年汉成帝营造延陵，不久又改变计划营造昌陵，"营起昌陵，数年不成，复还归延陵，制度泰奢。"面对成几次改变陵址，浪费大量的人力、物力，刘向劝谏成帝应当薄葬，反对厚葬。他在谏书中既列举了薄葬典型又

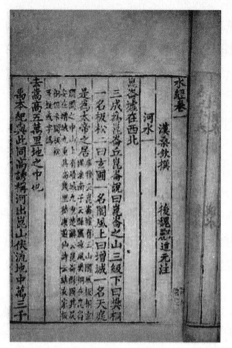

《水经注》书影

谈到厚葬的恶果，其中秦始皇就是他着重叙述的一个厚葬的例子。

作为一篇论说文的谏书，作者的主观动机及感情色彩是显而易见的，其中涉及的历史事例未毕完全确切。即使如此作者对项羽盗掘始皇陵的记述也是有分寸的。项羽只是'焚其宫室营宇，往者咸见发掘"数年之间，外项籍之为，内离牧之祝。"可见刘向的谏书中谈到项羽焚烧地面上的宫宇宫室，并没有断言项羽盗掘秦陵。

总之从《史记》、《汉书》这些原始记载中我们可以得出这样一个初步结论：项羽光顾始皇陵，纵火焚烧了陵园的"宫室营宇"，但无法断言项羽带兵挖过始皇陵。

然而到了北魏时期郦道元作《水经注·渭水》时，他的记载与《史记》、《汉书》就不大相同了。他这样写道："项羽入关发之，以三十万人，三十日运作物不能穷，关东盗贼销椁取铜，牧羊人寻羊烧之，火延九十日不灭。"

其实这段记载的内容一部分来自《汉书》，始牧羊人寻羊烧之；而另一部分则不同于《汉书》，如'项羽入关发之，以三十万人，三十日运物不能穷。"显然郦道元的记载做了人为的发挥，字里行间充满了虚张色彩。

《史记》的作者司马迁距秦亡100多年，《汉书》作者班固距秦亡200年，郦道元具秦亡400多年，按理具秦朝时间愈近记载应当愈细。可是司马迁只是通过刘邦之口，以"掘始皇帝冢"一笔带过；班固也是通过刘向之口，说项羽"焚其宫室、营宇"。可见这两位史学大师对于项羽是否盗掘秦陵一事，态度十分慎重，未置可否。然而后来的记载则肯定地说："项羽入关发之，以三十万人，三十日运物不能穷。"这里连挖墓的人数、挖出的东西运了多少天都记载的一清二楚。这就不能不引起人们的怀疑，郦道元的依据何在？另外，

《汉书》及《水经注》中牧儿烧其地宫的说法恐怕也不足为信。

那么说是否就意味着秦陵未被盗过呢？未必！官方盗墓的行为虽然没有出现，但民间的盗墓行为就难说了。民间盗墓者看重的是陵寝中的值钱物件，而秦始皇陵中的珍宝无论在史籍记载中还是在民间传说中都数不胜数，怎能不让这些以盗墓为生的人眼红手热？但我国古代对盗墓现象的打击十分严厉，盗墓者只能偷偷摸摸地做"地下工作"这就对时间的要求分外严格。秦始皇陵如此巨大，想要盗开并不是轻松的事，短时间之内很难完成。

另外，据史料记载，地宫之内还针对盗墓行为设置了大量的机关陷阱以及一触即发的弩箭，即使记载不是真的，也足以吓退盗墓者的贪心。

而且，秦陵地宫中的汞含量的确高得异常。能流动的水银百川江海，不仅可以让地宫中富丽堂皇，还能够有效地防腐防盗。高浓度的汞蒸汽一旦被人体吸入，轻则肌肉瘫痪、精神失常，重则一命呜呼。与重重机关和强弓弩箭相配合，多重防盗措施完全可以保证地宫的安全。

考古的成果也向我们显示了地宫尚未被盗过。经过全面勘测发现，周围陪葬坑中，项羽时代焚烧破坏的痕迹着实不少，但封土堆下的地宫却完好无损，至今尚未找到大规模盗掘的有力证据。而且经过了2000多年的时间，地宫内的水银还能被探测到，就说明地宫仍是密封着的，否则，汞蒸汽早就随着盗洞而挥散出去了，哪还能留着让今天的考古工作者们去探测呢？

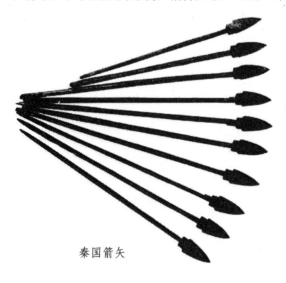

秦国箭矢

神秘的秦始皇陵地宫，越来越多地考验着人们的想像力。但现在我们还只能通过推测来解开秦陵之谜，还不到将秦始皇唤醒的时候。

这主要是因为，地宫结构复杂，至今没有搞清，而且很多技术问题也不能解决。若仓促发掘，会造成严重破坏。要发掘这样规模巨大的地下陵墓，必须先要修建一个面积达到36万平方米的顶棚，若不建顶棚防雨、防晒、防风，地下建筑则难以完美保全。而若想建这样的大棚，目前国内的技术力量还达不到，就连世界上最大的顶棚也只有四万多平方米的面积而已。另外，秦始皇陵地下水位高，距地表16米就见水，而大量的地下建筑都在16米以下，如发掘时没有大型抽水、排水设施，会使整个地下宫殿被水淹没。再者，发掘秦始皇陵工程浩大，需要投入巨额资金，这也是一个问题。

但随着科学的发展，秦始皇陵的发掘之日总会来到，那必将又是一个空前的世界奇迹。我们有足够充分的理由这样说，因为仅仅是秦陵的冰山一角，就已被世人惊呼为世界第八大奇迹了。

沉默的守护者

我们现在暂时无幸得见秦陵地宫的真面目，但在一个偶然的机会下，人们见到了秦陵的冰山一角。一个王者之师、一群沉默2000多年的陵寝守卫者，正在向人们诉说着当年的盛世。

中国西北地区1974年3月进入了持续的旱年，秦始皇陵东侧西杨村的村民不得不打井取水。当年那口挖了一半的废井，它有一边触及到一个神秘的地下王国之中，如果当时打井的位置稍稍偏离，2000多年前的历史将依然混沌。

这是一种人们从未参拜过的神像，他的造型奇特，似人非神，从来没有出现在中国的那一座寺庙之中。从外形上看，与其说是神像，不如说是身披甲胄的战士。然而，考古人员关心的是，这些距秦始皇陵1.5公里处发现的陶像会不会与传说中的秦始皇陵墓有某种关系呢？

不久后，考古队进驻西杨村，有谁能够想到，这个看似不起眼的考古工作在半年后震惊了全世界。这就是被称为"世界第八大奇迹"的秦始皇兵马俑，它们是以个体形象呈现的整体塑造艺术，这8000兵马造型各异，绝不雷同，是2000年前世界塑造史上的巅峰之做。然而，秦始皇为什么要耗费巨大的人力塑造兵马俑呢？

中国自古以来讲究"视死如生"，认为人死后会有一个幽冥的世界，如果把死人生前的一切带到地

兵马俑个像

下，他在阴世间的生活会与生前一样。

于是考古学家们推测，这些陶制兵马俑是秦始皇阴间的护卫者，始皇帝并没有采用活人活马的生祭，他的护卫军，是出于能工巧匠的制造。这些秦俑，是秦陵的最后证据么？

考古研究表明，这些兵马俑的制造年代，大约在秦统一全国的公元前221年动工，至公元前209年结束，前后大约历时10年，需要几万工匠共同劳作。

如果说秦始皇帝陵的布局是模拟当年秦王朝的政治中心、首都咸阳的形制而建造的话，那么兵马俑坑则象征着秦陵的地下王国的军队，即一支冥军！

继1974年发现一号兵马俑坑之后，1975年上半年，又先后发现了秦俑二号坑和三号坑。三个坑基本呈"品"字形排列，总面积达20000多平方米，内埋陶质兵马俑7000余件，木质战车100余辆。三个兵马俑坑都是地下坑道式土木结构建筑，它们既相互分割，自成单元，又紧密相关，浑然一体，共同构成庞大严密的地下军事营垒。

1979年，考古工作者在秦始皇陵西侧20米处发现了铜车马坑，它与兵马俑坑东西辉映，成为中国考古界又一个重大的发现。

铜车马主体为青铜所铸，一些零部件为金银饰品。各个部件分别铸造，然后用嵌铸、焊接、粘接、铆接、子母扣、纽环扣接、销钉连接等多种机械连接工艺，将众多的部件组装为一体。通体彩绘，马为白色，彩绘时所用颜料均为用胶调和的矿物颜料，利用胶的浓度塑造出立体线条。

除了三个坑外，还有一个只挖出土扩，没来得及铺砖棚木，更没来得及放入兵马俑的四号坑。据勘查，四号坑面积4000多平方米。人们虽一般很少提及，但它并非可有可无，因为这四个坑统一组成了一个完整的军事编列体系。三缺一，

秦始皇兵马俑

留下了一个历史缺憾。

埋藏着这支冥军的三个坑各不相同：兵马俑一号坑似为步兵部队；二号坑为一个由骑兵、战车和步兵（包括驾兵）组成的多兵种特殊部队；三号坑似为统帅一、二号坑的指挥机关。

三个坑共有7000余件陶俑、100余乘战车、400余匹陶马和数十万件兵器。秦陵兵马陶俑的发现，被国际上誉为"世界第八大奇迹"。自1975年开始，国家已先后在三个坑上建造展览大厅，对外公开展出，其中二号坑是边发掘边展出。一号坑中的兵马俑在11条东西向的过洞中，排列着挎箭执矛的销甲俑和6辆战车相间的38路面东的纵队，构成军阵主体的主力部队。在主力部队前面，横列着三排横队，每列有70个战袍俑，手执管机弓箭，个个气宇轩昂，组成全阵的前锋。其他三面，各有一列武士俑，分别面向南、北、西，似是侧翼和后卫，以防止敌人从两翼和背后袭击。

秦兵马俑大小皆仿真人、真马制成。武士俑高1.8米，面目各异，神态威严，依服饰、胃甲和排列位置可以分为将军、军吏、材官、射士、骑士、伍卒等多种，还有二号坑中独有的跪射俑、鞍马骑兵俑，这些都形象地再现了秦始皇威震四海、统一六国的雄伟军容。出土武器更令人惊奇，这些经铬化处理的青铜兵器，至今仍寒光闪闪，锋利如新。青铜兵器的铬化处理，证明了我国这一工艺将1937年德国作为发明专利而创造的工艺技术提前了2100多年。

此外馆中还展示了陵旁出土的两组铜车马，每组有车一辆，马四匹，车盖华丽，车窗为镂空雕，鞍辔上有金银错纹饰。每辆车各有一名驭手俑，实为秦代艺术珍品。

然而兵马俑的重见天日却为人们又带来了一团迷雾，秦始皇为什么要用那么多的泥人泥马来陪葬呢？

有人认为，秦始皇陵实质上是按古代礼制"事死如事生"的要求特意设计的。因为秦始皇即位后，用了大部分的精力和时间进行统一全国的战争。当时他率领千军万马南征北战，从而并吞了六国，统一了天下。为了显示他生前的功绩，以军队的形式来陪葬似乎是一种必然。

大多数的学者认为秦兵马俑是秦始皇陵的一部分，反映的是秦始皇生前的军事情况，但在具体问题上观点又不一致。

第一种观点认为，秦俑坑出土的这支秦代军队的大型群雕，是秦始皇创建和加强中央集权的象征；秦俑坑大批兵马俑的军事阵容，正是秦始皇统治下强大的军事实力的形象记录。在一定意义上也可以说，它是秦始皇东巡卫队的象征。

第二种观点认为，秦兵马俑坑象征着驻在京城外的军队，可称之为宿卫军。以战车、步兵相间排列的一号兵马俑军阵为右军，以战车和骑兵为主的二号兵马俑坑为左军，未建成的废弃坑当为四号坑，即拟议中的中军，三号兵马俑坑是统帅右、左、中三军的幕府。俑坑本身象征着屯兵的壁垒。三军拱卫京师，是秦始皇希图加强中央集权维护一统江山的反映。

第三种观点认为，秦始皇陵兵马俑军阵乃一项未竟工程，全部建成应有50000兵马俑。这个庞大的军阵按前、后、左、右、中配置兵力，实为秦代"乘之"所演习的八种阵法中最基本的阵法方阵。方阵阵法的特点之一是"薄中而厚方"，中军兵精而少，接敌的外围四队兵力较多。秦俑军阵正是按照"薄中而厚方"的方阵法来配置兵力的。

第四种观点认为，兵马俑三坑，不是象征左、中、右三军，而是反映秦代中央军的三个组成部分。三号坑绝非人们通常说的指挥部，它应该是象征郎中令统领的宫廷侍卫郎卫；一号坑是反映卫尉统辖的宫城卫士，或称之为南军；二号坑是反映中尉统领的京师屯戍兵，可称之为北军。

对于三号坑，有人认为是军伍社宗，是用来进行军祭的，是作为在军祭祖的对象的社主和迁主以及安置社祖二主的地方。

对于二号坑，有人提出是四兽阵，即弯兵阵为朱鸟阵，战车、步兵、骑兵混合阵为玄武阵，骑兵战车组成的阵为青龙阵，战车阵为白虎阵。

有的学者认为，兵马俑军阵为《尉缭子》所云的"常阵"；有的学者认为，兵马俑军阵就是为始皇帝送葬的俑群。

究竟建造兵马俑军阵是出于何种目的，一时还无法确证，但从目前对秦代的军制研究成果来看，第二、三种观点更具有说服力。

另外，兵马俑还有一个令人迷惑不解的现象：大量的士兵头上戴着这种小圆帽。考古人员证实，这是一种麻布做的头巾。军官模样的戴着牛皮做的板状帽子。更多的士兵则把长发盘在头上，挽成一个个发髻。无论是士兵还是军官，秦军一律不戴头盔。他们不仅不戴头盔，身上穿的铠甲也很简洁，甲片减少到了最低限度。主力步兵的甲衣只是护住前胸和后背。而站在最前边的弩兵部队身上一个甲片也没有。

从俑坑里能看得出来，秦俑都是简装，他着的铠甲防护的面积并不大，都属于轻型的，和今天所了解的当时的魏国的重装部队正好形成一种明显的反差。

秦国应该有能力为军队配备足够的铠甲。历史记录显示，自商鞅变法后，秦国是当时诸侯国中最富有的。《史记》上说："秦，带甲百万。"意思就是说是有百万身披盔甲的军队，但眼前这支复制的秦军却让人大感意外。隐藏在这一奇怪现象背后的历史真相到底是什么呢？

2000多年前，秦国一位兢兢业业的县法律秘书"喜"为人们探索这个谜提供了一个线索。喜曾经三次从军，他用竹简记录了秦军攻打邢丘时发生在部队中的两起案件。

在攻打邢丘的战斗中，士兵甲斩首了敌人一个首级。士兵乙企图杀死士兵甲，据首级为己有，却被第三个士兵发现，图谋不轨的士兵乙当场被捉拿归案。

另外几枚竹简上说：两个士兵为了挣抢一个首级也动了手。秦军在战场上为对手的一个首级竟要自相残杀！是什么驱使他们对敌人的首级如此渴望呢？

秦统一中国前135年，改革家商鞅为秦国制订了一套任何别的国家都无法忍受的严苛法律。从此后，整个秦国都严格地按照这套法律运转，它影响了六代秦人，直到秦始皇。

商鞅规定：秦国的士兵只要斩获敌人一个首级，就可以获得爵位一级、田宅一处和仆人数个。斩杀的首级越多，获得的爵位就越高。

这就是商鞅著名的军功授爵制度。2000多年后，喜抄写的竹简又让人们得以看到这一制度的大量细节。如果一个士兵在战场上斩获两个敌人首级，他做囚犯的父母就可以立即成为自由人。如果他的妻子是奴隶，也可以转为平民。对于重视家族传承的中国人来说，军功爵是可以传子的。如果父亲战死疆场，他的功劳可以记在儿子头上。一人获得军功，全家都可以受益。

两、三千年前，是一个按出身和血统的贵贱分配权力和财富的时代。像秦人的军功授爵这样给平民甚至奴隶向上攀升的机会，明目张胆地鼓励国人追逐功利的国家法律，在当时，似乎只有秦人能够接受。与贵族相比，普通秦人的生活用品显得简单寒酸，可以看出加官晋爵对于一个士兵意味着什么。喜的竹简上说：在军中，爵位高低不同，每顿吃的饭菜甚至都不一样。三级爵有精米一斗、酱半升，菜羹一盘。两级爵位的只能吃粗米，没有爵位的普通士兵能填饱肚子就不错了。

在这样的利益驱使下，士兵们挣抢敌人首级就是可以理解的了。可以想像，在秦军将士的眼中，敌人的头颅就是换取地位和财富的等价货币。

2000年多前的秦国，想必是一个军装闪闪发亮的国度，对于千千万万的秦人来说，上战场不仅是为国家战斗，而且是通向财富和荣誉，摆脱贫困卑微地位的惟一出路。

在中国历史上，秦人的文化和秉性是独一无二的，这很可能跟秦人的历史有关。秦人出身于大西北的草莽之间，与游牧民族混居。在当时文明高度发达的中原国家眼里，他们是落后野蛮的民族，虽然秦人努力学习中原文明，但他们从未真正接受过中原文明优雅精致、中庸谦让的伦理道德。在秦人看来，尚武、为利益而竞争是天经地义的。

韩非子是战国时期的大思想家，他记录了自己初次接触秦人的感受。秦人听说要打仗，就顿足赤膊、急不可待，根本就无所谓生死……

当时一个著名的说客这样描述战场上的秦军：他们光头赤膊，奋勇向前，六国的军队和秦军相比，就像鸡蛋碰石头……他们左手提着人头，右胳膊下夹着俘虏，追杀自己的对手……

在商鞅的著作中，军功授爵制度对一支特殊部队规定了丰厚的奖赏，商鞅称其为"陷队之士"。

在兵马俑坑，有一队士兵很特别。他们手持白刃格斗的刺杀类兵器，却完全不穿铠甲。在整个地下军团中，他们的形象显得十分特殊。这队士兵究竟是干什么的呢？研究人员一直不清楚。一个可能的推测是：战斗中有一些极其危险的任务，基本上是有去无回，重赏之下，这些完全不考虑生死的人站了出来。这些士兵很可能就是敢死队式的陷队之士。

喜的竹简上还有这样的记载：秦军在战前和战后，都要大量饮酒。大碗的酒使血流加快、使神经亢奋。作战命令已经下达，战争即将开始。要么战死疆场、要么加官晋爵。在这种时刻，酒使所有的士兵只有一种冲动：奋勇

不戴头盔的兵马俑

杀敌、建功立业。

再来看这些不戴头盔、护甲不多的秦军将士，似乎只有一个理由可以解释这种不顾性命的行为，过于沉重的头盔和护甲妨碍了他们杀敌晋爵。不仅如此，司马迁在《史记》中记载：战场上的秦军竟然袒胸赤膊，索性连仅有的铠甲也脱掉了。这些陶土的战士向后人传递的是秦人强烈的尚武精神。秦人有先进和强大的攻击武器，却不注重装甲，这是全军的规定呢？还是士兵的自觉行为？或许是来自秦人好战本性的一种上下共识？在没有确凿的证据之前，人们还只能进行推测。

商鞅制定的军功爵位由低到高共有20级，这不禁让人联想到今天的军衔。使用军衔是人类军队历史上一个重要的转折点，它标志着军队严格的等级管理制度的形成。军衔也是军人荣誉的标志。那么，2000多年前的秦军实行军衔制了吗？

军衔必须是可以识别的，仔细观察这支2000多年前的军队，他们的发式、帽子和装束都有很大的差异。这种差异跟军衔会不会有什么联系呢？

军团最前面的三排弩兵，身穿便装，头发统一梳成一个上翘的椎髻。一些身着铠甲的步兵却将头发梳成发辫，贴在脑后；大量的步兵则戴着这种麻布做的尖顶圆帽。从他们的位置和排列来看，士兵装束和发式的不同，并不是生活习惯差异所致，而是爵位级别的标志。

专家推测，这些梳椎髻、穿便装的弩兵，很可能拥有一级爵位，他们是爵位最低的公士。身穿铠甲、梳着发辫或戴着圆帽的步兵应该是二级爵，他们的名称是上造。在这个巨大的俑坑中，公士和上造占了绝大多数，就是这些普通士兵构成了秦军的主体。秦军军官又是如何划分级别的呢？

在这些纵队里，胳膊前伸、手握缰绳的是驾驶战车的驭手。他们无一例外都戴着这种板状的帽子，铠甲也比普通战士的精致。驭手的身份很关键，直接决定一辆战车的安全，他们会是军官吗？

参照史书记载，驭手的爵位至少在三级以上，这是秦军中最基层的军官，他们的权利是主管一辆战车。仅仅一辆战车还无法构成一个作战单位，统领整个纵队的指挥官又是哪一个呢？

这个军官双手按剑、气势威严，帽子的形状十分独特。他的铠甲是所有陶俑中最精致的、甲片细小而规整。前胸和后背都

兵马俑中的武将

有花结，这种花结的作用很容易使人联想到现代军官的肩章。专家考证，这样的军官应该是都尉，爵位大致在七八级左右，他至少掌管一个纵队。

界于都尉和驭手之间的是这些军官，他们戴的也是板帽，但板帽的中间有一条棱。可能是军侯一类的基层军官，负责纵队所属的一个分队。

关于秦军的内部编制，兵马俑揭开的谜团只是冰山一角，更多的细节至今仍然无从知晓。在世界军事史上，秦军很可能最早建立了比较完备的军衔体系。它的组织和管理已经很接近今天的军队了。这种等级森严、井然有序的体制使秦军的作战效率要远高于其他诸侯国的军队。

这是一个完整的地下军团，士兵和军官各就各位、整装待发。按照道理，这儿应该有一个最高指挥官，可考古人员发现：俑坑中级别最高的军官只是一个都尉，都尉大致相当于今天的团长。象征着秦国军队的这个军团怎么会没有统帅呢？

秦国法律规定：除了战争时期，调动50人以上的军队，必须持有虎符。虎符被分成两半，左边的归统兵之将，右边的由国君掌管，两半合拢才能征调一支军队。虎符是军队指挥权的标志，它使所有的秦军都控制在国君一人手里。

作为秦国军队的象征，兵马俑只能有一个最高统帅，那个人就是秦始

皇！

关于兵马俑的秘密似乎已经水落石出了，但在 1996 年 6 月，北京大学考古专业的几名学生来到秦始皇陵实习，很随意的一铲中却似乎有了一些微小的变化。在这一铲的泥土中，隐约有一些红烧土与木炭灰的痕迹。红烧土与木炭灰是考古工作的指南针，它们是高规格陪葬坑的标志，这里地下是另一处兵马俑坑吗？

经过漫长的勘探工作，考古人员精心地挖开了一个 153 平方米的小坑，令他们大为不解的是，这个坑内并没有兵马俑，而是摆满了数以万计的石质盔甲，这是什么样的墓藏坑？坑内为什么只有石甲而没有人呢？

从坍塌的坑边看，这些石甲衣与兵马俑的排列方式一样，都是每四件一排，样式也与兵马俑相同。这是十分有趣的发现，难道说，这些甲衣是为埋在不远处的秦俑做的么？但是，秦俑是死物，它们怎么能自己穿上甲衣呢？

这个考古发现迅速传遍了全中国，于是，人们又一次把目光聚焦在秦始皇的身上。

始皇帝要万年长生，在首都咸阳，是众人皆知的秘密。但是秦始皇却要为自己注定的死亡去做其他准备了。如果不能求得今世长生，那就只有经营来世轮回。

《史记》中记载的巨大陵墓就是秦始皇经营来世的最好证明，可是，人们已知的发现会不会只是陵墓的一部分呢？石甲衣又有什么用途呢？

首先，考古人员希望找到甲衣的制作方法。

现代的切割手段最小可以将石片切至 0.5 公分厚，可是，甲衣上的石片大多只有 0.3 公分的厚度。古人不可能对石甲进行大批量的机械加工，要想做出石甲，只能一片片地用手工磨制。

解决了甲片的制作，考古人员还有一关，古人是如何在甲片上打孔的呢？这种石灰石材质极脆，在打孔中十分容易碎裂。只有不断的浇水，才能保证顺利工作。三名考古人员整整用了三个月的时间才完成了一件 600 片甲衣的制作。于是，人们计算，如果这 10000 多平方米的陪葬坑内全部为石铠甲，那么至少需要 3600 人干上整整一年。

石甲完全由手工磨制而成，一位工匠做这样一件甲衣，大概要用上近一个月的时间，可是，秦始皇为什么要耗费如此大的人力与物力去制造没有实

战用途的甲衣呢？结论只有一个，这些石甲衣与兵马俑一样，只是秦始皇陵墓的冥器。

有专家推断，兵马俑是始皇帝的地下军团，而石甲坑正是这个军团的武备库。用8000陶兵陶马做护卫，以上万件石甲衣为武备，自人类抒写文明史以来，再没有那一位帝王能有如此大的手笔，在地下埋藏这样一支绝无仅有的陪葬军队。

然而，秦始皇的真正用意是什么呢？考古学家认为，这8000兵马面向东方，随时准备出击。如果西方六国的君主在阴间反抗秦国，这些军队，将用来与叛军进行决战。秦始皇的真正用意是，可以在死后一统冥界，在阴世间做千秋万世的皇帝。

武士与甲衣，构成了秦始皇陵的地下武装。但是，作为"千古一帝"的秦始皇，他的地下陵墓，就只有军队与武备吗？人们深信，秦陵的秘密还远不止此。

一座特殊的陪葬坑在2000年6月的被发掘使秦陵的研究再一次成为世人关注的焦点。这座地坑的墓道内摆满了陪葬战马的尸骨，主室是与实物等比例大小的房间，除了宽敞的大厅外，一侧还备有厢房。考古人员对这些出土的陶俑进行了精心的修复，另他们大为不解的是，出土的12个陶俑没有一位是身穿铠甲的战士，他们头戴长官，衣袖翩翩，双手都笼在袖中，腰带下似乎还挂有一些小器件。这些小物件是做什么用的，这个陶俑的穿着为什么与兵马俑相差

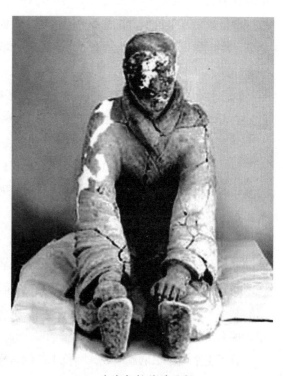

文官打扮的兵马俑

的如此悬殊呢?

难道说没有铠甲就一定是文官么?他们会不会是秦始皇的仆从呢?他们是秦陵第一次出土的文官陶俑,这对秦始皇陵的研究意义重大。要想了解这12个陶俑的含义,首先需要知道他们做的是什么样的官?

答案就在坑底,这些铜钺引起了考古人员的注意,钺在秦朝是一种法制和强权的象征,在当时,持钺者应该掌司法。经过修复,其中两个陶俑恰好露出持钺的架势。原来,这里是秦始皇的司法机关,12陶俑是各司其职的司法官员。

近年来的不断发现一次次震撼着考古人员的心灵。内城之中出土的铜车马为帝王出巡所用,百戏俑如同娱乐场,内外城之间的珍禽异兽坑就好比宫廷苑囿,而远离宫城的兵马俑正是保卫京都的禁卫军!

兵马俑是秦始皇在另一个世界的守卫者,它们沉默了2000多年,并且将永远沉默下去。它们是一群最忠诚的卫士,它们在等待着,等待着千古大帝秦始皇苏醒的那一天。如果那一天有到来的可能,那么又一个令人热血沸腾的铁血时代将在始皇帝的一声号令下拉开帷幕。只不过,这样的情形只能停留在人们的想像中了,而这群秦始皇的卫士们,也只能永远地等下去。

就如同兵马俑等待着秦始皇的复活一样,我们也在等待着大秦帝国的密码最终被完全破解的那一天。也许,秦始皇和他的伟大帝国永远不会向我们揭开那神秘的面纱,但只要我们积极地在探索中等待,并享受等待过程中带来的乐趣与启迪,就足够了!

大秦帝国那重重密码,今天,仅仅破解了零星几个而已,让我们一起等待未来真相最终大白的那一天……

后　记

很早就想写一部关于秦始皇和他的大秦帝国的书了。在我对历史的浅薄认识中，大秦帝国是最为神秘的，不仅仅是由于历史的原因而使得秦始皇和他的帝国在史籍的记载中言语不清，更多的是出于对这个曾经横扫天下、却又二世而亡的中华第一帝国的一种好奇。

史籍中的只言片语隐晦不清，而且上下文中又有诸多矛盾之处，这就使得秦朝愈发的神秘。好在中华人民共和国成立之后，国家实力日益增强，考古业也随之而兴旺发达，我们方有幸窥得笼罩在历史帷幕下的冰山一角，并能够根据这一些线索去推测真实的历史。

这本书今天之所以能够面世，完全是建立在过去和今天无数的历史学家和考古工作者的汗水基础之上的，无法一一表示感激之情，只能借此一隅一并表示由衷地感谢。

我不是历史学家，更谈不上对秦朝的历史有什么深刻的认识，只能站在巨人的肩膀上，去感悟那段令人热血沸腾的岁月。本书是用一种类文学的手法写成的，其中有许多我个人的观点、见解和尽量符合当时背景的虚构，比起历史学家和考古专家来，有些无疑显得十分幼稚可笑，甚至还可能违背了历史事实。但我自认为，已经过去的历史是要让人们来评述和借鉴的，公说公理，婆说婆理，见仁见智罢了，只有百家争鸣，才能让我国的历史研究事业有长足的发展。

我能力有限，书中不乏荒谬之处，还望和我一样对神秘的秦始皇和他的秦王朝有着兴趣和好奇之心的同仁志士们不吝赐教，为我们早日解开大秦帝国的密码添砖加瓦。

　　本书在编写过程中，得到了中国广播电视出版社领导及任逸超先生、刘立东先生、湖北江汉大学涂文学副校长、湖北江汉大学发展研究院肖引院长的大力帮助，同时北京环球阳光投资顾问有限公司的全体同仁也为本书提出了许多宝贵的建议和意见，谨在此表示感谢。

作者：秦风

2007 年 2 月于北京